21世纪中国纪实文学大系

2009卷

顾问：钱谷融
主编：桂国强

学生“村官”

文匯出版社

编委会名单

总序

21世纪是一个非同寻常的世纪。尽管这个世纪至今仅仅走过了十多年的历程，但在与人类朝夕相处的地球上，却已经发生了诸多惊天地、泣鬼神的重大事件，令世界格局发生了错综复杂的变化，给全世界留下了难以泯灭的记忆。

对于正在不断崛起的中国而言，21世纪无疑是一个机遇与挑战并存、成就和困难共现的世纪——这已在中国社会的各个层面展现出来。

在刚刚过去的十多年里，中国正式加入WTO，成功举办2008年北京奥运会和2010年上海世博会，国际地位显著提高；中国全面实施西部大开发战略，青藏铁路顺利开通，“西气东输”工程全线推进，高速铁路亦成功运行，国家建设硕果累累；中国高度重视科学发展，包括航天科技、农业科技、石油勘探等在内的科学技术取得了举世瞩目的辉煌成就；中国的新农村建设卓有成效，农业税费制度改革进一步推进，农村义务教育经费保障机制有力推行，农民的生活不断改善；中国的两岸关系有所突破，厦门金门实现直航，两岸春节包机适时通航，大陆居民赴台旅游更加便捷，两岸“大三通”已然实现……勤劳而智慧的中国人准确把握机遇，用自己的行动赢得了世界的尊重。

当然，在新世纪已经过去的十数年里，中国也面临着诸多挑战，遭遇了不少困难。譬如：2003年的“非典”，2004年的“禽流感”，2008年的四川汶川大地震及这一年全球金融危机给中国带来的负面影响，2010年的青海玉树地震，2011年湖北、湖南、江西等地出现的大面积干旱……此外，还有环境污染、食品造假、海峡那边陈水扁的“台独”闹剧等等，凡此种种，都给中国的前进之路带来了挑战。

成就也好，挑战也罢，时至今日，都已在新世纪所发生的重要事件中显现出来。这些事件，有些已经成为历史，有些却还在延续。历史是一面镜子，对于后人，可以起到“以史为鉴”的作用；现实是当下的存在，研究它可以积累经验，帮助我们寻找到人类发展的正确路径——基于此，我们有必要将这些已经过去的或仍在延续的事件以及与这些事件有着密切关联的人物——用一种最为世人接受的文字形式记录下来，为今天和明天留下一份可供借鉴与启迪的珍贵资料。

我们之所以选择纪实文学作为承担“记录”重任的文字形式，是因为这种文体乃涉猎文学和新闻两大领域的一种独特的艺术样式，是兼具新闻真实和历史真实品格的艺术真实，它在很多方面弥补了现实新闻报道无法反映的空白，达到了相当的深度和广度——正是由于它能比一般的新闻报道更深地切入现实、切入人心、全景式地反映变革过程中某些本质的东西，因而，随着时间的推移，也就更能凸显其无可争辩的文献史料价值和文学欣赏价值。

新世纪以来，中国的纪实文学蓬勃发展。国家综合实力的提升，国际多边交往的频繁，国民生活水平的提高……都为纪实文学提供了丰富的创作素材，激发了纪实文学作家和各类媒体记者的创作热情，从而创作出一批又一批展示波澜壮阔历史画面、描绘跌宕起伏现实场景的精品力作，为反映中国的现实、记录中国的历史、繁荣中国的文学立下了不朽的功勋。

现在，呈现在读者面前的就是新世纪以来（自2000年开始）中国优秀纪实文学的精选、精编本。入选的文章中，有的获得中国报告文学奖，有的获得鲁迅文学奖，有的则荣获了各种类别的年度新闻奖……由于诸多事件的发生、发展都会经历一定的时间，有些还会延续几年甚至更长；从创作规律来说，一篇成功纪实文学作品的采访、创作和发表也需要相当的时间，很难保证当年的文章能与当年的事件完全同步。因此，在对文章的选择中，我们首先考虑的是能够反映该年度的重要事件及其相关人物，至于其具体的发表时间，则应当服从于事件和人物。

我们计划一年精编一本，每本都能比较客观、全面、及时地反映该年度中国所发生的重要事件及与之相关的重要人物，从而能凸显其独特的史料价值；我们同时又希望，书中所精选的纪实文学作品能给予读者朋友有益的启迪和思考，充分享受阅读的愉悦，从而真正领略纪实文学的艺术魅力。

迈着稳健而充满活力的步伐，向着明确而富有挑战的目标，中国依然在前进，中国的大地上依然在发生着历史性的深刻变化。因此，用文字记录中国、展示中国，依然是我们今后相当一段时期内义不容辞的重要任务。我们将不辱使命，勤奋工作，努力选编好一年一度的《21世纪中国纪实文学人系》，为广大读者奉献上兼具史料和文学双重价值的精神产品。

（主　编）

2009 年纪实文学概述

2009 年，是新中国成立 60 周年，举国上下一片欢腾，庆祝伟大祖国的 60 华诞，向世界宣告中国翻天覆地的变化。当然，2009 年还有许多事情需要铭记。文学的脚步永远伴随着生活，2009 年的纪实文学没有让我们失望，依旧为大众呈上了一份漂亮的答卷。

一

共和国 60 年宛如一幅宏大的历史画卷，无法用有限的文字穷尽每一个值得记载的细节，但新华社总编室编写的《新华社国庆 60 周年报道精品选》一书仍然在一定程度上浓缩和见证了共和国甲子之年的辉煌与风采。特别是 10 月 1 日当天，新华社调集精兵强将承担了庆典活动精品稿件的采写任务。报道组紧扣庆典主题，抓住重要场景，采写播发了《旗帜，指引我们前进——新中国成立 60 周年庆典天安门城楼侧记》《和平的力量　庄严的检阅——胡锦涛主席检阅共和国武装力量侧记》《奋进吧！我和我的祖国——庆祝新中国成立 60 周年群众游行抒怀》《这一刻，中华儿女热血沸腾——新中国成立 60 周年国庆观礼台侧记》《今夜，尽情为祖国歌唱——首都各界群众庆祝中华人民共和国成立 60 周年联欢晚会侧记》等十余篇重点稿件。这些报道，有激情、也有沉思，有宏大、也有细腻，有自信、也有自警，有豪迈、也有忧患，有伟大、也有平凡，有国家、也有个人，有民族、也有世界。新华社记者以新闻报道的独特视角和深入观察，打动了读者，唤起了共识。

回顾中国共产党领导中国人民走过的 60 年峥嵘岁月，展示中华人民共和国的日新月异，这一重要题材自然得到了纪实文学作家的关注。陈启文的《共和国粮食报告》是国内第一部关于共和国粮食 60 年历程的长篇报告文学。作者敏感地抓住人类生存的难题——粮食，把粮食置于天、地、人、时的交织中，站在五千年的文明史看共和国粮食之路上的人与事，宏阔恢弘，又细致入微，富有文学追求。作者采取在时空中多重穿插的方式，从共和国诞生前的“东北解放区土改”到“开国大土改”，从“人民公社”“农村联产承包责任制”，再到被称为中国第二次土改的“土地流转”，作者深沉地描写中国农村土地与这片土地上发生的错综复杂的状况，披露了在这一历史进程中出现的一个个如“大跃进”“放卫星”等令人思索的事件。难能可贵的是，这部作品记录辉煌，也不刻意回避历史的曲折，客观公正地书写公共记忆，力图让中国粮食的历史，现状和未来从不同的侧面呈现出来，为共和国 60 年来的粮食之路留下一部有血有肉的形象史。

二

2007 年以来，江苏启动“1011 工程”，选派大学毕业生到 1011 个经济薄弱村任职；到了 2009 年，很多大学生“村官”已经成长为了基层的骨干。作家傅宁军深入苏北各地最偏远的乡村，采访这些有志于建设新农村的大学生“村官”，以及他们生存与工作的真实环境，以真实的视角摒弃外界的光环，寻觅他们内心的情感世界，创作出《大学生“村官”》。南京财经大学毕业生戈新化，经过几年的锻炼，现已是苏北宿迁市杨楼村党支书兼居委会主任；毕业于常州工学院外贸英语系的女大学生张天然，出任铜山县洪楼村党支书，是一位很受群众拥护的“村官”；毕业于三江学院广告学专业的滨海县八巨镇巨峰村党总支书记杨晶晶提出了“变认命为拼命，变自卑为自强，变依赖为依托，变守业为创业，变慢进为快进，变治穷为致富”的巨峰精神；大学生“村官”谢如彬、刘志健，大胆创办大型火鸡饲养场，带动村民走致富路；大学生“村官”帅飞，及时联系，运来大批“番茄苗”，解决村民们的“急需”，为村民致富出谋划策，给村民们带来切实的经济收入，受到村民的赞扬……这些年轻鲜活的身影，是新世纪中国乡村社会中的一支活跃力量，受到社会的关注。

三

新世纪技术革命的不断演进，让很多原来辉煌的产业日薄西山，并最终退出江湖。曲宏波撰写的《数码时代让胶卷走上末路》，好像是为昔日辉煌的胶卷产业，预先哀告。果不其然，2012年1月19日，世界胶卷生产巨头柯达公司提交破产申请。这样的事情谁会想到呢？在新技术条件下，很多传统技术行业，都面临不进则退的危险局面。为了防范危机，中国的不少传统企业，都在为适应新技术新形势而寻求改革。陈远等在《中国出版变局》一文中，对中国出版业的现状作出了清晰的描绘。文章着重报道中国出版业转企改制的历史进程，尤其是到了2009年，成为关键性的一年，很多企业资产重组，借壳上市，试图做大做强。这样的改革探索正是新技术冲击下，行业内部未雨绸缪，化解危机的一种尝试。

四

新世纪中国社会生活的新变化，在2009年纪实文学作品中，被强化的主题，有艺术品拍卖、旅游市场等等。艺术品拍卖是新世纪中国各类市场中最活跃的一个领域，在国际范围内影响巨大。一些国际艺术品市场的卖家纷纷看好未来中国的市场，凡是与中国艺术品相关的拍卖，行情基本面始终处于上扬趋势。而有一些中国艺术品拍卖，因涉及近代外侮的敏感问题，引发民族情感。《中国新闻周刊》刊发的《圆明园兽首"拍而不买"真相调查》，讲述了发生在法国巴黎大皇宫佳士得拍卖行，拍卖中国圆明园鼠首和兔首的故事。曾德强的《中国旅游调查》，以敏锐的目光，触及了旅游业这一蒸蒸日上的行业在新世纪所遭遇到的矛盾和问题。

（撰稿人：杨扬、陈思思）

目录

大学生“村官”敢当一把手

2007 年江苏启动“1011 工程”，选派大学毕业生到 1 011 个经济薄弱村任职。2008 年起的五年，全国将选聘十万名高校毕业生到村任职。作者深入苏北各地最偏远的乡村，采访这些有志于建设新农村的大学生“村官”，以及他们生存与工作的真实环境，以真实的视角摒弃外界的光环，寻觅他们内心的情感世界。

据人民网报道：2008 年 11 月，铜山县委在全县范围内公开选拔 51 名农村基层党组织书记，报名条件除中共正式党员、具有高中（中专）及以上学历和 43 周岁以下三个要求外，破除地域、行业、身份、资历等界限。在 356 名通过资格审查的报名者中，22 名大学生“村官”引人注目，竞争对手中有指导过他们的“师傅”。

12 月 10 日，22 名大学生“村官”和其他 334 名报名者参加公开选拔村党组织书记面试考试，获得第一名 8 人、第二名 3 人、第三名 7 人。经过组织考察、镇级党委会票决、社会公示等程序，其中 8 人被任命为村党支部书记。

一位落选者说：“原以为大学生‘村官’只是知识水平比我们高，了解农村肯定不如土生土长的农村干部。但是从面试情况看，对农村存在问题的理性判断和科学的发展规划，才是他们胜出的根本原因。”

2007 年江苏统一在全省招聘大学生“村官”，到任之初无一例外是副职。是中共正式党员的，任村党支部副书记；非党员的，任村委会主任助理。随着时间的推移与锻炼的成熟，有一些优秀大学生“村官”参加村级组织竞选，陆续走上村支部书记的岗位，成为共和国最小行政组织的一把手。

在铜山县采访，我看到了县委组织部制订的《村党组织书记不胜任现职标准》：凡年龄偏大、任职时间长、家庭人均年收入达不到本村年人均收入 1.5 倍、班子软弱涣散、带动能力不强、影响村级经济和社会发展、宗族势力强、带头拉帮结派等，均不得再继续任职。铜山县对314个行政村党组织书记考察，发现存在年龄老化、热情减化、知识退化、思想僵化等现象。

铜山县委意见很明确，尊重民意，不称职必须换掉。51名不称职的村书记进行组织调整，51个村书记职位公开选拔。如此海选村书记，如此多的大学生“村官”参选，在江苏尚属首次。

面试题目跟村务有关：“假如你是村支部书记”。

试题一：某村有13个村民小组，平时村里雇人管护树木。其中80%左右的树种在5、6、7村民小组的路边地头，现在树长大了，这3个村民小组的村民提出，这些树影响庄稼要卖掉，钱由他们分掉。其他村民小组的村民认为，树是村集体的，应由13个村民小组平分，就到县里集体上访。你该怎么处理？

试题二：某村60亩鱼塘要承包出去，你认为应有哪些程序？

试题三：春节将至，上级一笔慰问金要发放给村里贫困户，要村里上报10户贫困户名单，你怎样确定这个名单？

我感兴趣的，正是这种对处理复杂事务的考察力度，几乎使参选人员的受教育程度的差距可以忽略不计。本来大学生“村官”不占优势，却仍然也能回答得有条有理，说明这些大学生“村官”具备了实力。

初选通过的大学生“村官”，有的选择了理性退出。一位“村官”说，自己参选主要是一次锻炼，但做村书记要统领一个村，没有家族背景，难以开展工作。“考官”表示理解，退出的，胜出的，都没有任何长官意识。公推公选，看上去选的是一个带头人，其实选的是一个村庄的未来，非严肃对待不可。

谁都知道，村支书不好干。有人告诉我，只要你能当好一个村支书，再叫你当镇委书记甚至县委书记，都不会有什么问题了。就好像一出戏里说的，有这碗酒垫底，什么样的酒都能对付。林子大了，什么鸟都有，村民虽然大多善良、纯朴，但也不乏狡黠、自私，当地人没有两下子都不敢当村支书，何况一个外来的大学生？

如今行政意义上的村，相当于公社化时代的大队。下辖若干个自然村，相当于当年的生产队。哪一个村，都有几千人。大至政策贯彻、上情下达，小到吃喝拉撒、家长里短，都得一一操心。

一位大学生“村官”帮我找来当地出身的村书记，说这个村书记有头脑，作风也正派。没想到，村书记对我说：“你们作家一写到我们村干部，就是反面角色，好像我们在欺压百姓，你们不知道我们的难处。就说计生吧，层层要求，一票否决。有个村民生了第三胎了，你管不管，怎么管？上面可以下文件，我们要面对具体的人。没办法，砍了他家门前的树，被他告了，我受处分，你说还管不管？我们村有生了五个女儿的，你管他，他不听，你罚款，他就上访，你怎么办？”

一位大学生“村官”告诉我，在现行体制下，村干部只有执行权，没有执法权。人家听你的，给你一个面子，人家不睬你，你只好拉倒。他们村的前任书记真是冤，有村民乱砍树，管了他，就得罪了人，跑到上面告状，把村书记告倒了。那个村民还闹，就想自己当村干部。乡领导怕他上访，就做我们的工作，提名告状的人选村委，叫他尝尝当干部的难处。大家想不通，也没办法，怕那个村民再告啊。

2008年12月28日，首届“中国十佳大学生村官”获得者在《创业新农村，奉献写青春》倡议书条幅上签名。（袁满/摄，图片来源：新华社）

是啊，专家可以理论探讨，村书记却无路可逃。某种意义上说，一个村能不能发展，看的就是村书记。这几千人的生计之事，不是闹着玩的。你是副职好说，你当一把手，所有的矛盾都会集中到你的身上。80后大学生“村官”稚嫩的肩头真能挑起一个村支书的担子吗？真的能履行全村一把手的职责吗？

这是一个过场的形式，还是一个新生的希望？

趟一回雷区

戈新化，1984年出生，今年25岁。南京财经大学本科生，学的是经济学专业。别看他的个头在一米八以上，却长着一张娃娃脸，厚厚的眼镜片后面，一双弯弯如月牙的眼睛，显得有几分稚气。然而，听他用标准的普通话讲述他的经历，他对农村建设的看法，你就不得不相信，这是一个有思想、有见地的年轻人。

在江苏这批到村任职的大学生中，戈新化当村支书应该是最早的一个。2007年12月8日上任，这个日子他随口报来，记得非常清楚。也就是说，五个月前，戈新化和其他大学生一样毕业，五个月后，就挑起了村支书的担子。他现在职务全称很长：宿迁市经济开发区三棵树乡杨楼村党支部书记兼居委会主任。

两个一把手，真正的“双肩担”。

而且，戈新化的一把手是争来的！

在日益物质化的今天，现实的琐屑堆积如山，戈新化依然仰望理想的星空。一个人活着，不能只为了自己，还要让更多的人活得更好。高中期间，戈新化就递交了入党志愿书，成为同学中最早入党的学生党员。未来的职业规划，锁定的目标是对社会有益的成功人士，他要像青年周恩来那样，为中华崛起而读书。

选对了专业就成功了一半。戈新化坚信，经济学知识在经济腾飞的时代大有可为。当村官的选择，在他看来顺理成章。农村经济不是也值得琢磨一番吗？

戈新化接受的任命，是杨楼村党支部副书记。

他到三棵树乡报到的那天，才知道全乡有三个经济薄弱村，派了三个大学生“村官”，三个人一纸任命书。镇政工书记把三个村的村支书找来，把这三个村官介绍给三个支书，然后开了一辆面包车，带他们到三个村跑了一圈。

南京财经大学经济学院2003级本科生、江苏省宿迁经济开发区三棵树乡杨楼居委会党支部书记兼居委会主任戈新化。
（图片来源：新华社）

第二天，他就自己骑着自行车下村了。头一天坐车去过，还认得路，总算摸到了杨楼村的村部。村支部书记姓王，40多岁，当过会计、村长，是土生土长的一把手。王支书待他很客气，告诉他，村里有多少人口，分几个村民小组，组长是谁。还告诉他，支部有党员50人，今年过世一个，现在49人。

戈新化说，能不能派个村干部陪我到组里看看。

王支书说，不用看了，农村都这样呗。

当时他没吭声。隔天再去，王支书还是这样的态度，以后再安排吧，不冷不热的。他不知道，其实王支书是一种托辞，拒绝带他下组。他就老老实实地等，每天到村部转一转。后来觉得不对劲，他自己骑着车下去了。

他和其他两个村官住在乡政府。每天下村骑自行车，17里路要骑40多分钟，一个来回一个半小时。他在学校住集体宿舍，乡里住宿条件比学校好得多，没什么不习惯的。可是他浑身不自在，是因为骑车下村了，还要赶回乡政府吃饭，在村里只能待两三个小时，有时回到乡里办些事，下午就不能再去了。

初来乍到，只能如此。过了几天熟悉了，就觉得有些事情可以改变，不如放弃到乡里吃午饭，延长在村里的时间，可以到下午三四点钟。

我说，那你怎么解决午饭呢？

他说，我自带干粮啊，带的是煎饼，苏北常见的面食，在街上买的。我老家就拿煎饼当主食。装进塑料袋，放在书包里。

我说，干巴巴的，怎么吃啊？

他说，吃的时候，就到村民家要点开水。

戈新化轻描淡写地带过，不觉得有什么了不得。他感觉窝心的，是自己到村任职一个多月了，村民也知道来了个大学生，王支书不在大庭广众的场合介绍，许多人就不认识他。他到村民家去，拉上其他村干部，免得尴尬。他找村支书要事做，王支书就说，别着急，支部分工以前分好的，就这么办吧，你不用管那么多啦。

戈新化的出现，让许多村民感到新鲜。

他愿意跑到村民中间，愿意自报家门，接触村民的范围在扩大。也许他与村干部无缘无故，反而让村民畅所欲言。村里好多矛盾处理不当，老百姓就会有怨言。他耐心地倾听，村里有什么麻烦事，村干部是怎么对待的，为什么村民会有意见。他发现，村支书被动应付上面交代的工作，统计、报表、数字年年相似，照葫芦画瓢，以前怎么做，今年还怎么做。至于老百姓的呼声，似乎没人听。

他对我说：我真是血气方刚，去跟支书谈，碰了一鼻子灰。农村做事不强调什么方法，反正大家习惯了，靠多少年经验，不追求更好，只要不变得更坏。很多大学生不适应，以为太陈旧了，变一变，就会遭到村里人的排斥。你这黄毛小儿，你了解多少事？我们多少年都这样干的，你到了才几天，你就想变了？

我问，村民最大的意见是什么？

他说，最主要的事是盖房子的问题。我们杨楼村已经划为开发区的工业用地了，拆迁是早晚的事。只不过，没有明确的时间表。政策规定，凡在拆迁范围内的严格限制建房。也就是说，除非特殊需要，绝不批准你建房的。可是，村里还是村干部说了算，你只要交钱，村干部就可以网开一面，你建了也不追究。

就在经济薄弱的杨楼村，村干部私自同意建房，居然涉及十万元的账目，戈新化感到非常震惊。几个老党员偷偷告诉他，这笔账的形成是村里一个公开的秘密，村民对账目开支有疑问，这笔钱还剩多少，怎么花的。据说想盖房子的人把钱交给村里，也没有个收条。一千两千可以，三千五千也可以，没有标准，只看关系的远近。村里账目不公开，有人自发地调查，核实了大致的数目。这几个老党员有50岁以上的，他们知道戈新化是刚来的村官，把他看成组织上派来的代表。

老党员的信任，使戈新化心头发烫。他忍不住，还是当面跟王支书说，村民对村里的账目有议论啊。王支书不以为然，这些钱已经用于招待外面来人了，没办法，还不是为了村里嘛。戈新化觉得，村民这么多眼睛盯着呢，支书的思路要变一变。他推心置腹地说，村民对账目疑问多，支书能不能做个公开的说明啊？王支书“哦”了一声，用奇怪的眼神看他，好像在说他不懂事，然后把话题转移开了。

戈新化一头雾水。后来他才知道，杨楼村的账目包得很严，只有支书与会计两个人知道，包括村里其他副书记、副主任，都沾不上边。

村干部的作风不改，要想让村里的面貌整体改变，根本就是一句空话。不能取信于民，何以凝聚人心？戈新化想过，当务之急是能不能改变王支书的想法。试了几次，他有些失望，改变王支书的想法，看来很不容易。

这时，村里“两委”改选即将开始了。戈新化意识到，既然改变不了村支书的想法，也许可以改变村支书。按基层组织选举法，村支书应该是差额选举，他与其他村干部交谈，鼓动他们参选，当另一个候选人，但是，他们没有这样的意愿，再鼓动也不行。想想也没什么奇怪，敢当村支书的应是村里的能人。

遇到村里老党员，他们拉着戈新化说选举的事，戈新化问他们，除了王支书，还有谁能竞选村支书？大家扳着手指头，数来数去，找不出哪一个人能挑战王支书。戈新化半开玩笑地说，如果没有人，我就来选吧。

没想到，戈新化无意间说出的想法，得到了老党员的支持。反正你是正式党员，也是副书记，你来竞选，我们支持你！平时愿意表达自己意见的村民，拉着他的手说出内心的不满。杨楼村不能老是这样下去了，要选一个新的带头人！

给戈新化最大鼓励的，正是一种寻求变革的民意。那时强调“一肩挑”，他在村里公开说，我要参选村书记、参选村主任。

大学生“村官”站出来，跟前任书记同台竞选，戈新化的胆量够大的了！村民的态度都是支持的。但是，上一级组织还是有人不接受他，领导的态度与村民的态度截然不同。乡里主要领导说，小戈，你还年轻，刚到村不久，村里很多情况你不了解，这样同台竞选，对你以后的工作影响不好，最好不要。乡里其他副职说，小戈，这件事你以后不要提了。主要领导劝说委婉，最好不要。副职直接说，不要提了。戈新化听得出弦外之音。

王支书其实很气愤，情绪激动程度超过乡镇。显然，这关乎他的切身利益。他对一个大学生的挑战是气愤不过的。他涨红了脸说，小戈，你还嫩！这句话的潜台词是，你还年轻，不可能在村里得到绝对认可，老百姓是不会选你的。

戈新化说，王书记，无论你怎么想，我还是会坚持我的选择。

王支书说，那你就选吧，最终吃亏的还是你。

村居委会主任提名选举时，有好几人参选，戈新化得到仅次于王支书的票数，成为第二候选人。村支部书记提名选举，戈新化也是第二候选人，没有其他人参与书记竞选。提名的结果，报到乡镇，批准同时列入，并列候选人。

戈新化这个大学生“村官”，也能竞选两个一把手了！村民中激起了巨大的反响。小戈虽然处于劣势，但仍然坚持，认可他的人更多了。

正式投票选举那天，杨楼村像赶集似的热闹。一张张打上候选人名字的选票，交到村民的手头。村民说，从来没见过这么多人投票。

乡政府几乎全部出动，派来20多个工作人员。一个主会场，四个分会场，每个会场至少有两个乡干部。监票，唱票，紧张而有秩序。

第一轮是居委会主任选举。

村部主会场拉着醒目的横幅，王支书和戈新化都坐在前排。黑板上两个候选人的名下，粉笔字的票数不断变化。戈新化只注意票数，没注意王支书的脸色铁青，越来越难看。投票的人多，唱票四个多小时，从上午10点直到下午2点。唱到一半时，戈新化的票数就领先于王支书了。王支书趁众人没在意，走了。

这是一次乡领导都感到意外的选举结果。身为居委会主任的候选人，戈新化得到1 300票，占全村选民有效票数的三分之二！

第二轮是村支部书记选举。

当天下午召开村支部党员大会，由乡党委领导主持。在村居委会选举中失利的王支书，宣布放弃书记选举。前任书记弃权，原定的书记候选人只剩下戈新化，不符合差额选举的原则。乡领导决定，增加原来的村主任，书记候选人还是两位。

支部书记选举又是“一边倒”。与会正式党员31名，这31张有效选票，投给戈新化28票，投给原村主任的只有3票。戈新化的得票率超过四分之三！这是杨楼村的党员与群众用选票表达了推选一把手的民主权利！

乡领导宣布，程序民主，选举有效。

戈新化当选支部书记兼居委会主任，任期三年。

我问戈新化，事先你估计会胜选吗？

戈新化说，我想试试看，没想到会高票当选。真的，我出去参选只是想表达一种态度，我是务实的，我确实想为这个村做些事情。

戈新化上任的那天，他在自行车后座夹上了铺盖卷，搬到村里住了。村部门前围满了村民，他还叫不全人家的名字，但人家都认识他，叫他戈书记。有人伸出一根长竹竿，上面挑起一挂一万响的鞭炮，噼里啪啦炸开了。他知道，村里有喜事才放鞭炮，这是村民们对他的希望，他要付出十倍百倍的努力去报答。

主持工作的戈新化，不想把时间花在每天往返的路上。他在村部的一间屋子里，加上了一道布帘，里面是卧室，外面是办公室。一天三顿饭，找了一个村干部家搭伙，人家吃啥他吃啥，戈新化把所有的时间都交给了村里。

应该说，他的大胆举动是有些出格的。“我们宿迁出台一个政策，鼓励大学生‘村官’积极参加换届选举。但是参加，不等于要竞选一把手啊。换个角度想想，村支书一般不会换人的。乡镇领导也要避免太大的波动。你想，如果一个乡镇一次换

2009年5月19日，由北京高校大学生参与编演、以大学生到农村任职为题材的话剧《大学生村官》在北大首演，来自北京十几所高校的1 500多名大学生观看了演出。

（李文明/摄，图片来源：新华社）

届，八九个村的书记都换掉，乡领导也会头痛，以后怎么领导呢。”

因此，乡里能尊重民意，同意他列入竞选候选人，戈新化感到非常温暖。他很清楚，出格的责任在他身上，也在乡领导的身上。

我说，前任村支书被选掉了，还会找你麻烦吗？

戈新化说，前任书记被乡政府抽调，在一个办公室做些具体工作。当然，给他一个临时职务，也是防止他在村里闹情绪。

我说，前任村主任没选上书记，会不会出难题？

戈新化说，前任村主任属于村干部中很常见的类型，他是一个很本分的人，也是抱着维持现状的思想，叫做什么就做什么，我不想跟第一把手争权，你第一把手也不要欺侮我。他本来就不想竞选村书记，前任书记退出才补上的。我在竞选时，他没有明确表态，我主持工作后，他当了副主任，是支持我工作的。

戈新化接任村支书后，自然要过问前任村支书主管的账目。他翻看了一遍，如前任支书所言，大部分是吃喝花费，记流水账的，打白条的，用于招待方方面面的数目可观。他觉得，不管怎么样的托辞，还是村干部该负责任。他在村里公开申明，村里不招待，以前没钱就欠饭店的，这种做法一概取消。乡里干部下村工作，到了吃饭时间就请他们回去。他说，乡政府的人知道我的脾气，他们不会说，我也不会主动提。

我说，当正职与当副职最大的区别是什么？

戈新化说，在我的身上的体现，可能跟年龄有关系。我的村支书职务虽然由副而正，而且还兼着村主任，但是很多人还把我当孩子看。这个到底是不是认真的？我能感觉到，这种疑问存在相当长的时间。我作出的每一个决定，别的村干部都瞪大眼睛，真的，假的？我头疼，怎么我说的每一句话大家都很犹豫呢。

但是戈新化毕竟是一把手。他以前有想法，向前任村支书提，没有人会认真地听，甚至没什么反应。他当了一把手，可以畅所欲言，不管其他村干部有什么想法，还是注意听他的意见。再怎么瞪大眼睛，总归有反应了。

戈新化当村支书是用心的。对他的能力有疑问的人看到，他处理问题有自己的一套，与前任书记不同，不喜欢拖泥带水，也不喜欢推三阻四，表态就是直截了当，行就行，不行就不行。用他的话说，一个领导，就得把住事情的核心问题所在。你要清晰，别人才能清晰。你糊里糊涂，别人的落实就无从下手。

如此年轻的戈新化，底气来自哪里？

他说，说复杂很复杂，说简单也很简单。我要求自己，一方面为村民做事，一方面从中不谋利。其实老百姓最痛恨的就是村干部占便宜。我在村里经手的账目全部公开。不论借债的，还是欠账的，记得一清二楚。我在村里兴办公益事业，修路、修校舍，都是老百姓认可的实事。如果你确实从村里考虑，村民就是受点损失也不会计较。比如一事一议，村里集资修路，各组捐的钱是归各组用的，也就是修自己村民组的路，但我考虑到中心路不修不行，就统一调用，公布出来，大家没什么意见。

三棵树乡陈书记对戈新化从不客气，召开村支书会议，该批评的毫不含糊：戈新化，你这个书记是怎么当的？戈新化不是个唯唯诺诺的人，他在陈书记面前也实话实说，和前任书记完全两种风格。陈书记到杨楼村亲自了解，你们说说，戈新化这个村支书当得怎么样啊？戈新化还是像往常那样等待陈书记的批评，谁知陈书记不露声色，给了他一个评价：戈新化工作基本进入状态，有进步了。

我不理解，有进步了，这是什么评价？

戈新化说，你可能以为，一个乡党委书记对一个村支部书记，给这样的评价太低了，其实不然，相比较于他以前对我的评价，他对其他村官的评价，已经是很高了。他没有因为大学生“村官”就放松标准，你既然竞选上了村支书，一个村的几千口人交给你了，他就真的把你当做一个村支书来要求，来领导，他对别人怎么样，对你就怎么样。没有客套，没有虚假，我感到实在，其实就是最大的信任。

我笑了，你倒是蛮理解领导的啊。

戈新化的口吻中带了几分自嘲。不过，我当村支书，不能只盯着领导的表扬。我到乡里要为村里说话，到村里又要说乡里政策，说得不好听，对上打折扣，对下打折扣，你说，让领导给你很高的评价可能吗？不可能的。

网上评选的“全国十佳大学生‘村官’”名单中，戈新化是江苏省唯一入选的村官。在旁人眼中，这是一个巨大的荣耀，一个成功的标志，但他自己看来，和他同样经历的村官太多了，他只是在做他该做的事情，他只是比别人多得到了关注，以此自鸣得意就是一种浅薄、一种无知，他提醒自己保持低调。

他说，傅作家，你不知道，来采访我的记者太多了。我只接受宿迁市的、江苏省的、中央媒体的，一般的其他媒体我会婉言谢绝。

我说，你这么厉害啊。

他说，不是我厉害，而是我害怕了。我害怕的不是出名，而是所有的记者来都会问同样的问题，哎，戈新化，你最近搞了什么项目，有什么亮点？

我说，习惯性思维吧，难怪我以前看到的记者报道，写你的好几篇，就是没看到你这个村官竞选村支书的感受啊！

他说，因为他们也没像你这样谈啊！有人只想看到能看到的，光问我投资多大，我只能告诉他们，比我投资大的人多了，我没得比。我不是神话，只是在农村这所大学校获得表扬的一年级学生。我还有二年级要读，我会认真地读下去。

显然，戈新化就是戈新化，别看他的娃娃脸貌似稚气，却敢想敢做，不失理想主义的光芒。把村支书作为人生第一个目标，戈新化给80后村官趟了一回雷区。他以果敢的魄力理顺了村级财务，又以务实的思路制定了全村短、中、长期的发展规划，他的村官生涯多了跌宕起伏，多了创业的另一种形式。

天真的老成

张天然，1984年生，毕业于常州工学院，外贸英语专业。她到铜山县单集镇洪楼村任职，先是村支部副书记，2008年5月担任村书记。这个扎着马尾辫的姑娘，在蒙蒙细雨中给我带路，去看洪楼村的黄瓜制种基地。

我们来到一大片瓜棚的跟前。一根又一根水泥桩依次排列，桩与桩之间是绿枝冒芽的黄瓜苗，天气降温，水泥桩就会撑起塑料布膜。张天然的旅游鞋沾满烂泥，而她一点不在意，显然习惯了。我也穿了旅游鞋，踩在泥土地上可以防滑。旁边一块告示牌上写着后方帮扶单位若干，还写着“项目责任人：张天然”。

张天然说，村民底子薄，输不起啊，发展黄瓜制种吧，说好了人家回收，有合同，他们也有这样那样的疑问：你们村干部说的是真是假，还是半真半假？要是变卦不收了咋办？要是有了病虫害咋办？好心办好事还不被人信任，这要在以前，我早就赌气不管了。可现在，哪能赌孩子气，就得耐心地慢慢解释。

哦，村书记，当然的责任人。

回到村部，我碰到洪楼村前任书记周伯峰，他现在调到其他村当书记了，听说我是来采访的，主动要跟我聊一聊。“从我在这个村当书记，前后十来个人考上大

铜山县单集镇洪楼村女大学生村官张天然每天都在琢磨如何带领村民致富。(图片来源:《大学生村官园地》)

学，也没有一个回来的。像张天然这样肯来农村工作真的不简单，而且跟老百姓关系处得不错。现在孩子在家都娇生惯养的，什么时候吃过这样的苦啊。”

今年45岁的周伯峰至今遗憾，他在单集中学念高中，只差两分没考上大学。好在他头脑灵活，学会开货车，又买了中巴车，跑单集到徐州的客运线。2000年洪楼村矛盾突出，他被推选为村主任，2001年当了村支书。村里当时经济落后，群众收入很低，没有像样的开发项目，2006年被省里列为经济薄弱村。村里也想翻身，动员大家种了1 000多亩大蒜，谁知收购价太低，根本保不了本。

“直到2007年7月，张天然分到洪楼村当党支部副书记。那几天，我腰椎间盘突出住院动手术，没见到她，是现在的村支部副书记蒋龙乾接待她的。蒋龙乾到医院告诉我，洪楼村分来了一个大学生‘村官’。我问他有多大啊，他说二十三四岁吧。我说那她能干什么啊，一个毛丫头。当时真的觉得她干不了什么，你想啊，一个女孩儿，刚从学校毕业，坐坐机关还可以，跑到落后的农村来怎么干?

“没想到，张天然还行，她让蒋龙乾副书记带着，到田头地边，到贫困户家，了解村情。我出院回到村里，她就跟我跑。每天在村里跑挺累的，高跟鞋都换成球鞋了。她问我脱贫有什么门路，我说我知道有黄瓜制种，但不知道怎么搞法。正好县组织部推广远程教育，给每一个村支部分来一台电脑。她是大学生上网不成问题，查到了绿丰种子公司，45元钱一斤的订单农业，农民不用担风险，公司还派技术员跟踪。我们就决定搞黄瓜制种了，说实话要不是张天然来，我们这个事也搞不成的。

“2008年3月，绿丰公司派人来指导，我们村干部反复做工作，有的村民不愿意，一亩地能收六七千元钱，不可能。我天天磨嘴皮，都没信心了。张天然说，书记我再去那几户人家磨磨吧。有一户叫刘德明的，50多岁了，硬是被张天然感动了，他说这小丫头，到我家跑了多少趟，大爷长大爷短地叫，我就同意种吧。还有一户叫宋茂新的，不肯多种，就种了一亩地，收了138斤种子，按45元钱一斤算，卖了7 000多元钱。其他村民看到实惠，有了积极性了，我觉得张天然能办事呢。

“她嘴甜，腿勤，也有韧劲。到底年纪小，她的不足就是好掉眼泪。工作碰到困难了，或有什么想不通了，她就掉眼泪了。我跟她说，你可是个书记啊，不能在老百姓跟前掉眼泪，这样当干部可不好。后来她慢慢地改了。”

一个爱抹眼泪的女孩，一个工作尽力的支书，这都是真实的张天然。当我问起掉眼泪的事，张天然并不否认。“我挺要强的，有时太想把工作做好，太追求完美了，就会感到委屈，哭过了，好受了，擦干眼泪接着做事。我在学校当学生干部，老师也喜欢，同学也喜欢，我们英语班女生多，女生之间的微妙关系最难处理，但我诚心待人，班上30多个女生讲起我都竖大拇指，我是班上第一个入党的，在学校好像没什么事情能难倒我，可是到农村让我为难的事、委屈的事情，真是太多了！

“像黄瓜制种吧，村里决定上这个项目，我不懂技术，如果我们村民也不懂，那我们怎么种呢？我们联系人家种子公司，既能保证回收，又能指导技术，这样多好啊。可是我们组织培训，一家一家地喊农户来参加，喊多少遍，就是没人去。怎么办？我上门给他们发本子、发书，说了半天，还是不去。等他们真的种了，黄瓜苗快死了，又来找我了，恨不得要骂人了，你说我心里委屈不委屈？

“后来种子公司帮忙，把黄瓜苗都救活了。黄瓜非常娇嫩，需要一个一个给它授花粉，旁边的玉米地打农药都要注意风向，不能刮到黄瓜地里。有一个叫赵安莲的中年妇女，嘴里镶了颗金牙，我喊她金牙大姨，这样亲切嘛。我动员她种黄瓜，她也不乐意，勉强种了两亩，而且时常嘀咕。这一年，黄瓜地投资了一些网子和水泥柱，黄瓜收后卖掉就把投资收回了，再种豆角就是净赚的纯收入，她很开心。收黄瓜，摘豆角，我都帮过她，她也很支持我的工作，村里有什么事，像集体活动啊，打扫卫生啊，她都主动过来帮忙。我们的百姓都很纯朴的，你对他一分的好，他会对你百分的好。他们也容易翻脸，你要是什么做不到，马上就会叫你下不了台。他们的文化程度不高呀。”

2008年5月，周伯峰调任其他村，张天然接任支部书记。从跟书记后面跑，到自己拿主意，小丫头能不能当一个村的主心骨？对于所有的怀疑，解释无用。不久，到了麦子抢收的季节，张天然知道收和种都得靠一个“抢”字，可有的村民就是不着急，她拿着抄好的天气预报一家一户地催促，自以为很尽心了。

“那天我表哥结婚，我回家了一趟。我们镇党委书记打电话来，你人呢？人家村里的收割机都下地了，你们村呢，怎么还不收割啊？我心里一惊，天气预报天天说要下雨，预报也不准，还没下，但一旦下雨，不及时把麦子抢收上来的话，所有的麦子烂在地里，这个责任谁负啊？我原来想，田都是农民的，庄稼成熟了，你自己去收就行了，村干部不就是提醒一下吗，哪知道书记得管人家的生产啊！

“我赶紧打的，从家里赶回镇里。当时各村抢收抢种，有两样东西最金贵，一样是联合收割机，一样是机用柴油。我们村主任周志勇在当地找了两台收割机，但还是不够。我只好跑到几里以外的大路上，伸手拦联合收割机，人家看我是个小女孩，也不理睬，差一点就要撞上我了。停下来后，我就跟他说，我是新任的村支部书记，我们村急等着要割麦子。他们收割机，是从南边往北边割的，有事先联系好的地方，不愿意随便地停。我说你帮帮忙，我把农户都组织好，都在地头等着，不要你跑，不要你费油，你只管一趟一趟地割，烟、水、茶、饭我们全准备好，给你做好服务。

“我给汗流浃背的机主递烟送水，总算把收割机拦来了，可是柴油不够，立马会停工，我骑上电动车带着大油桶，到供油站排队打油。那些天等油用的人多，排在长长的队伍里，烈日底下汗如雨下。满装的大油桶偏重，我又心急火燎，刚骑上车便重重地摔倒在地，右腿大片划擦，疼痛钻心。那个瞬间我竟然想到我的亲人，我爸爸有力的臂膀像一堵挡风的墙，向来呵护女儿不受一点苦。但我又想到停摆的收割机、村民焦急的面容、满地的麦子、说来就来的暴风雨，不允许我有小女生的娇气！我挣扎起来，扶正车子，整好油桶，用汗咸的手背抹去满眼的泪水，赶紧踏车上路。

“麦收的那些日子，我和镇村其他干部一起，一天到晚忙在田间地头。困了累了，就在麦堆上躺会儿，渴了饿了，就喝口自备的纯净水，吃几块饼干充饥。在一个不是生你养你的村当支部书记，很容易遭到村民排斥的，谁也不可能希望一个毛丫头来当领导吧。后来村民跟我说，你确实太敬业了。我说，麦收跟我有什么关系呢，田里的麦子，一颗也不是我的，我只是帮助你们，纯粹的想让你们好。”

张天然这个“新官”感动了其他村干部。

五天五夜！村支部副书记蒋龙乾补充一个细节：“抢收抢种，天然没换衣服，也没洗澡，在村里忙了五天五夜。那天夜里11点半了，天有点冷，我看天然穿得单薄，跑回家拿了一件棉袄，给她披在身上。她跟我说，蒋书记啊，你帮我照看一下，我再跟村里干部打个招呼，我回家只待一夜就回来，洗个澡，换换衣服。当时我心里酸酸的，哪个女孩子不爱漂亮、不爱干净，什么时候受过这个罪啊？”

抢收抢种，只是张天然人生考验的开端。

“那时四川大地震，粮食要颗粒归仓。老天挺帮忙的，天气预报天天有雨，就是没真下，麦子收了，晒了，卖了，等稻子也种了，才下雨了。我刚想松口气，哪知这一年是奥运年，强调环保，禁烧麦茬，我们县离市区近，巡查队四处巡查，半夜烧一点芝麻大的火星都能发现。查到哪个镇哪个村烧麦茬，不只受批评，书记要降职。又是一个大难题，我和村干部商量，晚上黑灯瞎火，怎么知道谁是谁的地，还是一人盯一块地头，看到火就扑。我扛着两把大扫帚，队长骑着摩托车带我。扫帚很重，把我肩膀都磨出了老茧，田埂地不平，好几次被颠得摔下去。鞋子被烧坏了，裤子也被烧破了。

“农民为什么要烧麦茬呢？麦茬高了地没法种。政府虽然有规定，收割时茬子不能高于15公分，但真正能做到的又有多少？抢收抢种抢时间，割浅收割机就割得快，也省油。人家收割机也要追求利益最大化，那时他们是大爷，求都求不来，好饭好菜地请人家帮忙，还要求人家这样那样的，几乎不可能。饭菜是我们村干部家里烧的，加上商店里买来的卤菜。他们为了赚钱，也有不肯吃饭的，但我们尽量把他们招待好，这样他们赚钱赚得很开心，我们这边任务也能完成好，互惠互利嘛。

“镇里干部跟我说，天然你真够倒霉的，我们干了几十年，从来没像今年这样，全镇机关的人都拿着扫帚去扑火，搞不好还要撤职。我们每天夜晚卖力地巡逻，回到宿舍一两点钟，睡到早上五六点钟就得起床了，赶快下村去看，天天盯。说实在的，老百姓不烧确实没法耕种，领导意图是好的，下面难以执行。我们今年看得严，领导检查很满意。但别的村不管这一套，他们烧完了，开始耕种了，我们村没法种，因为麦茬多啊。我们只好又做工作，找来收割机，给他们补贴机油，请他们帮着再割一遍。明年就有数了，提前与有收割机设备的农户沟通，请他们收割时尽量多割些麦茬，跟他们说，为村里做点事是每个村民应尽的义务。

“年底参加全镇村支书的述职报告，在讲台上我说，在抢收抢种的时候，在查禁烧麦茬的时候，在我最困难的时候，我们镇机关的同志都为我们村扑过火，都为我们村尽过力，我向你们鞠一躬，我深深地谢谢大家。大家都为我热烈鼓掌。我当支部书记想得很简单，也许人家不了解我，也许人家不太信服我，不太支持我，我比其他村干部只能做得好，不能做得差，他们就不会排斥我，就会接纳我。”

“我现在尽量不在人面前哭，遇到委屈会躲在屋里大哭一场，发泄完了我爱听音乐，尤其是古典音乐。因为我是学外语的，以前对外国的小说比较感兴趣，现在喜欢看创业励志方面的书。你会笑我是一个外强中干的人吧，在外人面前我很坚强，掩盖我内心的脆弱，但内心的脆弱也能逐渐变得坚强的。”

既然到了经济薄弱的地方，张天然所学的外贸英语用不上了吧？非也。一家德国投资商来考察，递上了一叠英文资料。书记镇长到处找翻译，看不懂怎么跟人家谈？突然想到，刚来的一个村官不是学英语的吗？管工业的镇领导忙找张天然翻译，她也就露了一手。以后又有韩国、印度投资商来，她的现场翻译叫老外非常吃惊。没想到中国农村还有人会英语对话，有点不可思议。他们并不知道张天然是大学生，说镇里找不到一个翻译，村里倒还有人懂外语。张天然开心地说，老外评价我们村里还是比较落后的，但空气很好，投资大环境也不错，有的已经达成了投资意向。

张天然在村里独当一面，20多岁的人像个30多岁的人，好像很老练似的，其实她在家里连个碗都不用刷，袜子都不用洗，集父母与姥姥的宠爱于一身。她在村里做那么多事情，爸妈根本想象不到。张天然说，农村的经历让我在家里也改变了，过去对父母任性，还会向他们发火，现在懂得了感恩，他们对我的工作不太懂，跟他们讲也讲不太清楚，他们让我把握好方向，想清楚什么事该做，什么事不该做。

24岁的张天然有她的“为官之道”：

“其实农民是非常聪明的，他们的实践经验比我们要丰富得多，好多东西是我们书本上学不到的。他们主要是不愿意接收新的、更先进的东西。经过一点点的历练，感觉农村工作确实不那么简单，不那么单纯，也绝不会再以为，通过一年两年的努力，就会变得很富有。我觉得，我们应该不断创造性地适应这个社会，才可能有哪怕一点点的改变。扁的也好，方的也好，圆的也好，你都要去融合它。

“当然，要尊重其他村干部，他们都是几十年的老江湖了。如果你没把握，就要多学，多问，把人家当老师。让人家觉得这个年轻人想法还挺现实的。有些事情不好处理，我就说要思考一下，调查一下。民事纠纷最难解决，我让他们先找村里分管领导，然后再碰头研究。因为穷，没事干，想法就多，矛盾就多，穷乡容易出刁民。大家有事做，就不会有这样那样的闲言碎语，所以要把村民引导到经济发展中来。

“副书记当十年都不如当书记一年。短短几个月时间，要比到村里一年多的我懂得多得多。我用现在眼光去看我的过去，许多事太幼稚。村干部有时跟我讲话，都是话里有话，我以前是完全听不出来的。有时候的好是表面的好，有时候的好才是真心的好。我嘴巴甜，当书记之前，他们从来不会批评我的，连镇里的领导都没批评过我。我当了书记，做得不对他们有时批评我，他们对我是真正的好。

“在农村，不管你遇到再大的困难和挫折，你一定要保持微笑，面对所有人，不管是爱你的人，还是恨你的人，哪怕想钻政府政策空子的人，投机倒把的人，你都要保持微笑，而且让他们看不出你在想什么。虽然我才24岁，但我的心智要快速成长，无论斗心机也好，还是搞生产也好，我要学习的东西还很多很多。”

说“为官之道”是我私下为张天然归纳的，并没有征得她的同意。“为官之道”其实是“为人之道”。张天然的感悟让我惊叹。

有关张天然的话题说不完。我知道，她早就是一个新闻界关注的人物。我感兴趣的，不只是她已经做的或者正在做的一个又一个项目，而是她在做这些事时的人生态度。说她天真吧，她又有些老成。说她老成吧，她又有些天真。然而，正是她“当官不像官”的年轻感觉，给人一种勃勃生机的新鲜活力。一个人的潜力是需要挖掘的，就像张天然以前只想做一个像样的翻译，如今却成为一个像样的书记。

关键在哪里

大眼睛书记，她叫杨晶晶。

1985年出生，三江学院广告学专业。原任滨海县八巨镇王庄村党支部副书记，如今任八巨镇戸峰村党支部书记，新当选为滨海县人大代表。

都说眼睛是心灵的窗户，她的眼睛晶莹透亮，长长的睫毛下的眸子漆黑，仿佛那扇窗户总是敞开的，让你觉得信任不必设防。

滨海县八巨镇巨峰村党总支书记杨晶晶提出了“变认命为拼命，变自卑为自强，变依赖为依托，变守业为创业，变慢进为快进，变治穷为致富”的巨峰精神。（图片来源:《大学生村官园地》）

巨峰村前任书记与村长“一肩挑”，因为经济搞不上去，群众意见很大，对村领导班子作了调整，提出杨晶晶任支部书记的人选。巨峰村党员群众非常拥护，用手中的选票欢迎杨晶晶，原书记陈超改任支部副书记兼村主任。

23岁的女孩子当村支书，在八巨镇当然前所未有。杨晶晶去开这样的先例，不可避免地伴随着周围的异样目光。

杨晶晶刚到巨峰村，县委组织部要做一部大学生“村官”的录像片，内部观摩用。采访杨晶晶后，请老书记陈超说几句话。编导问，小杨来了以后怎么样？陈超说，小杨到这边，我们村组干部一致认为她很好。编导问，你放心吗？老书记说，我很放心把这个位置交给她。编导觉得，陈超的表态很出彩，打开录像机，把话筒伸过去，让他再说一遍，特别是最后一句，把书记的位置给她很放心，这体现了老书记的胸怀啊。可是，陈超不肯说“很放心地给她”，只是说，小杨一定能在农村做一些事。

编导很奇怪，过后问杨晶晶怎么回事。

杨晶晶摇摇头，我哪里知道呢。

她真的不知道，但也可以猜个八九不离丨。陈超毕竟做了这么多年村里一把手，让一个年轻人顶替他，心里还是会有些疙瘩解不开。

她是何等聪明的人，知道村里人虽然投了她的票，还是对她抱着观望的态度。有的人当面问她，大学的学费蛮贵的吧。她说是的。他们说，学费这么高，你父母同意你过来吗？她说父母就同意啊。他们说，女孩子不就是要嫁个好人家啊，你家里花了这么多的钱，培养你读大学，是让你嫁得更好，而不是让你到农村啊。

言下之意，认为你不知天高地厚。

她不申辩什么，笑着说，我们以后慢慢处吧。

她的性格是不喜欢跟人家争一件事，非要争个你高我低，你说是你说，我做是我做。相信以后“慢慢处”能让人家了解自己。

然而，巨峰村的书记是要挑担子的。

八巨乡党委郑书记找杨晶晶谈话，严肃地说：小杨，不可能让你用半年时间了解巨峰的情况，你要马上进入书记的角色。

她稚嫩的肩头，感到了真实的压力。

她对乡党委书记，对村前任书记，说的是同样的话：我对权力没欲望，就想知道我能接受的挑战是什么，我在村里能做哪些事。

巨峰村是尚庄村和七巨村合并的。有人悄悄告诉她，小杨，你惨了，“东坎到八滩，难过尚庄这一关”，说的是当地民风差，老百姓的眼里就没官，村民难管，干部难当！杨晶晶却说，我也不是什么官，不是管他们的，而是帮他们的，他们总归讲道理吧。每天早上六点半，杨晶晶就准时起床，匆匆吃过早饭，她便赶到村民家走访。遇到自己不明白的事情，虚心向陈超主任与其他村干部请教。

从一个外乡人过渡到一个村里人，她凭着女孩子的细心与细腻，很快与村干部和村民拉近了距离。她逐步体谅到前任书记陈超的难处，他其实也有一本难念的经。新建的 312 国道贯穿巨峰，村里有些地被征用了，剩下人均不到七分地。如何提高土地利用率，使村民尽快富裕起来？青壮年外出打工多，留在家种田的也不能只种稻麦两季。村组干部也想找到致富的门路，但是不知道从何着手。

杨晶晶与陈超商量，共产党员的标准不能只贴在墙上，要让群众服气，就要带领群众致富。在党员大会上，她深情地说，一直以来，大家认为我们这些地方之所以经济不好，就是人太懒了，没想法。我和在座的各位都交谈过，感觉并不是这样，我们村的人也希望自己能富起来，能过上好日子，你们说，是不是？

说得对啊，哗啦啦一片热烈的掌声。

指责思想守旧是无益的，关键是要寻找一条出路。外面的世界大得很，杨晶晶带领村干部与村民代表，到规模农业成名的射阳洋马镇以及经济发达的苏南考察，改变他们的思维方式，讨论怎么样让村民赚更多的钱。

就是这次考察，杨晶晶的思路更拓宽了。

她提出一个可行的项目:“我们村有很多村民种杭白菊，以前杭白菊都是直接卖给商贩的，价格很低，我们到外面考察，看到人家杭白菊进行简单的烘干加工，利润就能增加十倍不止，我们为什么要让别人赚这个钱呢？”

听杨晶晶说要搞杭白菊加工业，王庄村副书记严栋冬等大学生“村官”都很有兴趣，而且愿意加盟。她说给陈超等村干部听，大家也说主意不错。她决定采取村民入股的方式办个杭白菊加工厂。此时，省里扶贫工作队提供给经济薄弱村的扶贫基金必须投在项目上，巨峰村就报上这个项目，弥补了部分资金的不足。

2008年8月，杨晶晶牵头成立了巨源杭白菊合作社。她要把巨峰村种植杭白菊的优势，转化为老百姓口袋中的实惠。

但是，杨晶晶毕竟不是做慈善事业。杭白菊的收购与加工要取得效益，也必须遵循商品经营的模式，才能维持这个合作社的运转。如果不讲效益，最后入不敷出，自己都会倒闭，还有什么能力去帮助村里的人呢?

也就是说，杨晶晶是个法人代表，她要考虑经济核算，考虑所有股东的利益，要使这个合作社能运转下去，生存了才可能发展。

但是杨晶晶并不是企业家，她是个一把手书记，她要对全村人负责，不应该只考虑挣钱，宁可亏本也要照顾村民的利益。

杨晶晶被两难的困境纠缠。

当我到巨峰村采访时，已是秋末。在杭白菊加工厂前的水泥地上，白花花地堆着厚厚一层杭白菊，几个农妇手执长把的竹耙不停地在翻晒。我上前细看，却见有些菊花已经变质，本该雪白色的花瓣变成了灰黑色。一位胖胖的系着围裙的妇女停下竹耙，告诉我，这是收的菊花太多，有的人心术不正，在里面洒了水。

我说，为什么洒水？不是越干越好吗？

她说，洒了水，可以打秤，重嘛。

我说，什么人啊？怎么收的时候没发现？

她说，就是村里的，杨书记他们忙不过来。

她叫马旭兰，就住在加工厂旁边，最看不惯村里有些人占小便宜。从田头摘下来的菊花叫“露水花”，不及时晾干容易发霉，那些往菊花里洒水的人，就是有意做成“露水花”，收购时蒙混过关，可以多称出些斤两。

其实往年村民都是卖给商贩的，杨晶晶他们定的收购价高，村民都愿意送到加工厂来。新安装的烘炉正在调试，一时加工不了这么多的菊花，只能先少收一些，杨晶晶只能限量收购。

“你看看这些快烂的菊花就知道了。我们的着眼点最终是老百姓，可是老百姓不理解你。杭白菊加工厂还没加工完，你的花非要卖给我，我收不了这么多。我不能做到两全，既要保全这个厂，又不能让你受损失。我心里难以抉择。这么多的人的股份在一起的，不是我一个人能做好人的，只能忍痛拒收了。

“有的老百姓说，你没有良心，把我们的花都烂掉了。我说，你价格低些，可以卖给别人，不一定非要卖给我，我没办法包下来。我说的实话，商贩还是继续收的。以前我们不收时，他们不都是卖给商贩的吗？我收不了，只好请他们继续卖到商贩那里，等我们有能力了会多收的，要允许我们有一个过程啊。

“不明白为什么难以沟通？我们加工能力不够，多收了会霉烂，亏损了只能关门，最后谁也帮不了谁。这样的道理不清楚吗？”

杨晶晶的语气有几分无奈。身为村书记，本来热血澎湃的创业构想在现实中只能时常调适，以求得村民的理解与支持。

“这个杭白菊加工项目，大学生‘村官’结对帮扶20户贫困户。先按家庭收入状况定了这20户人家，用工时找他们家里的人。

“我们收购菊花时，做工的名额满了，刚才跟你讲话的胖妇女就是马旭兰，她不服气，我家在旁边，你为什么不给我做工，给别人做工？她家里也有些困难。我说，下次吧，这次工已经满了，不能为你设一个吧。她拿个木叉子说话，我一挡，铁丝把我手背上划了一道口。她说，杨书记，不是我为难你，我就是想做工。我说，如果缺工，我会考虑你。后来需要增加人手，就让她来了，其实她蛮能做事的。

“马旭兰说得没错，大前天，我们收菊花时确实发生些混乱。我们村有一个种杭白菊的大户老张，他是本地人，种了20多亩地菊花，认识的人也多，往年他也收购一些花，集中起来卖。看我们大学生‘村官’收菊花，人少忙不过来，他就跑来帮忙，帮我们称花。按理说，用手在花里面捞一下，有些湿的‘露水花’，是不能收的，回去晾干再来。可是都是村里人，有的认识，有的是亲戚，都收了。

“我们没经验，就准备了一个磅秤，以为来一个收一个就是了。没想到，送菊花来的人太多，乱成一团。有的人家是一个袋子，有的人家是十几个袋子，排队也不按顺序，每个人都想挤到前面。拎一个袋子的说，我就一个袋子，称完了就走，你帮我先称吧。拎十几个袋子的说，为什么先称他的，我是先来的，你为什么不让我称。老张负责称花，严栋冬负责记账，现场一麻袋一麻袋的，哪里看得过来！

“旁边老百姓看到了，后来说，你们又要看秤，又要算账，没留神吧，有的是‘露水花’，又浇了点水，以此增加重量。有的人乘人不备，脚踩着称，让秤砣高些。还有的人把已经称过的花又拎过来，再称了一次。

“我是后来赶到的。现场太乱了，我把秤砣一拿，先别称了，你们排好队，谁先来，谁先称。大户老张说，这个人就一个袋子嘛，先称吧。旁边的人在叫，他没排队。我知道老张认识他，就说，你这样子讲人情，怎么行？

“老张你做好人，损失可都是我们的。一气之下，当晚我们不收了，再收保证不了质量。老百姓不同意，为什么我们先来的，你们不收，后来的数量少，你们都收了？都是老张惹的祸，不是按顺序，而是看数量，一袋的称起来方便，就先收了，其他人当然有意见了。我们只好继续收了，不然会有矛盾啊。”

我说，如果你不是书记，你会继续收吗？

她说，纯粹考虑经营的话，当然不能收了。你看，我们现在还有这么多的“露水花”，烂掉了不少，这都是人民币啊。

我说，你觉得收得对吗？

她说，收可能不对，但不收更不对了。

我说，这是什么逻辑啊？

她说，宁可我们吃点亏，不能伤了老百姓吧。

我说，哦，开句玩笑，这是村书记的逻辑。

她说，吃一堑长一智，明年再收菊花，我们就心中有数了。

说到大户老张，他是一个40多岁的精明农民。杨晶晶组织杭白菊合作社请老张入股，他不愿意，说是愿意给你们打工。那几天，老张来帮着收菊花，称重量。杨晶晶不愿欠他的情，说可以给你开工资。老张说，我的工钱不要，只要你们帮我加工鲜菊花。问老张加工多少？老张说一万斤干花。旁边的严栋冬算了一下，六斤鲜花加工成一斤干花，成本七八块钱，一万斤干花那就是七八万块。杨晶晶只能跟老张说，我们不能给你加工。老张就说，不过来帮忙了。杨晶晶说，好的，只能算了。

当时，加工厂的锅炉出了毛病，出炉率不高，也不需要太多的花。老张不来帮着收购，反而更好，能收少量的花，带着加工，足够了。

杨晶晶对老张说，今年我们的炉子在改造，我们的目的是带动村里的产业，明年还是希望你跟我们合作。老百姓信任你，你不种了，他们也可能不种了，这个厂房就会空了。你是村里人，也可以通过加工厂带动发展。

老张说，反正加工厂在，明年我还要种的，我相信能赚钱。

杨晶晶说，有你这句话就行，我们不撤资，再跟你合作。

与大户老张的谈话，她不像一个做法人代表的，更像一个当支部书记的。她对合作社开张的磕磕碰碰看得挺开。试行第一年，好些事没弄好，教训也是经验。至于像老张这样的大户，其实人还好，就是有些小算盘，可以理解。

烘房的设备间温暖如春，一层一层的杭菊花飘散着清香。

我问“卖加工”的利润增加多少？杨晶晶俨然一个杭白菊专家，她指给我看杀青前后干花的比较与区别：“这是经过杀青（蒸汽消毒）的干花，按照今年市场价格，杀青后的干花每斤可以多卖十元钱。”

干菊花的销路，杨晶晶很有信心。“我们与大的收购商有业务联系，我们第一年生产加工，今年只加工十吨干花。前一阶段和一家中药材合作社联系，销售了第一批干花，现在剩的四吨多干花等待价格再涨一涨。”

2008年年底，杨晶晶交出一份项目收益表：“我们大学生村干部和56户农户（其中贫困户29户）共同发起，成立杭白菊专业合作社。在省委驻滨扶贫工作队的帮助下，投入80万元新建厂房，新上两条杭白菊烘干生产线。合作社的社员按照每股1 000元，贫困户只要出资200元，扶贫工作队配股800元，年终盈余的60%按照社员与合作社的交易量进行分红，40%按照社员的出资额平均返还，辐射带动了200户农户种植杭白菊增收。”

记得在村部，我问陈超老书记，你让位给小杨书记有想法吗？

陈超说，原来是有想法，现在看，大学生确实比我们强。

我说，这是真心话？

他说，我这么大年纪，当然说真心话。

我们都笑了。陈超黑白相间的头发，仿佛在替他作证。

巨峰村领导班子成员中只有杨晶晶最年轻，其他都在中年以上。她怎么当这个一把手？她说，班子主要是团结，大家都有一个公心，一心为了这个村做事，就不会有什么矛盾。她还说，当大学生“村官”是一个明智的选择。跟村里没什么纠葛，不需要自己谋利益。对于权力的欲望不强，就想要把事情做好。

滨海县召开农村“脱贫攻坚”工作推进会，三个人发言，每人五分钟。一个是城关镇书记，一个是示范村书记，另一个就是杨晶晶。县委书记说，县机关也要下乡，搞创业点，带民致富，希望大家做得好，别到时候比不过大学生“村官”。前天我到巨峰村去过，人家的杭白菊深加工，大学生“村官”搞得有声有色，赚的钱翻了倍。这说明啊，任何事情，不是你做不到，而是你想不想做，敢不敢做。

杨晶晶的大眼睛里闪着一个问号。

她说，怪了，我怎么想的，县委书记都知道。

凡事在争取

徐燕华，1983年出生，盐城师范学院音乐专业毕业。2007年7月任东海县李埝乡五联村党支部副书记，后被选为李埝乡大学生“村官”临时党支部书记。

2009年2月任李埝乡驻地村李埝村党支部书记。

今天徐燕华挑起一个村的担子，得益于她在此之前的历练。当副书记一年零七个月如同淬火，除掉了她身上稚嫩的学生味。

她说，你猜，我头一次骑车下车，想到了什么？

我说，大概会想到，你怎么到农村来的吧？

她笑了，哪里，我想起一首歌《牧羊曲》。歌词中这样写的：“日出嵩山坳，晨钟惊飞鸟，林间小溪水潺潺，坡上青青草，野果香山花俏，狗儿跳羊儿跑，举起鞭儿轻轻摇，小曲满山飘，满山飘……”这一段描写的景色和我下村的景色很像，也是因为下村的路很远，路又不好走，我边骑车边唱歌，排遣一下寂寞。唱着，唱着，无意中发现，这首歌描写的和我到五联村的路上看到的很吻合啊。

徐燕华初次到村任职的五联村距李埝乡驻地18里路，去时多为上坡，骑自行车要一个多小时，满头大汗的她时常小憩，站在路边观望四周的风景。偶尔路过的村民并不知道她还哼着《牧羊曲》，只是觉得她一个漂亮姑娘哪能吃这样的苦，等她下午回乡里，就有议论传来传去又传到了她的耳边：“分在五联的大学生今天下村，骑到半路就骑不动，站在那里哭了，可能待不了多长时间的……”

她哭笑不得，心里很委屈。分管的乡领导姚书记看她闷闷不乐，问清了事情经过，也笑了：“人家不了解你这个小村官，说几句也没啥嘛，你也不用解释什么，你可以用你的行动来回答啊。”一句安慰的话，说得她有几分惭愧。别看乡镇干部在基层转悠，一针见血却又和风细雨，让她心头云消雾散。

我采访徐燕华时已是初冬，从李埝乡到五联村这一路上，望不到边的麦地闪着新绿，一条河倒映枝头叶落的树影，阳光里的风景仍然十分宜人。徐燕华初次下村还是夏季，大地浓绿一片，透着近乎原始的乡野之美。

然而，走进五联村的徐燕华，看到了“乡野之美”的另一面，“近乎原始”的贫困，幽静背后的萧条。丘陵地带的旱作物种植，年复一年只能靠天吃饭，零星的养殖户也规模甚微，更可怕的是很多村民听天由命，习惯了这种贫穷而悠闲的生活。村集体经济水平落后，低收入家庭几乎占到了一半……

村里人对副书记徐燕华客客气气，听她讲外面的世界，讲扶贫的政策，讲过了并没太多的回响。一个学音乐的村官，一个细眉亮眼的姑娘，到穷村能有什么能耐？有她不多，没她不少，没有谁把她放在眼里。

徐燕华暗自憋着一股劲，既然到村任职，就不是可有可无的。李埝乡来了11个大学生“村官”，分到11个经济薄弱村，徐燕华骑着车每个村都去看过。五联村最美，五联村最穷，原因在于靠近马陵山脉，土层特别稀薄，纯粹的农业增收非常困难。她建议扩大养殖，得点一把火，把大家的心气点着了。

徐燕华为五联村琢磨“致富经”，与当时的村书记和村主任聊过，也跟其他村干部聊过。她敏锐地感到，村领导班子的音调不和谐。村书记跟村主任有各自的家族背景，针尖对麦芒，矛盾非常激烈。与徐燕华这个外来的村官谈话时，村书记对村主任不屑一顾，村主任对村书记也不买账。他们各说各的理，各吹各的调。

一个如此贫困的村庄，本应携手共渡的主要领导，却难以协调一致，这是徐燕华没想到的。徐燕华夹在中间，常常很难表态。但她总是劝他们以全村建设为重，不要把个人情绪带到工作中来。她把握好自己的位置，从来不在他们面前说对方的好与坏。有时他们当面争吵的时候，她就会去劝说，让紧张的气氛缓下来。

她说，我要坚持我的立场。

我问，村书记和村主任有矛盾，你能有什么立场？

她说，没有立场也就是最好的立场啊。我不说他们好不好，只说事情对不对。我应该在村领导之间起到缓冲作用嘛。

徐燕华住在乡政府的“村官”宿舍，有时乡里召集村干部开会，上午九点钟开，就通知徐燕华代表五联村参加，不用村干部来回跑了。开过会了，徐燕华到村里传达会议精神。只要乡领导表扬到五联村的，她就会说，今天领导在会上又表扬我们了，而且表扬了村支书，也表扬了村主任。其实乡领导只是提到五联村，也许没有说这么具体，她把村书记和村主任都提到了，说得他们很开心。

我被她传达的善意逗乐了。

她说，我真的希望，村书记和村主任能相互配合。说了半天，他们也没多大矛盾，就是家族利益不同，对某一件事的处理有分歧。我们这里靠近山东，跟山东人的性格是一样的，要面子，讲义气，可以当面吵，吵完了就算。我就把握一点，村里头就该团结，这个村这么穷还闹腾，哪一天能脱贫呢？

徐燕华了解到，五联村在全乡虽然不是最大的一个村，但党员人数在全乡是排在前面的。全村 2 560 口人，580 多户。原先有七个自然村，后来合并成五个自然村，因此叫五联村，村里有 74 个党员，而且中老年居多。徐燕华想，贫困村之所以穷，很重要的一点，就穷在封闭的思维方式。我们大学生“村官”有自身优势，就该打破这种封闭。如果能动员党员参加到脱贫的行列中来，那是一支多么重要的力量啊。

在五联村的党员大会上，主要领导讲话，乡里的驻村干部讲了，村书记讲了，村主任也讲了。徐燕华没准备讲，农村开一次会难得，开这么长时间，哪一家都有农活，还不等着结束回去。没想到有人提议，徐书记讲几句。徐燕华说你们都讲了，我就不讲了吧。他们说徐书记讲讲吧。徐燕华心头一热，党员们对我这个外来的“村官”还蛮在意的。在学校讲演从不怯场，她也就不推辞地亮开嗓子说话了。

徐燕华讲的题目是：“我们村怎么解放思想”。

她说，我们这个村以种植为主，向来很传统，年年都是红山芋，二毛钱一斤，在地头就卖给人家了，卖不出价钱来。为什么不能发展一些特色品种呢？像我们乡的其他村，他们有种草莓的，有种板栗的，有种花卉的，我们为什么不能种？大家不要满足于每天日出而作、日落而息，家里有孩子的或是年纪轻一点的，可以到外面跑跑，看看人家的市场。我就知道，今年有人问有没有黄山芋啊？我们村是种山芋最好的地方，为什么光知道种红山芋，就是没有人家需要的黄山芋？大家想一想，是不是我们的思想没跟上？各位长辈虽然种了一辈子的地，不接受新事物还是不行哪！

徐燕华真敢讲，噼里啪啦蹦豆子似的说出一大堆的问号。可她说的是我们村，我们村从来没人这么推心置腹，把丑陋的穷根子晾在地头上。是啊，贫困村有贫困的原因，问题在于，贫困村的人能做什么，贫困村的党员该做什么。她这一讲，讲了半个小时，没有人交头接耳，也没有人打瞌睡。74个党员，74个老资格的庄稼人，听得津津有味。讲完了全场鼓掌，说她这个小村官讲的有道理。

自打当了村官，徐燕华看电视的口味变了，天天晚上锁定《聚焦三农》。她看到有一个养野猪的纪录片，赶紧把那个主人翁刘胜利的名字记下来，又上网查询，找到推介山东特色养殖的网页，电话打到山东德州，找到了养殖户刘胜利本人。徐燕华琢磨，我们村能不能发展养野猪？党支部听取徐燕华的汇报，都说这是个新鲜事，可以试试。她和村干部赶往山东德州，到刘胜利老家考察。刘胜利听说是大学生“村官”在网上查到他的，非常热情地接待了他们，表示愿意无保留地传授野猪的“饲养经”。

五联村第一批引进11头野猪。前期成本比较贵，一只野猪苗3 000多元，她只能从村里现有的养殖户中考虑人选。可是，野猪喂养成本低，只吃山芋与花生秧，不像家猪喂饲料，当猪肉10元一斤的时候，野猪肉能卖到15元一斤。中秋节快到了，养殖户只是随便跟人家提起，就有县城一家饭店上门预订了。当地野猪养殖还没有，很稀奇，根本不够订。一头野猪卖了5 000多元钱，可以赚2 000多元。

观念需要传播，但有时摆出事实，比澄清观念更为有力。徐燕华用村民看到的事实说明了市场信息的重要。不少村民见到她，会亲切地嘱咐她：“徐书记啊，以后还有什么好的致富信息，可要及时和我们说啊！”

鼓动村里发展养殖业的同时，徐燕华没忘了种植业。毕竟有很多村民没有养殖的本钱，如何改变低产出的传统种植形态？她要找一种有市场前景的品种，一种值得大面积推广的品种。这天徐燕华无意中听说，连云港康缘药业需要建立 9 000 亩的金银花药材种植基地。一家医药企业的规划，别人听后就算了，她却念念不忘，回到宿舍就上网查资料：金银花系多年生小灌木，耐旱涝、耐贫瘠，山坡地坝荒滩均能栽植。中国是中医药大国，对金银花开发利用的需求量年年增加，今后每年的需求量将达到 1 700 万公斤，当年栽植就可见效，一般每亩收入干花 150 斤左右，目前市场价为每斤 45 元。李埝乡地处丘陵地带，有大量的山坡林地，土壤非常适宜金银花的种植生长。

五联村所有贫瘠的山地都有了出路！徐燕华还想到，金银花需要规模化，不只是五联村，全乡各村都可以带动起来。她熬了几个半夜，草拟了一份推广金银花种植的调研报告，送交乡党委。乡领导对她的提议大感兴趣，立即派人到河南、山东考察。2008 年 5 月，连云港康缘药业与李埝乡达成合作协议，前者以保价回收的模式，投资 2 000 万元在李埝乡创建金银花为主的中药材种植加工基地。

徐燕华牵头，李埝乡 11 名大学生“村官”通力合作，编出一本《金银花种植手册》分送给村民。11 名大学生“村官”每人担负三亩金银花试种任务，徐燕华和同伴要到地里查看金银花的生长，还要除草、施肥，尝试做名副其实的种田农民。一次种植的金银花能延续生长 30 年，一年开花四次，每年每亩纯收入至少在 3 000 元。不出一年，李埝乡的群众已经见到了金银花的效益。

2009 年，“村官”试种经验推广到 2 000 亩。

五联村在内的李埝乡各村，尤其是 11 个经济薄弱村，即将飘散出金银花的芳香，这是贫困户久已盼望的希望之花！

在徐燕华的内心，还珍藏着音乐教师的情结，当她听说，五联村小学中高年级学生集中到别的学校，教学点只剩一二年级，至今没有一名正式的音乐教师，她就萌生了兼职上课的想法。教学点负责人丁老师和村干部都喜出望外。2008 年 9 月新学期开始，她走进教学点的课堂，一个星期上四节音乐课。

徐燕华自费买来一架电子琴，花了 200 块钱，尽管简单，但教低年级足够了。孩子们看到电子琴欢呼雀跃，徐燕华却高兴不起来。教室里没有电源插座！边弹琴边唱歌的教学模式作罢，她只能一遍又一遍地教唱。小学校园里还有一所村办幼儿园，她代课时发现，幼儿园太简陋了，小朋友们只能围在一堆沙土旁玩耍……

这情景让她寝食难安，工作之余她多方求助，最终联系到连云港市六一幼儿园，

东海县李埝乡李埝村党支部书记徐燕华为幼儿园的小朋友们分发跳绳。（图片来源：互联网）

与五联村幼儿园结成帮扶对象，得到了价值 3 000 元的物资捐赠，其中有幼儿玩具与学习用具。幼儿园老师对徐燕华说，我在这个幼儿园教课快 20 年了，这是第一批拥有的玩具，多亏了你徐书记啊。徐燕华摇摇头：我从小就想当音乐教师，听到孩子们叫我徐老师，我心里特别高兴，这是我第一次当徐老师呢。

徐燕华说的是心里话。她的父母都喜欢唱歌，在村上小有名气，从小她也喜欢唱歌，但因为农村学校不重视音乐教育，也没有接受过正规的训练，父母也很遗憾，上高中时有机会接受训练，她就选择了学音乐，本来想回家乡做一名音乐教师的，当了村官却以一个副书记的身份拿起了教鞭，这是缘分！

李埝乡共有 11 名大学生“村官”，这是一个优秀的群体，其中 10 名是共产党员，成立大学生“村官”临时党支部，徐燕华被选为书记。临时党支部制定了工作与学习制度，定期召开工作交流会议，实行每人每周“讲一课”制度，让每一个村官敞开心扉，无论是经验还是教训，都可以说出来，大家分享。徐燕华精力旺盛，一到休息日，就把同伴从电脑桌前拉出来：爬山登高望远、举行乡文化站晚会、街头举办农民卡拉OK大赛……徐燕华的策划，让村官们在农村的生活过得丰富多彩。

2009年2月，徐燕华出任李埝村党支部书记。李埝村是李埝乡政府驻地村，也是李埝乡2009年度新农村建设示范村。李埝村有5 600多人，比她原先在的五联村多了一倍。这么大的一个村交给她，能挑起这个重担吗？旁观者担心也十分正常，但徐燕华用她的自信乐观又一次证明了自己。

担任李埝村支书后，徐燕华一头扎进村里。她召开党员大会，与村“两委”和老党员交心，因地制宜，制订切合李埝村实际的新农村建设规划。她告诉我：“今年我们村的事多，村内的道路硬化、村庄绿化、卫生改厕、垃圾处理等整治要落实，还要抓住全民创业这个契机，让更多的村民通过创业富起来。”

徐燕华从五联村到李埝村，觉得乡政府所在村有良好的区位，理应有商业敏感性，可她走访中也发现，村民的创业热情并不高涨，大多没有敢为人先的意识，还是满足于现状。她挨家挨户地走访调研，鼓励群众开拓致富门路，自己也身体力行，在村里承包了一块地，用于养殖桂柳种鸭，鸭场已在筹建之中。她的动员并没白费，村干部和村民也逐步改变观望态度，加入养鸭的行列中来。徐燕华踌躇满志地说：“我已经和村干部商量好了，再用一年的时间，等我们村的基础建设完善了，打算在村驻地划分几个区，分别搞成黄牛交易区、花生等粮油交易区、草鸡交易区，这样不仅规范了市场，也可以吸引周边客户来买卖，从而带动我村整体经济的发展。”

一个花季女孩，一个村党支部书记，似乎并不相关的两个概念，却统一在徐燕华的身上。远离城市的农村，给了她挑战人生的精神和勇气。担当一把手，又一个“村官”的考验，被她当作了一种延续的人生价值的追求。

徐燕华说，她现在最喜欢唱的歌是《做好百姓官》，参加县里“村官”活动的保留节目：“穿的百姓衣呀，吃的百姓饭，说好百姓话，做好百姓官，一言一行一举动，瞒不过百姓双双眼，官大官小不重要，肩上责任重如山……”

（选自江苏人民出版社《大学生“村官”》，2009年4月出版，作者：傅宁军）

圆明园兽首“拍而不买”真相调查

一次出乎意料的“拍而不买”的“壮举”，把一场原本不大的文物拍卖，喧嚣成响彻中外媒体的“大事件”。谁，如何，策划了这场没有结局的“游戏”？

鼠、兔兽首“诡异”拍卖始末

北京时间2009年2月26日凌晨，巴黎大皇宫佳士得拍卖会现场，圆明园鼠首和兔首，分别以每尊1 400万欧元落槌成交。买家以电话委托方式竞得。从这时开始，一系列始料未及的变化戏剧般发生了。

当天，国家文物局即发布《关于审核佳士得拍卖行申报进出境的文物相关事宜的通知》称：“未提供合法来源证明或证明文件不全的，不予办理文物进出境审核手续。”

四天之后，北京时间3月2日，神秘买家蔡铭超现身，并在北京某饭店举行的新闻发布会公开告知媒体，是自己将兽首拍下。同时称，“这个款，不能付”。因为“每一位中国人在那个时刻都会站出来的……我只是尽到了自己的责任。”

拍而不买，蔡铭超一举瞬间激起千浪。

而蔡在第二天又进一步解释，自己不付款的原因是“作为一个中国人，必须遵守中国政府的规定……如果这两件拍品无法入境，自然不能付款。”

加之蔡此次新闻发布会的主办方为中华抢救海外流失文物专项基金（后简称基金会），蔡铭超同时也是此基金会的收藏顾问。

顿时，蔡铭超的“搅局”是否是与相关部门协商后所为？整个事件的前因后果是如何发生的？之后又将如何收场？留下一堆疑点重重的疑问。而发布会后，蔡铭超以及基金会相关负责人均从大众视野消失，对于此事的猜测更加扑朔迷离。

近日，买家蔡铭超及基金会副总干事牛宪锋接受《中国新闻周刊》记者独家专访，得以将事件原委清晰还原。

一场有预谋的竞拍?

北京时间2月24日凌晨1时左右，离拍卖开始仅剩三天，巴黎大审法院对于中国律师团提交的“禁止圆明园流失文物鼠首和兔首铜像拍卖”的请求作出宣判，法官驳回其关于要求停止拍卖、禁止拍卖的诉讼请求。

败诉是很多人预料之中的事。

可居住在巴黎的华人开始上街抗议。

同时在中国国内，国家文物局作出回应，称相关负责人已于本月17日致函法国

巴黎时间2009年2月25日晚，在法国巴黎大皇宫举办的“伊夫·圣洛朗与皮埃尔·贝尔热珍藏”专场拍卖会上，圆明园流失文物鼠首和兔首铜像分别以1400万欧元落槌。(张玉薇/摄，图片来源：新华社)

佳士得拍卖行，明确要求撤拍有关文物，“圆明园兽首理应归还中国”。

而就在法院宣判前的两个小时，当夜11点多时，身在北京的“抢救海外流失文物专项基金”副总干事牛宪锋手机响了，他是在第二天起床后，才发现这个未接电话，机主来自蔡铭超，此时身在厦门。

牛宪锋对《中国新闻周刊》记者说，基金会是在2007年12月请蔡铭超做的收藏顾问，而上一次两人联系差不多是一年多以前，也就寒暄了几句。

“电话里，蔡铭超跟我说，如果兽首流拍或者撤拍就算了，但是他得（先）做一个委托，得关注这个事情。”牛宪锋说。

作为佳士得VIP客户的蔡铭超，已经决定向拍卖公司做出参与竞拍委托。

这时，包括相关律师在内的所有参与者，除了表示抗议，都在枯等未知结局的来临，而期待中最好的结果，就是流拍。

与蔡通过电话的牛宪锋在静观结果。

拍卖如期举行。法国当地时间2月25日晚，上千人聚集在拍卖现场，中外记者、中国留学生以及律师团发起人刘洋都在其中，气氛不同往常。据中国某媒体驻法记者描述，一些中国记者被“强制存包，并以没有采访证为由禁止拍照和报道”。拍卖现场之外，由于众多学生进行抗议活动，分发圆明园历史资料，当地还增派警员维持秩序。

7:30左右，拍卖现场安保人员开始将最后四排座位清空。此处成为观众和参拍者的隔离区——这是当天亚洲艺术品专场的序曲。

此时，在中国厦门，蔡铭超坐在自己的办公室里，从电脑上观看拍卖现场的情形。“拍卖开始前半个小时，他们（佳士得）给我打来电话——要一直保持通话。”蔡铭超对《中国新闻周刊》记者说。

“他们拍卖这两个兽首之前，我记得还拍了七件东西。拍这两个兽首时换了一次场地，把一些记者都隔离开。”蔡铭超说，从那时起他几乎已下定决心，拍下兽首，但绝不给钱。

兽首拍卖正式开始。

鼠首作为677号拍品出现在大屏幕。900万欧元起拍。有人通过电话出价1 000万欧元，蔡铭超按兵不动，价格飙升到了1 100万，蔡铭超通过电话告诉现场工作人员开始出价。价格几经交替，很快，停在1 400万欧元，落槌。

蔡坦言，当拍下第一个兽首时，他的心情是矛盾的——毕竟，已抱定主意不付钱的竞拍“还是觉得有点对不起老朋友佳士得”。

可现场掌声四起。他开始有点疑惑。

之后兔首的拍卖过程几乎如出一辙。

一切都结束了。似乎没有太多人去关注其他拍品的成交状况。

媒体随即报道:“兽首均被神秘买家通过电话购得”。对于买家的各种猜测四起。

蔡铭超此时仍坐在位于厦门城市中心公园的公司办公室，他给身在北京的牛宪锋打了一个电话。

“拿下了。”他对牛宪锋说。

“多少钱？”

“一千四（百万欧元）一个。”蔡铭超说。

“知道了，我想想吧。”牛宪锋说完就挂了电话。

“我说‘想想吧’，那句话是说给自己听的。我真是得想想，我哪经历过这种事啊，过亿的拍卖。我本来想说个祝贺的话，结果真没那个心情。”牛宪锋对记者说。

这时，身在拍卖现场的刘洋向记者表示“竞拍者在明知兽首来源的情况下‘冒天下之大不韪’，将通过法律手段对竞拍者进行追究”。——包括牛宪锋、被委托人，知道蔡铭超拍得兽首的人不超过十人。

“我当时坐在那就想，这个事可能是个永远的秘密。”蔡铭超对记者说。而牛宪锋开始失眠，“我本来就睡不着觉，知道这事之后就更睡不着了。”

“这个款不能付”的出台

之后几天，媒体和周边的人都在议论兽首被拍的事。朋友也对牛宪锋聊到，听说有人拍得了兽首，牛顾左右言其他地应付着。

又一轮密集型的报道，不满和谴责的声音成为舆论的主要态度，巨大的压力开始弥漫在法国、厦门和北京的几位知情者中间。

有国内媒体发出消息:“据称两个兽首的买家为华人。”这时，一切都只停留在猜测的阶段，得不到任何证实。

有人义愤地称:“这就是一次阴谋的炒作。”国内弥漫着沮丧的气氛。

“我看电视，就是有一行字幕说拍卖出去了。有兽首的图片，还有配乐，气氛就跟开追悼会似的。”牛宪锋说，从拍卖之后他一直关注国内的舆论。此时，据称律师团发起人刘洋已前往西班牙散心。直到现在，没有媒体能联系到他。

在一片争论之中，真正的幕后买家蔡铭超始终在厦门的公司里不动声色。他本人公司的所有职员无一人知道。

2月28日早晨，牛宪锋按捺不住了，他乘坐最早的航班从北京飞往厦门，与蔡铭超商讨处理方案。

蔡铭超也认为:“兽首的事情最开始基金会就一直在关注，事情到了这个样子，我想和大家说清楚。但是不知道和谁说合适，就通过基金会请了一些记者开发布会。”

两人经过一天的琢磨，最后确定了六个字“这个款，不能付”。

“你注意，是不能付，不是不付和付不起，是不能！”牛宪锋对《中国新闻周刊》记者强调，“不能付是有说明有原因的，这个拍卖本身有问题。这是一个态度。”

确定方案后，牛宪锋当天晚上返回北京。3月1日晚上，蔡铭超来到北京，入住亚洲大酒店。第二天，新闻发布会召开。

蔡铭超只露面十几秒，发言不足一百字，最后他说出“这个款，不能付”之后，匆匆离去，消失在所有人的视线中。“我提前问好服务员从后门怎么乘电梯。我和蔡铭超说，你说完就走，假装接电话或者怎么样的。”牛宪锋笑着对记者说。

当天，蔡铭超就返回厦门。

这六个字成为了一枚炸弹。

也将整个“阻止兽首拍卖”事件引向了另一方向。

焦点从兽首转到蔡铭超

法国佳士得表态“此事正在商讨之中，尚不便对媒体发布消息”；媒体评论开始围绕诚信问题铺天盖地；BBC以“英雄还是流氓”的大标题展开报道。而此时，牛宪锋更换了手机号码躲在办公室，蔡铭超将手机呼转为来电提醒。知情者瞬间蒸发了。

回到厦门的蔡铭超，吩咐员工买来100斤大米，“我就准备天天在公司熬粥喝了。”他对《中国新闻周刊》记者笑着说。公开了自己“拍而不买”的做法，等于将自己推上风口浪尖。他每天躲在公司里，从办公室的窗户望下去，看着门口来来往往聚集的记者。对于电话和到访的记者，员工一律告知“蔡总还没回来”。

“他跟我说，他回到厦门仰望星空，泪流满面。”牛宪锋笑着对记者说。

“我知道他的压力很大。连我的压力都很大，那一段时间我有表达的欲望，就是不知道该怎么说。那种压力说不清楚。我连仰望星空的心情都没有，北京也看不到星星。”

国家文物局拍卖会后发布的《关于审核佳士得拍卖行申报进出境的文物相关事宜的通知》，成为蔡铭超进一步解释“不能付款”的依据，加上文物基金会的参与（虽为民间组织，但职员仍为国家公务员），蔡铭超此次“胆大妄为”之举，也因此引发猜测，是否相关部门参与了事件的“策划”和“运作”？

国家文物局紧接着发表声明称:“蔡铭超拍下兽首是个人行为。”

舆论开始两极分化。根据一些网站的调查，支持和反对的约 7 ∶ 3。

还有法律界人士认为蔡铭超“有可能要负担法律责任”……

牛宪锋和蔡铭超分别躲在北京和厦门查看不断升级的报道。而听闻那些对于买家诚信的质疑，他们感到愤怒和不解。

经过十多天的沉默。蔡铭超再次来到北京，再次“想和大家说清楚”。他有选择地接受了少数媒体的采访。牛宪锋也开始与熟悉的媒体记者接触。

此时恰是北京两会召开时，圆明园兽首再次成为热议的焦点。无论政府发言人还是代表委员纷纷对此事发表观点。

这两尊曾有着历史记忆的铜兽首，这个时候已经变成了一个抽离的符号，它们事关艺术价值、外交关系、法律依据、国民诚信、民族感情等一切问题，而它们也与其本身的文物含义更行更远了。

“我想，事情的后果他想得很明白”

牛宪锋作为兽首事件的知情人之一，在蔡铭超宣布“这个款不能付”的新闻通报会之后同样消失在公众视线内。他所在的基金（以下简称基金会）一直对兽首事件保持关注并参与其中。《中国新闻周刊》记者近日对其进行了独家专访。

中国新闻周刊：蔡铭超参与竞拍兽首，最后决定“这个款不能付”，是不是基金

2009年3月2日，中华抢救流失海外文物专项基金副总干事牛宪锋（左一）和圆明园兔首、鼠首拍卖现场举牌人后面的委托人蔡铭超（右三）在新闻发布会上。（罗晓光/摄，图片来源：新华社）

会策划的？

牛宪锋：这个事不是说我们制订了一个计划。拍卖开始前一天他（蔡铭超）才说的。

他已经想好了。我想，这个事情至少后果他想得非常明白，他是一个非常有个性的人，不会因为别人说什么就改变什么或者决定什么。他也没有必要向我们汇报这个事，他是基金会的顾问，反而是我们应该问他。

中国新闻周刊：拍卖会一结束，你就知道是他拍得了兽首吗？

牛宪锋：我不知道一定是他。但是他决心很大，至少先拿下再说，这点我是知道的。结果出来他就给我打了电话。

如果他不站出来做这个事，我们是没有什么其他办法的。如果是某个国家博物馆或者有恶意的个人拍得了，那这个东西，都不一定知道在哪儿，我们再去追索，难度就非常大了。现在至少我们还能主动说这两个头应该归还。

中国新闻周刊：召开新闻通报会是你们要求做的吗？

牛宪锋：通报会也是他的决定。我们算是帮忙，用我们的平台帮他把消息发布出去。就是告诉大家这个事别在心里悬着了。

刚拍完之后，有很多猜测，国内的舆论气氛也不好，一种就是唱衰，完了，没戏了，感觉很沮丧，失败很彻底。还有一种非常极端，就像是骂街似的，你不是拍了吗，你等着。

我作为一个知情者看这些是好笑，作为一个旁观者，感觉是悲哀。我们应该让大家知道结果，理解这个行为。

中国新闻周刊：但通报会上却并没有任何具体的解释?

牛宪锋：蔡铭超很有主见。就是想把事情告诉大家就完了。他做事非常低调，初衷也很单纯，他不想站在风口浪尖上。他能站出来说这个事是他做的，本身就是一颗炸弹，再加上六个字“这个款，不能付”，这就成原子弹了。

我知道他面临的压力非常大，他（本来）说他就不露面了，他觉得事情做完了。

中国新闻周刊：事情出来之后，有很多争论，关于诚信问题等等，你们怎么看?

牛宪锋：这不是诚信不诚信的问题。不是说没钱，也不是存心恶搞。是不能付。这个拍卖本身就有问题，不能拿一般的拍卖来衡量。佳士得拍卖的是不该上拍的东西，这本身就破坏了商业规则，拍品和拍卖这个行为有争议，这是问题的核心和本质。

现在等于是把牌出给对方了。

还原蔡铭超

蔡铭超进入文物经营行当，是2001年之后的事情。2006年，“亿元拍得金佛”之事，让他在厦门内外的收藏圈爆得大名，而金佛至今未回厦门。2009年2月底，佳士得拍卖会上，他高价拍下圆明园兽首，却“拍而不买”，再次引发争议，并因此“蜚声海内外”。

目前他是厦门心和艺术拍卖公司的董事长兼总经理，这是一家私营公司，总部在厦门岛内风光最秀丽的白鹭洲公园，藏身闹市，湖边之地，寸土寸金。

公司是一幢独栋别墅，两层大门把守着，正常情况下，总是关着。摁了门铃，过半晌才有人来。

低调发财　和善待人

入内，便看到一尊毛主席铜像，工作人员说：“这也是个文物，蔡总从北京拍回来的。”毛主席塑像下面有个方形木墩，正面刻着鲜红的“忠”字。

一楼前台的墙壁上还挂着一幅毛主席画像，两边插着中国国旗。员工说，公司里的装修都是蔡总定的。

蔡铭超的办公室在二楼，办公室门面和墙融合成一个整体，显得很隐蔽，门口挂着一幅“铭心超我”的书法，蔡常以此四字与员工共勉。办公室门刷卡后自动打开，蔡的家里亦是如此，所有的门都是刷卡；蔡铭超的公司坚持“在艺术品市场以小而精为营运路线”，这都反映出蔡一贯的谨慎作风。

作为一名商人，蔡铭超属于“低调发财”那一类。有人说蔡铭超起家于服装生意，也有人认为他起家于机票代理。

厦门国际航空港集团行政部经理申如军说，他1995年左右与蔡铭超相识，那时，他负责航空营运方面的工作，蔡做机票代理。

20世纪90年代，机票代理是一个利润颇丰的行当，业务好的时候一个月能挣十来万。蔡看准商机，果断通过其在上海的关系，获得机票代理资格。

蔡善交际，与那些航空业的头面人物接洽时，出手大方，热情周到，让来者都对这个瘦小的闽南人刮目相看。

申如军认为蔡铭超是个“能量很大的人”，那会，进口轿车是个紧缺商品，他却给自己弄来一辆原装的丰田皇冠。

在做票代之前，蔡经营过服装，做过物流，也做过工艺品出口。直到代理机票起，他开始渐入财富之道。

90年代后期，机票代理业务的利润滑坡，蔡立即转手，他把代理点卖给了别人，随即在长青路开了一家茶叶店，为了让自己的茶叶店更显雅致趣味，他特地在店里的一角摆上古玩柜台。那时的他不曾想到，这个“无心插柳”之举日后竟然“柳成荫”。

常言道无商不奸，但蔡铭超给人的印象，除了精明之外，便是和气善良。

厦门本地一位记者告诉《中国新闻周刊》，他多次采访蔡，有一个故事让他记忆深刻。有一次采访时，蔡见这位记者面色凝重，便问何故。当他听说记者刚遇到一名女童身上多处受伤骨折住院，二话没说，掏出5 000元钱，委托记者交给住院的小女孩，并要求不要把捐钱的事情对外披露。

拍卖商人　眼光精准

蔡铭超喜欢穿立领的黑色中式服装，或是唐装。他做了七八件同样款式的唐装和中山装，保证自己恒定独特的造型。从外表看，他颇有些文物藏家的范儿。

2001年，蔡铭超意识到收藏的价值。那时他还在做瓷器出口贸易，一次偶然机会，一位做高仿的美国客户带着他去了次苏富比拍卖会，蔡“开了眼”，他后来和别人回忆那次经历依旧兴奋不已。蔡说:“第一次见到古代瓷器的实物，居然是那么的做工细致、画工精湛，官窑也好，民窑也好，一件件瓷器都是那么美，让人忍不住就想亲近。”

蔡对一位来访的记者说，他在这些古代瓷器上看到了“有一种现代人已经失传的认真”，他决心专心于此。

他放下茶叶店的生意，进入当时属于国有企业的厦门国际商品拍卖公司（下称国拍），不久就任艺术部经理。艺术部主要拍卖文物古董，需要很好的判断力和鉴赏能力，这让不熟悉他的人感到惊讶，以为蔡天赋异禀。其实，“没有谁天生就是收藏家”，厦门收藏协会会长丁建南说，蔡铭超经常拜访一些藏友，不懂就问，很下工夫。

2005年，蔡离开国拍，在一年后买下原厦门金拍拍卖公司，更名为心和艺术。公司注册资本116万元，蔡占有95%的股份。经营四年之后，心和已经成为厦门档次最高的一家拍卖行，公司也从长青路上的门面房搬到了白鹭洲的独栋别墅，年租金高达82.176万元。

蔡铭超对文物拍卖有自己的眼光和经营之道。

有一次，一位藏家拿出了一只大明宣德年的蛐蛐罐儿，是一件带残的收藏品，蔡铭超开始考虑再三收下了，“不为别的，就因为上面画的芦燕栩栩如生”。结果第一场拍卖的价格不很理想，底价5万元，只拍出了20多万元，他觉得这个价格太低了，就撺掇一个朋友花了近50万元从得标者手中又把蛐蛐罐儿买了回来。结果过了两年再拍的时候，就已经达200多万元。

蔡逐渐成为拍卖会上的常客。商人的一面让他看东西非常精准，也会看藏品是否具备价值投资的潜力，这让他做任何事情都不至于陷入痴迷。

每次有人问起蔡铭超现在有多少藏品了，他都不说话，旁边的人补白：精品200件。他依旧只是笑。

2006年，香港苏富比“佛光普照——重要明初鎏金铜佛”专拍场，蔡铭超执353号竞拍，最终以1.166亿的价格将“明永乐鎏金铜释迦牟尼坐像”成功拍下，创下中国艺术品迄今为止世界拍卖最高纪录，也是第一位将天价艺术品收入囊中的内地买家。

那是他第一次名震江湖，几乎整个厦门岛的人都知道了他。介入拍卖行业后，蔡从台湾、香港等地拿来一些上档次的藏品在厦门进行拍卖，有几十年收藏经历的唐码博美广告有限公司董事长陈茂盛说，蔡为厦门收藏界带来了生机，也开阔了圈内人的眼界。

拍下金佛，蔡铭超也引起各方争议，当时他挺想不通：“为什么保利拍回一尊国宝大家就都认为是保利做了一件公益事业，而我拍了一尊佛像，却招来了很多非议，难道仅仅因为我是做拍卖公司的？”

蔡铭超当时表示要把这尊绝世的“天价佛像”安家在厦门，以结束其海外飘零的历史。他说，在决定参与竞拍时，就有了一个计划。这个计划既包括请回佛像本身，也有其他延伸产业：比如建成庙宇给它安身，这里就会成为有名的旅游景点，对于藏传佛教也是一种弘扬。厦门堪称世界第一的并不多，这一绝世铜佛会为整个城市增色，带来的经济效益是无可估量的。“依托铜佛可以有各类文化产业的经营，铜佛本身就是专利，还会帮助建立企业品牌。我有这个理念和创意，吸引感兴趣的人来参与，从而形成一个真正的文化产业。”

据媒体报道，拍卖事件已经过去两年多时间，佛像却迟迟没有来到厦门，仅仅停留在半路上——香港。

拍卖事件　成宗亲英雄

蔡铭超个子不高，1.68米左右，且瘦，短短的头发茬子。笑时，他的眼角会出现一堆皱纹，但这倒未令他显老，两只眼睛不大，但显得精力充沛。

与朋友去茶馆，蔡铭超总会显出主人般热情，他叫服务员“小妹，小妹”，很浓的闽南口音，然后他便会将合身的西装袖口卷上去一截儿，露出一双非常白的手，开始热情招呼朋友，与之攀谈。

林上钦是蔡铭超公司的副总，他告诉《中国新闻周刊》记者说，袖子垂着显得拖泥带水，还容易剐蹭，蔡不喜欢。

拍下铜兽首并拒绝付款后，媒体开始全面曝光蔡铭超。起初，有人将其与多年前风云此地的赖昌星相提并论，“都不是好人”。

但很快，蔡的族人主动致电福建本地媒体，公开声称，蔡铭超是晋江市人，是“永和镇坂头村蔡家族人的骄傲”。

蔡铭超的堂哥蔡益生跟《中国新闻周刊》记者聊天时，骄傲之情溢于言表，他说堂弟一向做事果断，有自己的判断，生意否则也做不到今天这样。他介绍说，蔡铭超兄妹四人，两男两女，他排行老三，其他三人都定居澳门和香港。

晋江永和镇坂头村，蔡铭超的“祖厝”只是座一层的石头房子。村委又是蔡铭超堂亲的蔡明国会热情地告诉来访的记者，这是蔡铭超父亲蔡芳庭生前居住的地方。自从父亲过世后，在厦门出生长大的蔡铭超除了清明节回来扫墓，就很少回来了。

坂头村老家里，蔡益生保留的唯一一张蔡铭超的照片，是从身份证上翻印的，放大很多倍，让四面而来的人看。谈起对堂弟的印象，蔡益生连声说“他从小就很聪明、很重义气”，对家乡的教育等公益事业也很支持，并以他父亲的名义成立了助学基金会。

族人亲友每次从晋江去厦门，都难得见到蔡铭超，除非提前预约。但只要接待，蔡都会很热情。

在族人眼里，蔡铭超就是英雄。福建柯蔡济阳宗亲会安海分会上宗亲们纷纷表示要力挺他，这个宗亲会秘书长柯连平对《中国新闻周刊》记者说，要将此事向世界柯蔡济阳宗亲会反映，“让全世界的宗亲都声援他！”目前已经有600名宗亲族人联名签字。

五个回归兽首的前世今生

北京保利艺术博物馆展厅内，圆明园牛、虎、猴、猪四件兽首铜像单独占据了一个小厅。它们从右到左依次排放，背后整个墙壁是一幅放大了的圆明园海晏堂铜版图，图中细致描绘了这些兽首铜像原来的样子——北京圆明园的海晏堂楼前阶下，十二生肖人身兽头铜像围绕喷水池呈“八”字形排列，将那个庭院衬托得气势不凡。

而今，这十二尊铜像身首异处，圆明园内铜像仅剩汉白玉底座的残骸，人身部分至今也没有现身。

关于圆明园兽首“回归”的话题，至今已经是第三拨了。之前两次，一次是在2000年保利回购三个兽首之时，另一次是2007年澳门赌王何鸿燊以近7 000万港币购得马首时。

可是当喧嚣过去，回来的兽首“丢”在何处便无人关心，更极少人有心前往，去一睹辛苦归来的兽首的真身。

兽首“前世”是喷头

关于兽首铜像的出身，要追溯到清乾隆十二年。

那一年，乾隆皇帝看到一幅绘有西方水法（喷泉）的西洋画，觉得非常新奇，之前，他听说喷泉在葡萄牙很盛行，一心想显示中国地大物博、无所不有。于是招来从康熙年间起就在宫中作画的意大利传教士郎世宁，询问：谁可以造这样的东西？

在郎世宁的设计下，整个西洋楼的三组大喷泉先后动工建造，喷泉分别位于最早动工修建的“谐奇趣”、现在最为人们所熟知的大水法以及海晏堂三个建筑群中。海晏堂不在西洋楼中轴线上，可以计时、报时的喷泉“水力钟”成为它最大的特点，而兽首铜像正是这个喷泉中的“喷头”。

中国人民大学清史研究所博导王道成对本刊介绍说，西方的喷泉多以人体塑像为喷头，“乾隆并不想照搬，因此在设计上要求中西合璧。”于是，“水力钟”喷泉由极具中国特色的十二生肖兽首＋人身铜像组成，以不同动物来代表相应的时辰，每一个时辰，十二生肖相应的动物口中就会喷水两个小时。到了正午，十二座铜像口中会一齐喷水，景象蔚为壮观。

乾隆二十一年四月，郎世宁画好了“谐奇趣东边西洋式花园”，其中包括海晏堂的平面设计图。第二年，其推荐的法国传教士蒋友仁也设计好了“新建水法仪器样”，并交由造办处工匠着手制作，兽首喷头正是在这期间铸造的。

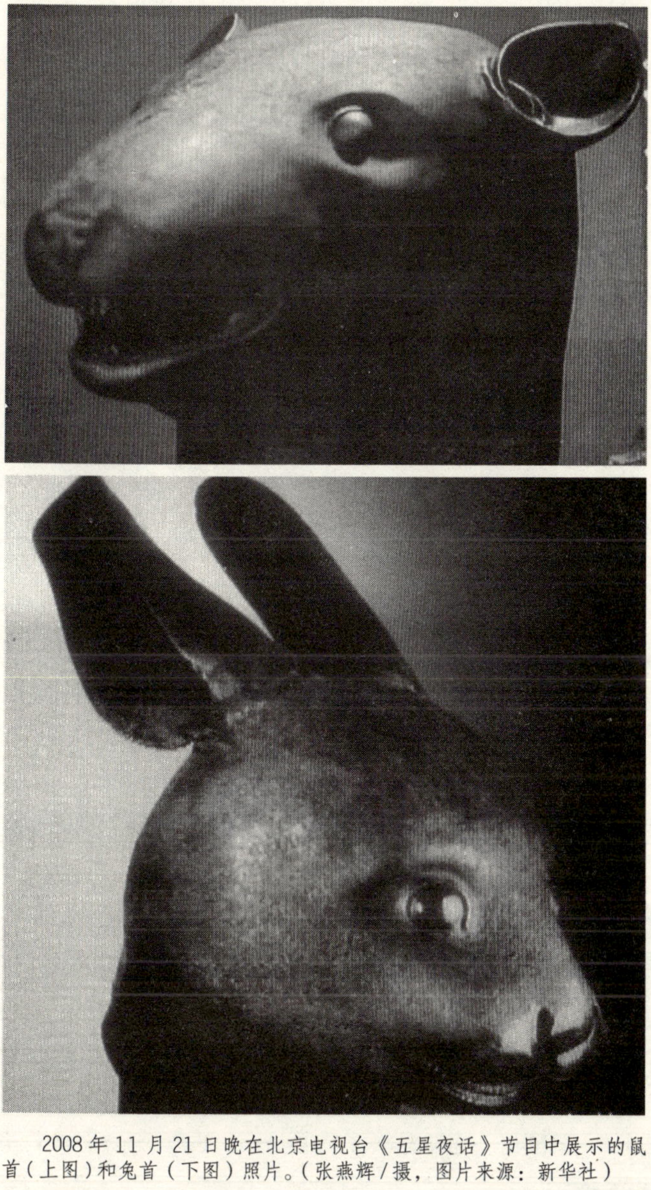

2008年11月21日晚在北京电视台《五星夜话》节目中展示的鼠首（上图）和兔首（下图）照片。（张燕辉/摄，图片来源：新华社）

中国工匠们采用了最好的合金铜，铸工精整。从已回归的几件兽首来看，其艺术造型也体现了中西结合的特色。

15年后，蒋友仁病逝，由于朝廷里没人懂机械，喷泉实际上一直处于废弃状态。每当皇帝游园，只能派小太监挑水灌满水池，并人工开水闸放水，才能使兽首口中喷出水来。

而“水力钟”喷水的景象还是藉由当时皇家画院如意馆画师伊兰泰绘制的“西洋楼铜版画”保存了下来。这一压印过200份的铜版画在沈阳故宫、紫禁城等皇家园林都有保存，从而幸运地躲过了几十年后的圆明园大劫难，使现代人得以了解到当年兽首铜像喷泉的原貌。

喧嚣中“回归”

1860年10月6日，法英两国侵略军先后闯入圆明园，开始疯狂劫掠。虽然民国时期及解放后，也有中国百姓在圆明园中拿走了一些东西，但圆明园里的文物珍宝基本上都是在英法联军进去的时候被抢走的。12个兽首铜像也就此流失海外。

关于兽首铜像再次出现，是从上个世纪80年代开始的。1985年，一个美国古董商在加州一处私人住宅内无意中发现，牛首铜像被主人放在浴室中挂浴巾，而虎、马首铜像也被当成普通的园艺装饰品。古董商当即以每尊1 500美元的低价买下了这三个铜像。此外，猴首和猪首也曾传出在伦敦被同时拍卖的消息。

1987年，台湾收藏经纪机构寒舍集团的负责人蔡辰洋通过电话，在国际拍卖会上以13万美元的价格买下猴首。1989年，他又一口气竞投到牛首、虎首和马首。此后，这四件铜兽首几经转手流散在其他台湾收藏家手中。而据中国文物学会名誉会长谢辰生对本刊记者的介绍，当时国内文物界对这些消息并不知情。

2000年春，“圆明园兽首铜像”一词第一次走进了中国民众的视线：台湾收藏家委托佳士得和苏富比拍卖行将猴、牛、虎三个兽首在香港进行拍卖。此事在香港掀起了轩然大波，“群众对拍卖行为相当气愤，他们游行，还冲进了拍卖场。”王道成对本刊记者回忆说。当时的《大公报》更是在社论中直斥两家拍卖行的行为“严重伤害了中国人民的感情”。

这时，保利集团突然间冒了出来。

保利集团公司现为国务院国有资产监督管理委员会监管的155家大型中央企业之一。1998年，公司拓展创意产业领域，成立了保利艺术博物馆。作为中国大陆首家由大型国企兴办的博物馆，该馆馆藏展品绝大多数为保利集团从海外回购而来。

兽首拍卖最后以一个令外界惊呼的高价落槌——保利集团以总价3 000万港元的价格拍卖下三个兽首，超过了底价的十几倍。“在中国艺术品国际性的拍卖场上，这是天价。”北京华辰拍卖有限公司总经理甘学军对本刊说。

当时与三个兽首一起拍卖成功的，还有圆明园的另一件文物转心瓶。它是由北京市文物公司拍下，创下了将近2 000万港元的单件天价。

2002年年底，中华抢救流失海外文物基金会在纽约寻访到了圆明园猪首铜像的下落。通过协商，澳门富商何鸿燊于第二年9月出资600多万港元将其收购，并捐赠给保利艺术博物馆收藏。

2007年8月，苏富比突然发布消息称要拍卖马首，再次引起各界哗然。情形和这次两兽首很像：中华抢救流失海外文物专项基金率先发表声明“坚决反对公开拍卖马首铜像”，国家文物局也在第一时间发函香港苏富比，指出“该文物是西方列强侵略中国时掠夺的珍贵文物”，并表示“不赞成以公开拍卖的形式对待马首，希望可以通过其他方式促成马首回归”。

9月5日，通过与收藏者协商，何鸿燊在拍卖会举行之前以6 910万港元购得马首铜像，并宣布将其捐赠国家。这项交易也刷新了清代雕像的世界最高成交价。

自此，五个圆明园兽首铜像在众望所归中“回家”了。

回归兽首的非文物功能

五个兽首傲然回归国家之后，命运便不同了。

王道明参加了首次展出的剪彩仪式。“当时找了20多位历史文物方面的专家开座谈会，商讨兽首的展出和保护工作。”他回忆说。

而当时的文物界和拍卖界对此存在一些质疑。首先是拍卖行为本身，“现在看来，我不赞成买回来，文物回归应该通过政策性的手段、有原则地处理。”谢辰生说。

此外，兽首买回来后被国家评为一级文物，引起了文物和历史学者的很多争议。

全国政协常委、复旦历史学博士葛剑雄就对媒体公开表示：“我不承认这样的东西可以作为一级文物。”

而最多的质疑还是来自拍卖价格方面。“（兽首）就是个出水口。这种东西在欧洲多了去了，所以为什么在海外都是流散在社会上，没进欧洲的博物馆？因为它并不是什么稀罕的东西。”谢辰生说。

北京华辰拍卖有限公司总经理甘学军更直接：“业内很多人当时都觉得保利花了那么大的价钱，是‘冤大头’。”

然而，三个兽首在香港、北京、上海、广州等十几个大城市以及台湾地区进行的巡展，极大地打响了其博物馆和“保利”的知名度。据报道，巡展的观展人次达到400多万，在香港艺术馆展出时更是吸引了3万多市民排队参观。2007年6月，保利集团被授予“海外流散文物回归故里贡献奖”。

甘学军对本刊表示，虽然看起来保利花了很大价钱，但这几个兽首对提升保利的形象，以及对公司文化、房地产开发等其他领域的业务“发挥了非常大的作用”。保利文化艺术有限公司副总曹利群也对记者肯定了兽首对公司品牌形象塑造和提升公司诚信度方面的积极作用。

“保利把文物收藏和企业的市场开拓结合起来运作，兽首已经成为保利为中国文物回流所做努力的一个见证。他们的重大项目开盘的时候，都要举行‘国宝展览’。”甘学军说。

当2003年何鸿燊把猪首捐赠给保利集团后，牛、猴、虎、猪四个铜兽首“会师”，其后就一直在保利艺术博物馆展出中集体亮相。据了解，海外流失文物的捐赠对象取决于捐赠人的意愿，可以直接指定某个博物馆，也可以捐献给政府或某个机构，通常由指定的受赠方单独进行管理。

最后拍下的马首铜像，在何鸿燊先生的安排下，曾于2007年10月在香港、澳门展出。而今，马首却消失在公众的视野中，不知现存于何处。

中国人民大学清史研究所博导王道成对本刊记者说，圆明园管理处也曾经想联系何鸿燊，希望能够保存兽首铜像，“但可能是考虑到保存条件等问题，就放弃了。”他告诉记者，圆明园现在还有一个展览馆，里面“比较简陋”。

记者就圆明园是否联系过保存马首一事向圆明园管理处发言人宗天亮求证，他对记者的回答很耐人寻味，“这涉及国内整个文物管理的机制问题，有很多东西都还没理清，背景太复杂了。”

业内人士大都表示不清楚马首目前保存在哪，到底捐往哪个单位进行保存也还没有定论。据中国人民大学清史研究所博导王道成说，马首“有可能仍在何鸿燊处，因为还未找到合适的安放地点”。

现在，保利博物馆里的参观者人数寥寥。3月13日（周五）下午，从3点半到4点半的一个小时里，保利艺术博物馆里的参观者只有本刊记者一个人。工作人员告诉记者：“每天（的情况）差不多都这样。”

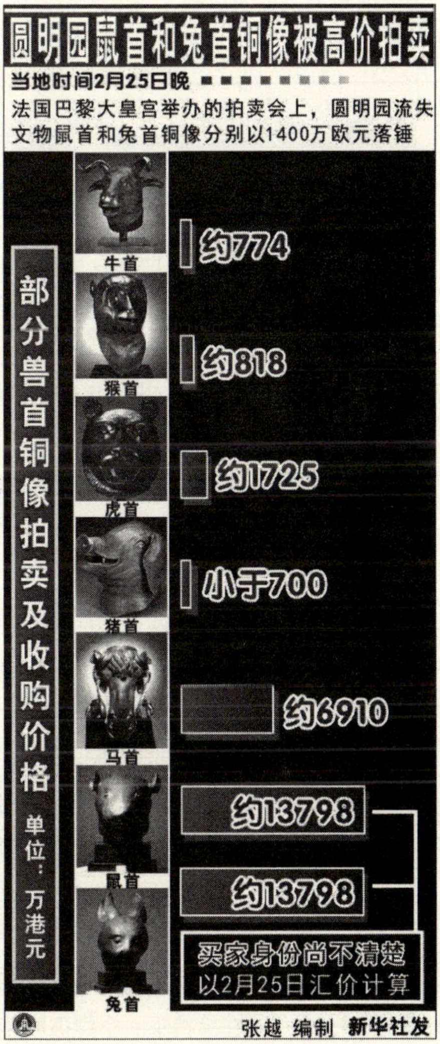

兽首之争的喧嚣与代价

2008年10月23日，法国佳士得拍卖行的一纸声明在位于地球另一端的国度里掀起了一场“海啸”。

“国际艺术品拍卖巨头佳士得公司将于2009年2月23日至25日举办‘伊夫·圣罗兰与皮埃尔·贝杰珍藏’专场拍卖，拍品中包括1860年英法联军自圆明园掠走、流失海外多年的鼠首和兔首铜像，总估价高达人民币两亿元。”——第二天，同一条 消息几乎登上了中国各大媒体。犹如一块石子投入平静的湖面，一时间，政府抗议、律师追讨、民间声援，中国各界舆论谴责声一片。

作为冲突的直接对立面，佳士得成为众矢之的，各大媒体纷纷发表评论指责其不顾中国人民感情“唯利是图”的行为。

众多批判声中，中国庞大的网民群体发出了最强音。但往往情绪表达多于实质。有人义愤地高呼“那两个兽首是被外国侵略者侵夺的华夏瑰宝”；有人奔走相告呼吁爱国人士高价购买后送还祖国；还有人异想天开地期望萨科齐收购之后赠送给中国。

更有网民设计出一款暴打佳士得的Flash游戏。游戏页面中，埃菲尔铁塔上悬挂着一只红色的沙袋，上书“佳士得”三字，轻点鼠标就可以完成一次对“佳士得”沙袋的击打。该游戏迅速得到网民的青睐，八天内“佳士得”沙袋已被击打超过24万次。

价值被全面误读

舆论的裹挟之下，这些个青铜兽首的价值被全面误读，成了中华民族那段屈辱历史的代表和中国文物流失的缩影。而一些保有理性的专家对于事实主体的解读，被淹没在情绪的汪洋之中。

“流失海外的大量文物里，比兽首价值高的多得是，这件事最好的办法就是不予理睬，不要被别人牵着鼻子走。”著名文物专家、中国文物学会名誉会长谢辰生对记者表示他的观点，“追索文物应该采取法律和外交的方法，但因为这两件兽首为私人收藏，政府根本不能与之形成对话。另一方面，国际公约对一百多年前文物的约束力很小，并没有非常适合的法律依据。回购只能使价钱越炒越高，最终还是坑害了中国人。因此，中国人拿回这两件文物的可能性本身就很小。”

86岁高龄的著名文物学家罗哲文则更加直接地呼吁大家“不要做冤大头”，“价值顶多100万元人民币”，“如果超过这个数字，那就是被骗了”。

简单回顾此前几尊兽首的回归过程：

2000年4月底和5月初，在香港佳士得和香港苏富比的拍卖会上，牛首、猴首和虎首铜像现身，最终中国保利集团公司以总额超过了底价十几倍的价格竞得。

在2007年9月初，苏富比拍卖会上何鸿燊以“清代雕像的世界最高成交价”成交马首。

保利和何鸿燊高价回购兽首的“义举”，得到各方赞誉。这些舆论客观上营造了一种氛围，人们都在等待下一个“孤胆英雄”的降临。

一场“山寨版”的追讨官司

而这次与此前情形略有不同，民众借助互联网形成合流，凝聚成一股巨大的力量，并且开始成为事件的主导。与之相比，政府的声音则显得相对滞后而微弱，未能引导民众情绪趋向理性发展。

首先站出来的是53岁的职业律师刘洋。据刘洋自己介绍，早在2002年，他偶然得知埃及就有律师以个人名义起诉英国大英博物馆，追讨流失在外的文物。于是就决心启动一个“追索海外流失文物”的诉讼。

就这样，刘洋成立了“海外流失文物民族尊严、追索起诉办公室”，他名片上赫然印着“起诉办公室负责人”的字样。

2008年11月，刘洋在其博客上，以“诉讼追讨圆明园流失文物的谋划”为题发表三篇系列文章，召集组建追索圆明园流失文物的律师团，以诉讼方式尝试追回国外流失文物。诉讼之说一起，即受到了网友的热烈追捧，两个月后，以刘洋为首，由67名中国律师组成的律师团在北京召开记者会。

与政府的“稳妥”表现相比，中国的民间力量主动跳将出来，通过这场官司，中国方面与佳士得、兽首持有者贝尔热之间交手才真正展开，事情被一步步推向不可知。

著名法学家王云霞教授在参加央视节目时表示，从一个法学家的立场来说，她认为诉讼有很多法律的难点，存在着很多很多障碍，并不赞成这个诉讼。刘洋的回答是:“因为我们理直，所以气壮。”

网友的支持也是刘洋坚持下去的一大原因。召集令发出之后，刘洋的博客点击率一直居高不下。“尽管有一些杂音，但每次打开留言板，出现最多的字眼就是‘顶’。”

庞大的律师团成立了，却找不到原告方，出于种种原因，他们原本计划的“原告”国家文物局、圆明园管理处都未能出面。

此间，刘洋成功找到了赞助人提供诉讼费用。又联系到了拥有美国纽约州律师执业资格及中国律师执业资格的法籍女律师任晓红担任代理人。一场完全由民间力量策划、推动的国际诉讼蓄势待发。

就在开拍前两周，2009年2月12日，中国政府发出了官方声明，希望“通过沟通撤拍”，并表示“这些文物理应归还中国”。

诉讼失败　冲突升级

另一方面，兽首持有者皮埃尔·贝尔热也不遗余力地为拍卖的合法性进行辩护。贝尔热在接受法新社等媒体采访时，坚持他是通过合法途径收集到这些文物的，应该受到法律保护。“这些中国的兽首是150年前从中国抢夺来的，就像人们从雅典巴特农神庙抢夺浮雕放进大英博物馆里一样。”

而之后贝尔热以“人权问题”要挟中国的说辞则彻底激怒了中国网民。这一荒唐的“交换条件”行为也给文物之争增添了强烈的政治色彩。

中国网民反应异常激烈，制裁法国、封杀佳士得的呼吁充斥论坛。去年，北京奥运会火炬在法国传递时遇破坏的激愤情绪再次出现。

中国外交部发表严正声明，驳斥其将归还兽首与达赖挂钩的敲诈行为。适逢两会，代表和委员们也对兽首表达了高度的关注。

2月19日，拍卖前一周，中国追索海外流失文物律师团递交了阻止拍卖的“禁止令”请求。巴黎大审法院于北京时间24日凌晨1时左右对圆明园鼠首和兔首能否被拍卖作出宣判，法官认为，请求人——欧洲保护中华艺术联合会对于本案没有直接请求权，驳回其关于要求停止拍卖、禁止拍卖的诉讼请求，并赔偿两个被告方各1 000欧元——一场扰扰嚷嚷的国际官司最终失败。

在业内人士看来，这是意料之中的结果。有许多法律专家在裁决后指出：不得不承认的是，法国法院在这一案件上的判决是非常准确的。此案件中，中国人找不到相应的法律依据，也没有合适的申诉主体。

可诉讼失败却又一次刺激了中国网民的神经。

“人家始终在法律范围内行事，而我们的愤怒与激情却游离与法律之外。”资深评论家童大焕在事后撰文表示。

一场代价沉重的“义举”

北京时间2月26日，拍卖会如期举行。就在当晚拍卖开始前，数十名中国留学生聚集到巴黎大皇宫门前举行抗议活动，分发要求这些文物归还中国的传单。其中一段内容写道:“私人收藏者手中的每一个圆明园文物都在提醒人们那一段血腥和野蛮历史。”

而蔡铭超的“这个款，不能付”的声言，又一次成为国内各大媒体评论的焦点。舆论立场鲜明地分成了两大阵营，“挺蔡者”不遗余力鼓与呼，称“蔡铭超打了一场漂亮的阻击战”，“蔡铭超的举动显示了中国民间的力量与智慧”，“蔡铭超让兽首流拍具有棒喝效应”。“倒蔡派”则认为，拍而不买的行为损害了中国人的信用，“兽首竞拍不会付款将支付公信与尊严”，“戏弄佳士得的爱国行为并不值得鼓励”。

相形之下，国际社会对此事件的总体反应却更为理性和客观。

根据法国《费加罗》报网站的一项调查，有超过八成的法国网民认为，贝尔热应该将兽首铜像归还中国。

法新社发表评论说，圣罗兰的伙伴提出用“人权”交换这两件文物，使中法之间有关文物的争论已经变成政治争端。

英国广播公司网站以“对中国的侵害”作为报道的一个小标题，报道援引中国外交部发言人的话称:“拍卖战争中非法掠夺的文物不仅伤害中国人民的感情，损害中国人民的文化权益，而且有悖有关国际公约。”

与归属尚无定论的流失兽首文物相比，被质疑的“国民信誉度”却将是这次中国人不得不付出的代价。

文化部艺术品评估委员会副主任赵榆接受采访时表达了这样的担忧：蔡铭超的做法等于是在外国人面前自毁中国人的信誉。蔡铭超打着中国人责任的名义出尔反尔，实际是让中国人在国际大型拍卖会上失信于人。

“在中国强大起来之后，中国人有一种被强大感操纵的倾向。”资深评论员刘洪波说。祖国强大之后，中国人沉溺在一种畅快表达自己的快感之中。只是，尚无掌握表达自己的方法。“抱着不遵守规则的态度来玩游戏，罔顾基本的行为底线，无异于一种无赖的行为，最终只能被判出局。”

（选自 2009 年第 10 期《中国新闻周刊》，
作者：杨时旸、刘炎迅、万佳欢、陈辰）

格桑花必将开得更加绚烂

——写在第一个西藏百万农奴解放纪念日到来之际

格桑花，是藏族人民心中最美丽的花，也是雪域高原的象征——

第一个西藏百万农奴解放纪念日到来之际，西藏，中国版图上这片120多万平方公里的土地再次牵动世人的视线。

“紧紧抓住发展和稳定两件大事，确保经济社会跨越式发展，确保国家安全和西藏社会稳定，确保各族群众生活水平不断提高，在建设团结、民主、富强、和谐的社会主义新西藏的征途上迈出新步伐。”——在不久前召开的全国两会上，中共中央总书记、国家主席、中央军委主席胡锦涛在参加西藏代表团审议时郑重表示。

这是党和国家最高领导人对雪域高原的深情嘱托，为今后西藏工作进一步指明了方向。

喜迎西藏百万农奴解放纪念日的日子里，从海内到海外，从党和国家领导人到普通群众，亿万华夏儿女表达着一个共同的心愿——祝愿生活在西藏这片广袤神奇土地上的287万姐妹兄弟，生活越过越好，日子像格桑花一样绚烂美丽！

让格桑花开得更加绚烂美丽——以民主改革为起点，在建设团结、民主、富强、和谐的社会主义新西藏的征途上，各族儿女奋勇前进……

煮起香醇的酥油茶，跳起热情的锅庄舞，牦牛与拖拉机犁开沉睡的土地。

2009年3月15日，藏历正月二十，西藏农区春播的日子。蓝天白云下，一场盛大的春播仪式正在拉萨堆龙德庆县马乡设兴村展开。村民每人手中端起一小勺糌粑撒向田地。“将糌粑撒入土地，代表着藏族人对丰收的期望。”村主任洛桑丹巴说。

土地期待收获，春天孕育希望——

这一切，都缘于50年前的那个春天：1959年3月28日，国务院发布命令，决定自即日起，解散西藏地方政府，由改组后的西藏自治区筹备委员会行使地方政府职权。

“这标志着一个旧时代的结束，一个新时代的兴起，由此拉开了一场举世瞩目、波澜壮阔的社会大变革，西藏百万农奴从此翻身得解放。”北京北四环外，一栋藏式风格的建筑内，中国藏学研究中心王小彬博士说。

从废除封建农奴制到实行土地改革，从废除政教合一制度到建立人民民主政权，

2009年3月28日，西藏达孜县雪乡近千名农牧民聚集在一起，身着节日盛装，庆祝首个“西藏百万农奴解放纪念日”。（觉果/摄，图片来源：新华社）

短短几年间，一场波澜壮阔的民主改革消灭了在西藏延续数个世纪的封建农奴制度，迅速荡涤了旧社会遗留下来的污泥浊水。百万农奴在政治、经济和社会生活等各方面都获得了解放，西藏社会的面貌焕然一新，西藏迈入了发展的新纪元。

人的解放，是最大的解放——

在旧西藏，全部耕地、牧场、森林、山川、河流、河滩以及大部分牲畜，都由占人口5%左右的官家、贵族、寺庙上层僧侣三大领主及其代理人占有。农奴超过旧西藏人口的90%，不占有土地，没有人身自由，“能带走的只是自己的身影，能留下的只有自己的脚印。”

是轰轰烈烈展开的民主改革，使百万农奴翻身成为这片土地的主人，格桑花迎来了春天——

“贵族的太阳落下去了，我们的太阳升上来了！”1959年，当旧的地契、债约被扔进火堆时，“西藏民主改革第一村”西藏山南地区乃东县克松村的443位翻身农奴分到了土地，围着火堆跳起了欢快的舞蹈。

50年过去了，克松村变成了今天的克松居委会。克松人依靠科技种植大蒜，人均年收入达到近5 000元，房子越来越大，文化生活日益丰富……

波澜壮阔的西藏民主改革，使百万农奴第一次昂首挺胸站了起来，真正成为这片雪域高原的主人——

正如中国政府向全世界公布的《西藏民主改革50年》白皮书所说：“这不仅是中国人权发展史上一个十分重要的篇章，而且在国际禁奴史上写下了浓墨重彩的一笔，无疑是人类走向文明进步的历程中彪炳千秋的一个伟大壮举。”

“民主改革50年来西藏的发展变化可以说是天翻地覆。半个世纪的发展，比过去政教合一体制下几百年的发展还要快。”60岁的西藏社科院研究员格桑益西曾是农奴，忆往昔，不禁感慨万千，“没有民主改革就没有新西藏，就没有我们今天的幸福生活。”

50年风雨兼程，50年沧桑巨变。50年来，在中央人民政府的关怀和全国人民的支援下，西藏各族人民以主人翁的姿态迸发出创造美好生活的巨大热情，推动西藏经济社会实现了跨越式发展，各项事业取得了举世瞩目的历史性成就。

——社会制度实现历史性跨越，西藏人民当家作主的权利有了制度保障。

——经济建设实现跨越式发展，社会面貌日新月异。

——人民生活水平大幅度提高，生存和发展状况得到极大改善。

——传统民族文化得到保护和弘扬，宗教信仰自由受到充分尊重。

——现代教育和新闻文化事业全面发展，人民的文化教育水平不断提高。

……

从黑暗走向光明，从落后走向进步，从贫穷走向富裕，从奴役走向民主，从封闭走向开放——

"回顾1959年废除西藏封建农奴制、实行民主改革这段历史，审视西藏50年来社会经济发展所取得的前所未有的巨大成就，人们更深切地感受到中国共产党的伟大、社会主义道路的正确。"中国藏学研究中心研究员张云说。

1959年3月28日，49岁的阿沛·阿旺晋美被国务院任命为西藏自治区筹备委员会副主任委员兼秘书长。

第一个西藏百万农奴解放纪念日到来之际，这位亲身经历了新旧两个西藏的世纪老人这样表达自己的感受："只有在中国共产党的领导下走中国特色社会主义道路，西藏人民才能真正当家作主；只有生活在祖国的大家庭当中，西藏才会发展进步，人民才会幸福安康。"

让格桑花开得更加绚烂美丽——面对新形势新任务，必须紧紧抓住"两件大事"，实现"三个确保"，坚定不移地走有中国特色、西藏特点的发展道路

标准化的厨房，成套的真皮沙发，巨大的液晶电视……

这是一个典型的藏式院落，楼房雕梁画栋，上下两层，足有500平方米。院落的主人是43岁的农奴后代、堆龙德庆县羊达乡村民阿努。

民主改革前，阿努的父母"每天吃不饱穿不暖，日子苦得很"。现在，他种起了大棚蔬菜，建起了苗圃基地，住上了别墅，开上了汽车……

两代人的生活，折射出50年来西藏的跨越式发展和西藏社会的巨大变迁。

"要认真落实中央关于西藏工作的一系列方针政策……把西藏的事情办得更好。"3月9日，胡锦涛总书记参加西藏代表团审议时发表讲话。

2009年，是新中国成立60周年，也是西藏民主改革50周年。特定历史时刻的

这一讲话，再一次向世人郑重宣示：

——走有中国特色、西藏特点的发展路子，中国共产党人坚定不移！

——把西藏的事情办得更好，让格桑花开得更加绚烂美丽，中国人民有这个决心，也有这个信心！

胡锦涛总书记的讲话引起强烈反响。3 月 11 日和 3 月 18 日，西藏自治区党委理论学习中心组和自治区党委会分别召开会议，学习讲话精神。大家一致认为，自 1993 年以来的连续 17 年间，胡锦涛总书记每年都来到西藏代表团和西藏的人大代表们一起参加审议，共商国是，这充分体现了以胡锦涛同志为总书记的党中央对西藏工作的高度重视和对西藏各族人民的亲切关怀。胡锦涛总书记的重要讲话，对西藏当前和今后一个时期的工作提出了殷切希望和更高的要求，为西藏今后的发展指明了方向，使西藏工作的思路更明，方向更清，是指导当前和今后一个时期西藏工作的纲领性文件，也是做好今后工作的动力之源、信心之源，具有更大的现实意义和深远的历史意义，一定要认真学习，深刻领会，并且贯彻落实到各项具体工作中。

从自治区到市县乡镇，西藏各级干部在学习后一致认为，在今后的工作中，要以胡锦涛总书记的重要讲话精神为指导，坚持中央关于新时期西藏工作的指导思想，坚定不移抓发展，旗帜鲜明反分裂，尽心竭力保民生，进一步做好西藏发展稳定各项工作，确保西藏稳定，加快西藏发展，以更加扎实有效的工作，让党中央放心，让全国人民满意。

让格桑花开得更加绚烂美丽，一幅清晰的西藏经济发展“路线图”已在人们眼前呈现：

——大力推进社会主义新农村建设，大力发展特色优势产业，大力加强生态环境保护。

——多搞一些能够直接改善群众特别是农牧民群众生产生活条件的项目，多解决一些群众迫切需要解决的问题，使各族群众共享改革发展成果。

——要把思想上的弦绷得紧而又紧、把各项工作做得实而又实，同时谋长久之策、行固本之举，筑牢反对分裂、维护祖国统一的坚固长城，推进西藏从基本稳定走向长治久安。

“胡锦涛总书记强调‘认真落实中央关于西藏工作的一系列方针政策’，此举意味深长。”王小彬博士分析说，“面对繁重的任务，我们要狠抓落实、落实、再落实，把各项工作做得实而又实，细而又细，切实解决突出问题，真正见到实效。”

一个目标，两件大事，三个确保——贯彻落实胡锦涛总书记讲话精神，贯彻落实全国两会精神，新一轮的发展正在雪域高原上孕育。

37岁的央金是西藏米林县扎绕乡多卡村村民，以往，央金一家主要从事青稞、小麦等传统农作物的种植，一年的收入还不到1 000元。2008年，政府帮助多卡村的36户村民建起温室大棚，并提供优良种子种植葡萄、苹果、桃子等水果，启动了优质水果产业带工程，农民只需要付出劳力就可获得收益。

近年来，西藏大力发展高原绿色农牧业、矿产、旅游、藏医药和民族手工业等高原特色产业，培植经济发展的新亮点。

10个民生项目、10个经济项目和10个战略性项目……不久前，日喀则确定了具有代表性的30个项目，总投资达16亿多元。

从日喀则到昌都，从藏北那曲到“江南”林芝，谋发展、促稳定，强基固本，一场科学发展的浪潮正在席卷整个高原……

发展是解决西藏一切问题的关键所在。打开西藏自治区人民政府网站，细心的人们会发现，仅从新闻标题就可以看到从自治区到市县各级政府所作出的努力：“西藏确定185亿扩内需政策突出民生为重点”、“西藏自治区投入1个亿提高公路抢险保通能力”、“拉萨市农村饮水安全工程明年全部完成”……

一个目标，两件大事，三个确保——贯彻落实胡锦涛总书记讲话精神，贯彻落实全国两会精神，正在成为西藏广大干部群众的自觉行动。

和谐稳定是社会发展的前提条件，没有稳定，一切都无从谈起。

上世纪90年代以来，西藏自治区党委和政府认真贯彻落实中央制定的新时期西藏工作指导思想，使反分裂斗争由被动应急转向主动治理，保持了社会局势的基本稳定，使西藏经济连续18年实现快速发展，为西藏社会和谐稳定提供了基本保障。

发展是稳定的基础，是解决西藏一切问题的根本。正反两方面的经验，使西藏各族人民彻底认清了达赖集团的丑恶图谋，深刻感受到了维护社会稳定的重要性。

团结稳定是福，分裂动乱是祸，这是西藏各族人民从民主改革50年来特别是改革开放30年来的经历中得出的一条宝贵经验。任何干扰破坏活动只能暂时减缓西藏发展的速度，但无法撼动西藏人民追求美好生活的理想，无法改变西藏人民跟着中国共产党走中国特色社会主义道路的坚定信念。

2009年1月19日，西藏自治区九届人大二次会议决定，将每年的3月28日设为西藏百万农奴解放纪念日。（格桑达瓦/摄，图片来源：新华社）

正如西藏自治区乃东县泽当镇居民边巴次仁所说:“民主改革使我们成了自由、文明的公民，过上了好日子；跟着共产党走，西藏才有美好明天。谁想破坏我们和平安定的幸福生活，破坏民族团结，谁就是与人民为敌，是注定要失败的！”

“长期以来的社会稳定，使大家能够一门心思搞生产、忙致富。如今村里的房子大了，车子多了，人们的钱包也鼓了，这样的日子谁不喜欢？”

昌都县蓝尼巴村村委会副主任洛尼的话，代表了西藏人民的切身感受，表达了西藏人民渴望稳定的愿望和维护稳定的决心。

一个目标，两件大事，三个确保——贯彻落实胡锦涛总书记讲话精神，贯彻落实全国两会精神，向民生倾斜，各项确保各族群众生活水平不断提高的措施陆续出台。

西藏山南、林芝地区的珞巴族，目前仅有2 900多人。在米林县南伊珞巴民族乡才召村，前几年已建成了现代化的民族新村，道路平坦，房屋整齐。一座民族风格的二层小楼里，建有村文化室，里面图书、杂志、电视、娱乐设施一应俱全。

南伊珞巴民族乡副乡长林勇说，过去珞巴族是生活在高山上的，扶贫搬迁到山下后，珞巴族群众的生活渐渐好起来，去年才召村村民的人均收入达到5 700多元。生活好了以后，他们开始追求文化生活的满足，村民的生活越来越丰富了。

才召村的变迁，是西藏农牧民生活日益改善的最好见证——

数字虽然枯燥，却最有说服力。民主改革50年来，西藏农牧民生产生活条件得到极大改善，生活水平和质量明显提高。25年前，西藏在全国率先免除了农业税，近年来又率先实现城乡义务教育、农牧民免费医疗制度、城乡居民医疗保险、农牧民最低生活保障制度。目前西藏有20万户、百万农牧民住进了安全适用的新房，102万农牧民的饮水困难和安全饮水问题得到解决。2008年，西藏农牧民人均纯收入达到3 176元，是1994年的3.8倍，连续5年保持两位数增长。

来自西藏自治区发改委的消息，西藏今后将围绕“水、电、路、讯、医、教、文”七个基础设施建设方面，进一步加大新农村建设投入力度。2009年解决25万农牧民饮水安全问题，力争完成5万户农村户用沼气池建设，到2010年，基本解决饮水安全问题，使20万户农牧民用上沼气能源，基本实现乡乡通邮、通光缆，村村通电话。

“自治区历来高度重视民生问题，将发展的成果惠及全体群众，财政资金重点突出保障民生，广大人民群众最关心、最直接、最现实的利益问题正得到有效解决。”西藏自治区主席向巴平措说。

让格桑花开得更加绚烂美丽——动员各级领导干部发扬光大“老西藏精神”，团结带领各族群众，把西藏的事情办得更好

自从 2 月 24 日拉开帷幕以来，民族文化宫内，一场名为“西藏民主改革 50 年大型展览”，吸引了十多万观众前来观看。

一张张照片，一件件实物，记载着坎坷的历史，闪耀着精神的光芒，将人们带回那段十分难忘的岁月……

精神的光芒，精神的力量——

3 月 9 日，胡锦涛总书记在参加西藏代表团审议时，要求西藏各族干部发扬光大“老西藏精神”，团结带领各族群众把西藏的事情办得更好。

西藏各级干部在学习过程中一致认为，在当前形势下，胡锦涛总书记要求发扬光大“老西藏精神”，有着重要的现实意义和针对性，必须高度重视，加以落实。

西藏和平解放后，为支援西藏的革命和建设事业，许多内地干部跋山涉水来到西藏工作。在特殊的自然环境中，面对尖锐复杂的斗争形势，一代又一代西藏各族干部群众，在开发、建设和保卫祖国这块神圣领土的斗争中，用青春、生命铸就了“特别能吃苦、特别能战斗、特别能忍耐、特别能团结、特别能奉献”的“老西藏精神”。

“老西藏精神”的本质是艰苦奋斗、服务人民——

从农奴居住的牛棚马圈到城市矗立起的座座高楼，从帐篷里的酥油灯火到现代城市里的霓虹灯光，从骡马行走的荒山古道到四通八达的立体交通网络……

一部社会主义新西藏的发展史，就是一部“老西藏精神”的传承史。践行“老西藏精神”，既是前辈留给后人的宝贵精神财富，也是新时期不断开拓进取的精神动力。

如今，面对新的形势，胡锦涛总书记再次提出发扬光大“老西藏精神”，意味深远，令人警醒。

西藏的发展关系到全国的发展，西藏的稳定关系到全国的稳定——民主改革 50

年后的今天，面对西藏繁重的发展任务，面对复杂的斗争形势，更需要弘扬“老西藏精神”，将中央关于西藏工作的一系列方针政策落到实处。

来自广东省的第三批援藏干部、时任林芝地委副书记的邱志勇为了开发雅鲁藏布江大峡谷的旅游业，2001 年，他带着专家和投资商，冒着危险，徒步三天三夜进入大峡谷，忍受着蚊子、蚂蟥的叮咬，睡觉要打地铺，最终争取到了投资。

在西藏各地，与援藏干部有关的感人故事一直在群众中流传。十多年来，广大援藏干部发扬了“老西藏精神”，始终保持昂扬的斗志、饱满的精神状态。他们远离故乡和亲人，把真情和汗水洒向了西藏，把智慧和力量献给了西藏各族人民，与西藏干部群众同心同德，艰苦创业，并结下了深厚的友谊和感情。

从第三次西藏工作座谈会到现在，全国对口支援西藏取得显著成效，截至 2008 年年底，已有 3 747 名援藏干部进藏工作，奏响了西藏各民族大团结、大发展、大繁荣的时代强音。

西藏的发展关系到全国的发展，西藏的稳定关系到全国的稳定——民主改革 50 年后的今天，面对席卷全球的国际金融危机，更需要弘扬“老西藏精神”，团结带领各族群众迎难而上，共创美好的明天。

2008 年是西藏自治区发展史上极不寻常、极不平凡的一年。面对拉萨“3·14”事件、地震暴雪灾害和国内经济增长放缓、国际金融危机影响等重大挑战与考验，西藏自治区沉着应对，攻坚克难，团结拼搏，突出抓维护稳定，着力抓恢复生产，始终抓改善民生，在艰难曲折中实现了保增长、保民生、保稳定，全区依然保持了发展的良好势头，保持了社会局势的基本稳定，人民生活水平有了更大的改善。

西藏自治区党委书记张庆黎说:“有优越的社会主义制度，有伟大的中国共产党的坚强领导，有来自中央的关心和各民族人民的支持以及西藏人民艰苦奋斗打下的坚实基础，在今后的发展征程上，我们充满信心。”

“我们要像传递奥运圣火一样，把‘老西藏精神’和维护民族团结、军民鱼水深情的优良传统代代传承下去。”西藏军区副司令员兼西藏军区总医院院长李素芝经常这样勉励自己。

进藏 32 年，李素芝主刀外科手术 13 000 多例，先后获得科技成果奖 30 多项，开展新技术 134 项，其中 17 项创世界医学奇迹、32 项属国内首创、34 项填补高原医学空白，获国家和军队科技进步奖 20 项，还跑遍了西藏边防连队和哨所，行程逾百万公里，为军民巡诊21万余人次。

西藏已经有了历史性的跨越式发展，但与全国发展水平相比还有较大差距。2007年，西藏人均生产总值在全国排名第27位，农牧民人均纯收入相当于全国平均水平的67%。特别是一些地处偏远的农牧区，群众的生活还比较贫困。加上西藏自然环境较为恶劣，经济发育程度偏低，都制约了经济社会的发展。

中国藏学研究中心朱晓明研究员坦言，以经济建设为中心的根本任务决不能动摇，而要抓住这个“中心”，自然离不开艰苦奋斗、吃苦耐劳、团结奉献，离不开继续发扬“老西藏精神”。各级干部要深入群众，听民声，解民忧，和普通群众打成一片，心往一处想，劲往一处使。

大昭寺前广场上，矗立着建于公元823年的“唐蕃会盟碑”。

西藏人民会堂前广场上，中央政府为庆祝西藏和平解放50周年向西藏自治区赠送的“民族团结宝鼎”在阳光下熠熠生辉。

时光飞度，一越千年。从“唐蕃会盟碑”到“民族团结宝鼎”，人们在历史中见证了团结对于西藏的特殊意义。

苍松经霜绿，寒梅历雪红。经过民主改革50年的风雨洗礼，特别是改革开放30年的伟大实践，今天的西藏站在了新的历史起点上。

在这个新起点上谋划未来，开辟西藏人民的美好新生活，需要团结带领各族人民坚持中央确定的新时期西藏工作指导思想，不动摇、不懈怠、不折腾，坚持走有中国特色、西藏特点的发展路子，使西藏实现从小开放到大开放、从温饱有余到繁荣富裕、从基本稳定到长治久安的伟大跨越。

山南地区乃东县结巴乡结巴村是西藏第一个“朗生（家奴）互助组”所在地，被誉为“百万翻身农奴的榜样”。

3月23日，一场盛大的篝火晚会在这里举行，人们身穿节日盛装，载歌载舞，庆祝西藏百万农奴解放纪念日的到来。熊熊的火焰，点燃了人们心中的热情，寄托着人们对未来的无限向往……

青草、小河、田园……高原上，树叶渐渐绿了，春天正翩翩而来。

春风吹过，美丽的格桑花将在灿烂的阳光下尽情绽放……

（选自2009年3月28日《人民日报》，作者：李斌、薛文献、赵超）

墨西哥城—北京：H1N1 时期的日记

2009 年 4 月 30 日，抵达上海的墨西哥航空公司 AM098 航班上的一位乘客由上海飞抵香港，被确诊为甲型 H1N1 流感患者。卫生部立刻要求与确诊者同机的所有乘客按照密切接触者进行隔离和为期七天的医学观察。其中《今日中国》杂志社拉美分社副社长曾平的隔离日记引起了社会的广泛关注。

2009 年 4 月 13 日　星期一　晴

今天是周一，上班的第一天。

上午我们三人坐在一起，把工作碰一下。吴永恒社长先介绍拉美分社的情况和近来要做的工作。

其实那些工作我都清楚。正是原来分管的。

墨西哥雇员佳碧上来，也把工作介绍一下。她还是那样，黑得很精神，去年她到中国来，我主持一个讲座，请她介绍拉美分社的工作情况，还算干练。后来程文君陪她到西安、上海参观了十多天。

我也谈了来的感受和工作设想。

近年来，为了更好地推动期刊本土化战略，今日中国杂志社 2004 年分别在中东、拉美建立了分社。我们派驻的记者、编辑在那里从事办刊工作。

下午看资料，准备起草杂志社和秘鲁有关方面合办《今日中国》杂志秘鲁版的协议。

傍晚时昏昏沉沉睡了一觉，直到晚上，似醒非醒。北京比墨西哥城早 13 小时，北京早晨 8 点，墨西哥城晚上 7 点。倒时差尤为困难。墨西哥城地处高原，2 400 多米，纬度和我国三亚相当，因地势高的原因，温度只有 20 多度，只是海拔高，空气稀薄，走起路来有些喘。

2009年4月14日　星期二　晴

上午看资料，都是老吴和秘鲁合作方孟可欣的来往信件，有20多封，的确不容易。推进秘鲁版，没有恒心不行，没有领导支持更不行，许多时间都消磨在繁缛的公文来往中。

从他们来来往往的邮件看来，做成一件事真不容易。

下午休息一会，和文君出去走走，我们9日上午从上海乘机，10日傍晚到了墨西哥城，晚上还未出去过。沿大街左转，就是华莱士地铁站，过两个街口，就来到那条漂亮的大街上。华灯初上，倒是别有一番情调。走过喜来登酒店、国家艺术宫，到路边小书店看看，大多是西语书，书的印刷还可以，价格不菲，想找一些介绍中国的书来看，也没有看到。

大街上，来来往往的车辆很多，开得也快，遇到红灯停下来，不抢道，还给来不及过马路的行人摆手，让行人先走，显得很有秩序。

从艺术宫后面转过来，是一大片树林，名叫杨树林公园。公园很暗，昏黄的灯光隐藏在高大的树荫里，一些情侣在肆无忌惮地接吻。路边的小摊就要打烊，还有一些小贩来来往往，向游人兜售最简单的口香糖之类的商品，不肯收摊。

走饿了，想找一家中国餐馆吃饭，记得那天走过的唐人街，虽然就在附近，可是找来找去找不着。只好走进一家西语为太阳意思的连锁店，摆设是一派墨西哥风格，放着震耳欲聋的拉丁音乐。看着菜谱上的图画，依葫芦画瓢，点两杯果汁，我点一份猪肉饭，文君点一份鸡肉饭。

饭端上来了，用黑砂锅装着，红红绿绿，倒是好看，翻成中文的意思是被香料包裹的猪肉，我吃了一口，就是那种混合香料做成的，有些猪肉味，但极不好吃。文君的似乎温柔一些，翻成中文的意思是被填充的辣椒，下面是一个大青椒，中间是调料，上面放着几片鱼肉，也难以下咽。不是饿，真是一口都不想吃。

吃了三分之一，急忙逃离。算是第一次品尝正宗墨西哥餐。

几步路就回来了，已是10点。

楼下依然热闹，汽车来回鸣叫，令人难眠。

2009年4月15日 星期三 晴

上午9时和老吴、文君以及分社的雇员劳艾一起去墨西哥国立自治大学听一场有关中国和墨西哥应对经济危机的讲座。

劳艾是墨西哥国立自治大学三年级学生，在分社半工半读，没课就过来，搬搬杂志，抄抄写写，还在学中文。每天150比索，不来就没有。他长得倒还机灵，也很好学，不时跟我们念叨着中文单词的发音。

老吴和他倒是谈得来，一路上叽里呱啦的。

大学离我们这里有20多公里，风景如画，门口的停车场停满了车，不是和看车管理员通融一下，还真停不了车。大学没有围墙，到处花花草草，不知名的灌木开着红的、紫的花朵，远远望去。像是一片片绚烂的云。

这大概是墨西哥城最美的一个地方。如同武汉的珞珈山。

讲座10点开始，在二楼的一间教室。门口张贴着海报，有中国和墨西哥的地图，旁边是一张桌子，摆放着有关宣传品，我们也把带来的《今日中国》西文版杂志摆放在那里，立刻就有许多学生来取。

讲座未开始，讲台前有几位主持者。老吴就分别为我们介绍。那些人文质彬彬，一副学者、教授模样。还有一位中国年轻人，原来是来参加讲座的中国驻墨西哥大使馆政治处主任姚飞，他40岁不到，很精神。老吴说他很有前途，姚飞笑着，连说哪里哪里。

主持讲座的是一位50多岁的学者，据老吴讲，他曾任当年中国加入世贸时墨西哥的谈判代表。当年墨西哥是我们最后一个谈判者。一直不让中国进入，屡次讨价还价，最后占了很大便宜。

阶梯教室很快就坐满人，有很多是大学生，男男女女有四五十人。

一张张图表、一串串对比数字，那位学者讲了约45分钟，随后便是提问。我听不懂，文君不时地给我翻译，大概意思是中国、美国、墨西哥之间的经济关系。原先许多墨西哥产品占据了美国市场，包括劳动力。后来中国产品打入美国市场，挤占了墨西哥产品的大量份额，因此两国便出现了贸易摩擦，这是市场经济中再简单不过的事情，随之便出现了倾销和反倾销，壁垒和反壁垒。

但是其中一张图表我看懂了，那是 G20 国外汇储备表，中国第一，那长长的黑线一直画到图标的尽头；其次是日本，倒数第四是墨西哥。看到那粗粗的黑线，的确让人羡慕，但是我们知道，中国有着巨大的人口基数。

不过两国政治关系还很好。不久前习近平访问拉美，首站就是墨西哥。

美洲除美国、加拿大之外，巴西、墨西哥经济还算好一些，它们都是不久前伦敦 20 国峰会的参与国。

提问很踊跃，有教授、学者，也有学生，都是涉及两国的经济问题。

大概教授讲了两国贸易问题，有些问题需要阐明，作为大使馆工作人员，姚飞需要澄清或申明立场，不然也是失职。

他讲了四点，阐述了中国的外贸政策。因为有事，说完他就走了。会场空气一时有些沉闷，见状，老吴伸手示意发言，他提了一个问题，说中国那么多外汇，请墨西哥政府提个建议，如何来花这笔外汇？

大家都笑了，气氛一下缓和了。

离开时，已是中午 12 点多，开车去新华社。新华社离使馆不远，占地 12 000 平方米，比使馆面积还大。绿树、草坪、房舍，显得很协调。老吴是这里的老人，他在这里工作多年，一切都很熟悉，不说人员，就是一座座房屋，一片片花花草草，他都感到亲切。

2009 年 4 月 19 日　星期日　晴

上午 9 点半老吴来接我们，到他家去包饺子。

邀请的还有李老师夫妇、大使馆严领事。

老吴的家沿改革大道西行，在那著名的天使广场右转 300 米即到。

沿街一栋不新的公寓，他住十楼，过去分社的同志住楼下。这里属于富人街区，美国大使馆隔街而望。

客厅不小，直通，厨房、卫生间一应俱全，一间卧室，客厅一侧铺着一张小床。十几件衬衣挂在客厅一侧，如同万国旗，显示一个单身老人的生活现状。

因是临街，来往车辆如飞，夜里会更吵。

对他来说已经习以为常。

他准备了肉馅，据说是早上自己剁的，真难为他了。

还有西葫芦、四季豆。

我先和面。当年农村的手艺早已荒废，但还是拾起来，没问题。文君择菜。

老李夫妇来了。老李是河南长垣人，原来在新华社工作，和老吴是同事，老吴做过拉美分社社长，他是总经理，两人关系不错。老李已70岁了，退休后被来墨西哥经商的浙江台州人挽留，帮助打理公司事务，他在拉美多年，有一些关系。因此北京、墨西哥两边跑，活也不累，钱也不少挣。夫人是退休老师，也跟着他跑来跑去。

人很厚道。因是老乡，聊了很多。

站在老吴家阳台南望，就是天使广场，巨大的天使雕塑熠熠闪光。今天部分街道交通管制，为的是让市民可以骑车锻炼身体。为此政府不惜用强制手段，这值得我们学习，只是交通警察该忙了，刚才开车路过一些街区，都设了路障。

一群群年轻人，身穿花花绿绿的T恤，风驰电掣般驶过，惬意极了。车流中，还有许多老人和孩子。这是平时难得的锻炼机会。

严领事来了，他1951年出生，当过知青，原来在拉美一家公司工作，因经济不景气，后来到使馆，专门负责办签证。因此在这里人头很熟。那晚他也在新天见证了曲彦的威猛。

老严负责烤牛肉，李夫人和面，我来调馅，李老师打杂，文君倒水沏茶，老吴总协调，分工协作，热热闹闹。

我也包饺子，那是我的拿手好戏。

边干边聊，更多的还是那逝去的知青和“干校”生活。

老吴和老严都在新华社的“干校”待过，谈起往事，唏嘘不已。

老吴说，一个老师往柴草垛上扔稻草，依着一棵树省力，又安全，就把自己绑到树干上，哪知车走了，他自己在树干上挣扎。周围一片笑声。

牛肉好了，饺子熟了，大家围一桌，开瓶红酒，热热闹闹，暂时忘掉离家的乡愁。

酒桌上，还是“干校”和知青。

这是一代人难以割舍的情结。曾是痛不欲生的往事，经过漫漫时间的洗礼，痛楚已经失去，留下的是欢笑和追忆。

老吴趁机熨烫衬衣，他是一个讲究的老人。

晚饭还是在这里吃，中午剩下的面和馅，我来烙馅饼，煮的稀饭。火太大，似乎只有八成熟，大家都没做声，给我留足了面子，吃得很香。

天低云暗，下雨了。

老李送我们回去。

难得的一次家庭聚会。

2009年4月20日　星期一　晴

上午10点分社第一次全体会议。五人都在。吴社长讲了分工和近期工作。

唐书彪副总编、姚贝5月25日至6月4日将访问墨西哥、秘鲁，讨论关于西文版秘鲁版一事。分社建议提前，有一个准备时间，并参加分社发行人会议。

局赵爱民书记率团6月6日至8日访问墨西哥。

关于局培训调研，并作报告。

关于分工情况。

曾平：1. 和北京方面联络。2. 内部管理、财务、预算等。3. 培训、接待来访。4. 采访、中国社团活动、孔子学院、中外企业。

佳碧：1. 发行。2. 广告。3. 公共关系。4. 办比较急的事、充当消防队。

程文君：1. 曾平的助手、翻译。2. 舆情收集、整理。3. 内勤、做账、杂务，如交费等。4. 学习。

劳艾：1. 订户管理。2. 期刊有关资料、统计、发行表等。3. 起草一些文件。4. 广告宣传。

吴社长：全面。第一责任人。

我也发言。一是感谢，二是做好工作。

吴起草分社本土化报告。我来起草局培训人员食宿的报告。

晚上新天公司请客，内容还是接风和送行，人员如旧。芳芳明天回国。

喝了三瓶德给拉酒（Tequila 龙舌兰酒），在北京喝过一次。当时不觉得，后劲很大，那天睡了整整一个下午。这次感觉没那样强烈，喝得还猛，别人劝就得喝，最少喝了半瓶。

曲彦说是在这里的缘故，我也相信。

龙舌兰对于墨西哥而言，具有十分重要的意义。龙舌兰叶可以造纸，而龙舌兰的花朵十分尖锐，据说可以当作武器。而如今，龙舌兰最重要的作用是制造龙舌兰酒。用龙舌兰叶酿制成的龙舌兰酒是墨西哥一大特产。龙舌兰酒的度数比较高，喝起来会有一些辣辣的而带香甜的感觉绕于舌尖，缠绵于喉。

至10时。头晕，回去睡。

2009年4月23日　星期三　晴

上午10时开车到墨西哥国立自治大学建筑学院，邀请老吴给他们作报告。

时间还早，我们去了大学附近的植物园。

巨大的仙人掌迎面矗立，是热带才有的阔叶植物，植物种类并不多，倒是绿树成荫，鸟语花香，属世外桃源。在城里到处乱糟糟的，这里眼前一亮，许多人在这里散步、锻炼身体。如离得近，我们也会常来的。

全员出动，佳碧开车。

把两捆杂志搬上，走来走去，找不着放的地方。

讲座下午一点开始，一位墨西哥女教授在讲中国的建筑，主要是北京、上海，世博会的筹备工作正在进行。许多拆迁，许多新建筑，看到鳞次栉比的高楼，墨西哥大学生发出的赞叹，让我心中充满自豪。

老吴讲的实际是全面介绍中国，如同他在别的大学讲的那些，经济为主、文化为辅。大家听得还很认真。在热烈的掌声里，学院授予老吴荣誉证书。

4点离开，顺路到一家中国龙城的自助餐厅吃饭。

2009年4月24日　星期四　晴

没有鸡蛋了，上午和文君去小超市。

沿路到一个书店，人很少，主要是中小学教材。沿路南行，是一小工艺品商场，各种皮件、皮画等小工艺品应有尽有，地方很大，如同北京的天意和官园市场。

继续南行，街边小摊，服装、旧书、小吃，偶尔还有拿牌算命的，五花八门。沿街有数百米，熙熙攘攘，热闹非常。要是在北京，早已取缔，沿街占道经商，扰乱市容。可是这里增加多少就业机会。整个墨西哥城呢？全国呢？

一是饿了，二是抵挡不住路边小摊五颜六色食品的诱惑。在一小摊前，我和文君每人一份土豆玉米饼，放在一个小盘里，外加两片小薄饼，再放些调料，花花绿绿，味道还不错。每份8比索。意犹未尽，又吃一份炸菜饼之类的玩意，也是8比索。又喝一份纯果汁。10比索。感觉还不错。

算是午饭。

优哉游哉去超市买了鸡蛋。

下午要去大学参加使馆组织的西藏图片展。

带四捆杂志。

大学也在使馆附近，环境没有国立大学好，地方太小。显得有些局促。

使馆赵洪生、姚飞、戴老师、贾宁一已在。

新华社、人民日报、光明日报的几家媒体也派人来，他们都很年轻。派驻时间也长，三年。

由中国大使馆举办的“西藏今昔”图片展在墨西哥自治技术学院开始了第一站的旅行。几十幅生动的黑白与彩色图片，向墨西哥观众真实地展示了西藏的历史变迁和巨大发展，描绘了西藏人民如今的美好生活，也让墨西哥观众领略到西藏文化的独特之美。

本次西藏图片展将在墨西哥全国几所高校巡回展出，同时还将借助墨西哥五所孔子学院的平台。让更多墨西哥民众有机会了解一个真实的西藏。

赵洪生和学院一位女学者讲话后算是开幕。观众不多，好在还有几天时间，杂志都摆放在那里，许多人来取。

大都是学生。

6点结束，开车回来。

几天的活动都在使馆那边进行。

觉得很困，11点休息。

手机终于能打了，又充值300比索，整整十天。都说中国移动服务差，垄断的墨西哥国家电信公司更差，不比不知道。

2009年4月25日　星期五　晴

上午9点和点点通电话，北京已是晚上10点，小朋友文文过生日，她们刚回来。开始挺高兴，说着我想你，就哭了。我急忙岔开。她今天语文考了97分，自己说粗心了，下次争取考一百。到底还是孩子，还得多鼓励。

老吴来告诉一个坏消息。墨西哥城此刻正流行“猪流感”。这是一种变异的呼吸道疾病，还无任何药物可治。

这是一个黑色的周五。

墨政府自己说已死20多人，但世卫组织说已死60人。

墨西哥城中小学已经停课，今天中午各大学停课。中午宣布影剧院、图书馆等公众聚集的场所一律关闭。至于到何时，还是未知数。政府告诫人民，不要握手，不要贴面，更不能接吻，因为唾沫传染。

不让接吻对生性豪爽的墨西哥人来说恐怕做不到。

据说墨西哥政府十部门开会研究对策，已经三天了。

这场突如其来的瘟疫如同中国的“非典”。

当然，墨西哥的自救能力不如中国政府强。这是体制所在，不争的事实。中国军队能在几天时间里在小汤山建一座战地医院，不知他们能不能做到。

新浪网已有消息。

世界卫生组织发言人夏依布（女）24日在日内瓦证实，墨西哥首都墨西哥城及中部城市圣路易斯波托西发生的人感染“猪流感”疫情已造成至少60人死亡。

夏依布说，今年3月底以来，墨西哥已出现820多个人感染“猪流感”病例，墨西哥城已有57人死亡，圣路易斯波托西有3人死亡，死者中以年轻人居多，目前感染源仍不清楚。

同时，美国西南部的加利福尼亚和得克萨斯州也出现了7个疑似病例，当地已处于高度警戒状态。美方医疗机构指出，这几个疑似病例均感染了H1N1流感病毒

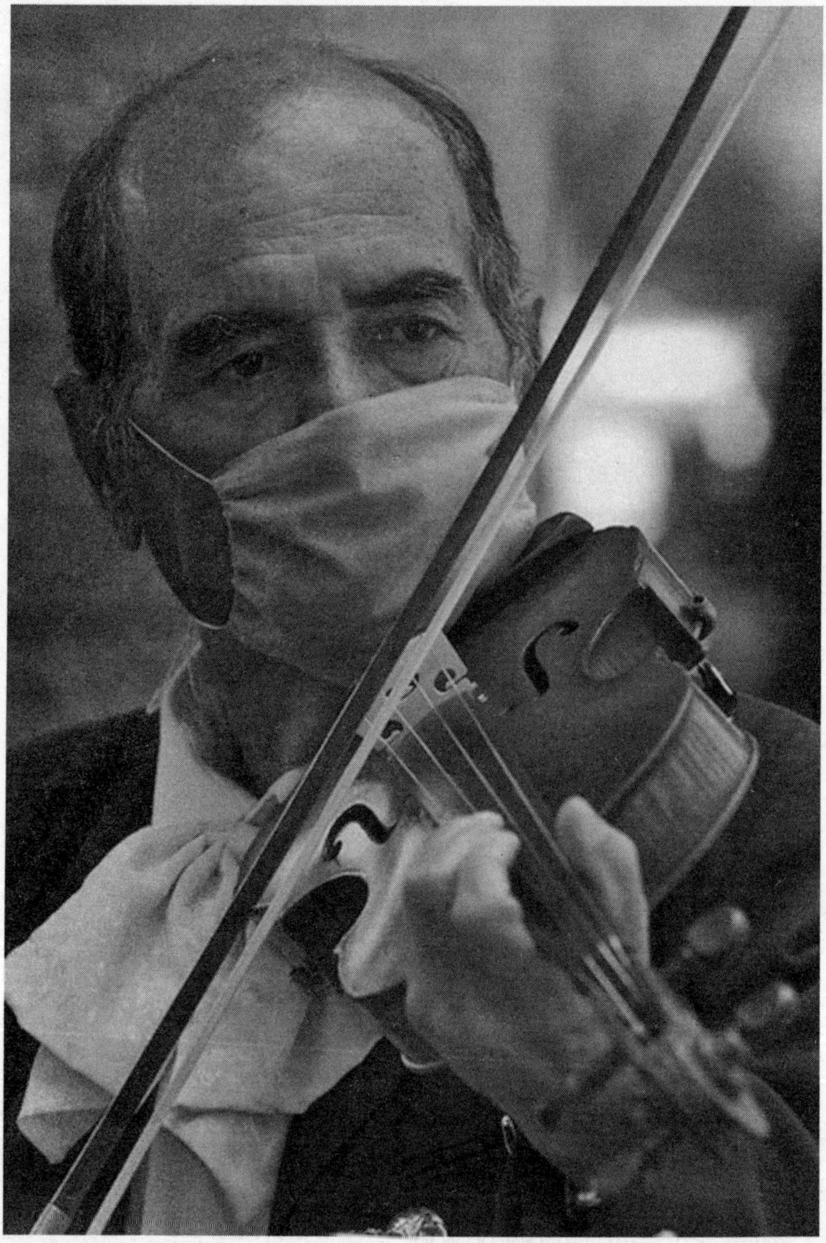

2009年4月25日，墨西哥首都墨西哥城的街头艺人面带口罩为行人演奏当地名曲。
（戴维/摄，图片来源：新华社）

的一个亚种。而墨西哥方面还没有最终确认患者感染的病毒类型。

“猪流感”是发生在猪等家畜中的一种常见疫病，但极少感染到人。1976 年和 1988 年美国曾出现过人感染“猪流感”的病例，造成 3 人死亡。

据《中国日报》消息，墨西哥关闭首都所有学校。

据英国媒体 4 月 24 日报道，墨西哥首都墨西哥城近几周来流感肆虐，并已造成 20 余人死亡，鉴于此，墨西哥政府在 24 日下令关闭首都及其附近地区的所有大中小学校，数百万名学生被迫离校在家等候。

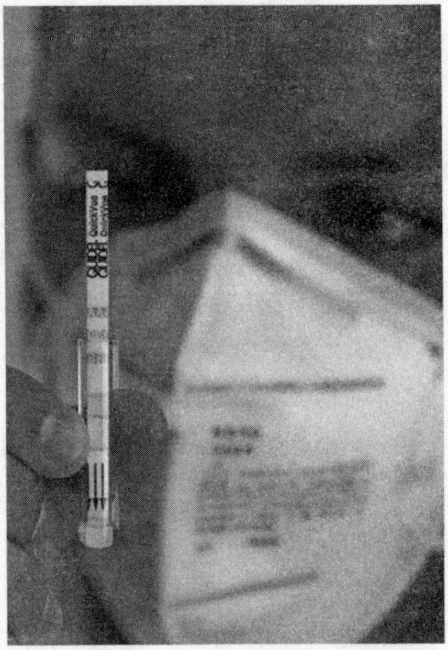

2009 年 4 月 30 日，在墨西哥首都墨西哥城，墨西哥卫生部的法维安医生进行人感染 A（H1N1）型流感病毒的快速检测。

（戴维 / 摄，图片来源：新华社）

据报道，近日来墨西哥邻国美国的部分地区爆发一种被称为“猪流感”的流感疫情，因此墨西哥政府在疫情初期就曾怀疑，该国首都爆发的流感疫情很有可能是从同墨西哥接壤的美国加利福尼亚州和得克萨斯州两地传播而来，23 日墨西哥卫生部部长何塞·科尔多瓦确认了这一信息，他告诉记者:“这种病毒从猪身上而来，人也会被感染上……‘猪流感’会造成一系列呼吸道疾病，但目前我们还能控制得住病情。”

报道称，墨西哥政府目前公布的因流感致死的死亡人数为 20 余人，其中 13 人生活在墨西哥城，但是世界卫生组织透露，该国全国范围内的死亡人数至少有 60 人。该组织表示，目前墨西哥全国范围内共有至少 800 人感染了“猪流感”病毒。确认死亡的有 60 人，另有至少 24 例还有待进一步观察确认。

在美国，近期已有 7 名分别生活在加州和得州的居民被确诊感染上一种新型“猪流感”病毒，虽然目前全部患者已经痊愈出院，但美国疾病预防控制中心在一份报告中称，这种前所未见的新型流感病毒是猪流感、禽流感和人类流感病毒的混合变体，不过美方表示这种病毒应该不会在全国范围引起严重的疫情。

墨西哥的人们又面临一场灾难。连同我们。

两则消息数字虽然有出入，但灾难已悄然来临。

还有一则消息让人吃惊。

墨西哥总统提出修改安全法让军队参与打击有组织犯罪。

据来自墨西哥城的消息，墨西哥总统卡尔德隆昨天向参议院提出一项修改国家安全法的建议，目的是让武装部队参与打击有组织犯罪活动。

这项建议包括一项新的法律条款。即“宣布存在对国内安全的影响”。以便在公共秩序处于严重危险的情况下实施。执政的国家行动党参议员、公共安全委员会主席贡萨莱斯拒绝讨论使例外状况合法化的企图。无论如何这项条文不影响对个人的保障，只是建议由军队进行战略的干预，由地方当局恢复控制。这里寻求的是使武装部队能够开展行动有一个合法的框架。

政府的提案引起一些反对派议员的不安。民主革命党的参议员依斯拉斯说，国家面临一种十分敏感的讨论，这就是墨西哥公民的保障问题。这项措施寻求保护军队和政府，在街头部署军人，在有些情况下他们对违反人权负有责任。在公共安全方面使军队介入合法化并不是新事物。1996年一些政治阶层认为让军人上街是违反宪法的。当时最高法院制定了一些准则授权军队在民事当局领导之下为了和平的行动军队可以执行安全任务。一些人权组织认为让军队上街没有法律基础。卡尔德隆现在追求的是使法律之外的东西合法化。在一些地区没有尊重交通的自由，非法进行查抄，剥夺人的生命，违反应有的秩序。

根据政府的草案，宣布“影响国内的安全”，在实施以前必须由国家安全委员会和国会两院国家安全委员会进行分析。政府提出的建议包括保护人权的“补充保护”。决定实施新的准则应当通报国家人权委员会和州委员会。卡尔德隆的建议是一揽子改革措施的一部分，包括修改军事正义法、联邦武器和爆炸物法和司法权力组织法等。根据官方的数字，现在有四五万名军人在全国不同地点打击犯罪组织。2008年估计在墨西哥与贩毒集团有联系的暴力造成6 000多人死亡，今年以来安全的形势继续恶化，特别是在一些地区。

墨西哥的治安情况的确不好，政府出台这样的法律是否可改变治安形势？

对公众来说，还是一个谜。

中午和劳艾去看房子，两室一厅，只有百十平方，区街还行，保安、车位都有。

屋里陈设还齐全，只是不通风。月租金11 000比索，合人民币5 500元，税、燃气、电自理。

如有两套在一起更好。

大街上已经有人戴口罩。

中午在楼下吃自助餐，大家人心惶惶。互相开玩笑地说，要多吃，增加抵抗力。

下午几次探头看看楼下，发现本来拥挤的街道人少车少。流浪汉也少多了。哈哈。

晚上看资料，也在不安中度过。

从北京到墨西哥城，迎来一场“猪流感”。

2009年4月25日　星期六　晴、多云

早晨和点点通话。

12点到办公室，给社里写报告两份，一是近期活动，二是关于“猪流感”的报告。

11点多时听到楼下救护车的鸣笛，不在意，近几天来，警车、救护车拉着警报来来往往，已是家常便饭。文君告诉我，刚才楼下街角流浪汉人群中抬走一个病人。她拍下照片。

我仔细地辨认照片，就在街角，一辆救护车停在那里，医护人员和警察把一个穿红衣服的中年人放在担架上，抬上救护车。

十字路口是流浪汉的天地，因为极不卫生，得上“猪流感”是正常之事。只是如此之近，还是令人心惊。文君说是躺倒了，我一张张地看，发现不是，那人先是坐着，一群人围着他，像是劝说，后来抬他上车，有五张照片为证。

由此可见，墨西哥城流行“猪流感”之猖獗，可见一斑。但愿他不是。

中午吃带来的“康师傅”红烧牛肉方便面，好吃极了。一共下了两包，省着吃吧，日子长着呢。

晚上该我们做东，要请大家吃饭。

网上已有许多消息，包括中国政府要采取的预防措施。

美国、墨西哥成了疫区，墨西哥城是重中之重。

老吴也早早来了。在网上看资料。

下午他郑重地把我叫到办公室，说了几点意见。

一、让新天公司把西边的门封闭，留下正门进出，以减少病菌传播和感染机会。

二、书面通知中国驻墨西哥大使馆，由使馆出面，和墨城当局协商，重新为流浪汉找一个家，至少让他们离开人口稠密的城市中心区。

三、我和文君先搬到附近卫生条件好的旅馆住。

四、疫情再发展严重，分社暂时撤离墨西哥城，搬到乡下去，坚持工作。实在不行，最后我和文君先回国，平静后再来。

我谢谢老吴的好意，表示不回国，要在一起。前几步都可以先实施，看情况再定吧，如果要走，也是文君先走，我最后走。

我又拿1 000比索，和文君戴上口罩，到华莱士地铁站旁边的超市去采购生活必备物资。

时值下午4点，本来熙熙攘攘的街道变得人流稀少，大多数的人都戴着口罩，匆匆而过。

超市人也不多，但人人采购量极大，只要能拿得动，尽量多买。我们买牛奶、水果、面包和一些调料，再也拿不动了才罢手。我一手提了一盒鸡蛋，肩上又扛了一箱牛奶，像炸药包。有了这些吃的，够我们对付几天了，心不慌了。

想想当年在北京“非典”期间，比这采购更多。还开着车。整整一星期不用出门。

晚上回请新天、餐厅的朋友们喝酒。曲彦让厨师做了几个拿手的菜，尽管大家都叫着喝酒喝酒，但由于心情不佳，酒喝得很郁闷，酒不醉人人自醉，才喝两瓶德给拉，就罢喝了。

多喝酒、多吃大蒜。说是能增加对“猪流感”的抵抗力，因此，一小盘大蒜极受欢迎，尽管辣得咧嘴，两个女孩子也吃了不少，在平时是不可想象的事。

老吴也喝了不少酒。

晕晕上楼，不上网了，网上准又是一片骚乱。

2009年4月26日　星期天　晴

疫情事态一天天严峻。

当地的电视、报纸、网络，“猪流感”疫情肆虐的消息充斥着人们的眼睛和耳膜，似乎整夜睡不好觉，警车和救护车的鸣叫在夜幕里格外刺耳。

早就约好今天到王教授家去，他是中国人在墨西哥城的佼佼者，墨西哥科学院的院士，主攻化学。

11时和老吴开车。王教授家住城北，很远。

此时的墨西哥城大街小巷如同清扫一遍，非常干净。车辆很少，零零散散的行人。因老吴也是第一次去，下车问了几次才找到。在一座大山下。

王教授所在的学校是墨西哥城三足鼎立的学校，理工类的，有13万人，在墨西哥有“清华”之说。

王一家四口，两个儿子，大的13岁，小的8岁，在墨受的私立学校教育。他在理工大学当教授，博士生导师，是墨西哥科学院院士，这是耀眼的光环，墙上挂的照片，那是胡锦涛主席来访的合影，胡和王站中间，旁边是他的夫人，也是大学教授。她是河南焦作人。王是南阳南召人。

老乡相见，分外亲热。

老李两口也来了。

王夫人做菜，很丰盛，他们对我热情。用河南话就是到家认认门，也是最高礼节。热热闹闹地吃到5点，外边“猪流感”横行，风景这边独好。

我们搞了一个系列采访计划，采访在墨西哥生活、工作卓有建树的中国人，还有他们的家庭。名单王教授提供，我们来采访。许多采访细节已经敲定。

来回拍了许多墨西哥人生活的照片。

又和老吴到街上走走，人烟稀少。

回来立即整理照片，给中国网发照片，网速慢得像老牛。

给社里报告。和宫喜祥社长通电话，告知两天来的情况，他要老吴一起回来。

工作至深夜。

2009年4月27日　星期一　晴

上午在办公室整理文件。

突然感到楼在摇晃，玻璃幕墙吱吱地响。马上意识到是地震，而且强度很大。文君刚才上楼了。我拿起手机，冲到走廊，大喊“地震了”，然后沿楼梯冲到六楼，跑去敲她的门。好久她才反应过来，打开门。

她吓了一跳，跟着我跑下楼。

楼下的马路上已站满惊恐的人们，新天的小温、小窦、小潘都在，最可笑的是曲彦的弟弟曲伟，他正在洗澡，浑身摇晃，头直晕，他以为晕堂了，后来觉得不对，裸奔到走廊，又回去穿衣服，冲下楼来，现在脸还发白，比比划划，回不过神来。

只有流浪汉们还悠悠地躺着，哈哈，光脚的不怕穿鞋的。

我拿起相机拍了许多照片。附近的马路上，写字楼上的人跑了出来，围在一起七嘴八舌。

一人突然躺在地上，大概是受到惊吓，大家围了上去，把他抬到马路边，紧急抢救。一会来了一辆救护车，把他拉走。晚上看到消息，墨西哥城有一人死于地震的惊恐中，不知是否是他。愿他好运。

一边是“猪流感”，一边是地震，祸不单行，雪上加霜。

下去订机票，28日晚10点10分，墨西哥航空公司AM098航班，30日早晨6时到上海，再转飞北京。三个月的往返票，很优惠，900多美元。

老吴5月5日走。

中午和老吴、文君到小市场买铜盘，人很少。

中午大家一起吃面条。像是分手饭。

新天公司他们准备明早开车到1 000公里外的南部的乡下农场避避。

下午去宪法广场，来回好远，第一次用心看市容，还不错。拍照片。

回来编辑、回传照片。社里要到密云开会。和郭局长MSN上通话，他转达蔡名照局长、周明伟常务副局长的指示，老吴周五前回国，注意财产安全。

非常感谢局、社领导的关怀。

给老吴电话，把指示传达给他。

至深夜，饿，做一碗胡辣汤。

困极了。但愿是墨西哥最后一夜。死亡病例已增至152例。多人慰问，致谢。

中国召开会议，严控“猪流感”潜入。

2009年4月28日　星期二　晴

起来给点点电话，听说我要回来，她惊喜地叫着，简直不敢相信。收拾行李，不用的装箱。

上午开会，和老吴研究善后工作。六期杂志的彩样来了，急忙到一楼，印刷厂的工人戴着口罩，把一卷彩图摊到桌子上。我认真地查看着，发现有几张图片的色彩偏暗，拿出笔来勾画出来。又和来人交代着，一定调完图后再付印。

宫社长发来慰问电。给佳碧。佳碧看了很感动，表示一定完成留守任务。社里寄来口罩防护用品。

老吴机票改签，周五回国。签证延期回国寄来办理。

胡锦涛主席致电卡尔德隆总统，对墨西哥遭受如此严重的“猪流感”疫情表示慰问，中国政府愿提供治理“非典”时的经验和物资援助。卡尔德隆总统表示感谢。

此时的电视上连篇累牍的“猪流感”报道。

中午我们五人去吃饭，费了很大劲。原来门庭若市的大小餐厅不是关门就是谢客。老吴提议去喜来登酒店看看，不料也吃了闭门羹。大堂经理告诉我们，住店客人三餐送到客房，不接受散客就餐。

好在佳碧情况熟悉，好不容易在一家外卖的类似麦当劳的餐厅排队，足足有40分钟。每人提着一份快餐回到办公室，还是那种极为难吃的西餐，将就吧，有吃的就不错了。大家吃得风卷残云，尤其是我和文君，不知下顿饭在哪里吃呢。

这是我们在墨西哥最后的一顿午餐。

饭后继续收拾行装，电脑、照相机等贵重物品放老吴处。匆匆忙忙去买几个墨西哥盘了，不敢多买，此时买啥说不定都会染上细菌，送给谁谁敢要呀！

往日熙熙攘攘的市场空空荡荡，门可罗雀。

和老吴又把工作安排了一下，包括北京的。

分手在即，一番别样滋味。

拉行李出门，回顾空荡荡的512，在这里度过难忘的日日夜夜。还有天天轰轰作响的办公室。

2009 年 4 月 29 日，在位于墨西哥首都墨西哥城的海军专业总医院，人感染“猪流感”疑似患者在排队等候检查。
（鲍菲菲 / 摄，图片来源：新华社）

我还要回来的。

6 点 50 分，老吴开车，我们离开新天公司，整栋楼死一样沉寂，楼门紧闭，马路边，流浪汉依旧越聚越多，依然嘻嘻哈哈，依然蓝天白云，这也是生活。简单快乐的生活。

沿街的小吃摊已经拆除，还有的店主在匆匆打包，装车，一片凄凉，至于何时开张，听政府的安排。堵车的时候，许多人依然拦着车在卖花和各种生活用品。

生活还在继续。

机场内，不少戴口罩的旅客行色匆匆，宽阔的候机大厅人显得寥寥。

老吴送我们到大厅，碰上几个新华社的同行，他们也来送客人。

我拿出相机，先拍了几张外景照片。墨西哥保安过来干涉，说只能照人，不能拍建筑。哈哈，这是啥逻辑。我和老吴、文君合影，又拍了个人照，以示纪念。

托运完行李，轻松多了，说在机场找些东西吃，但餐厅和咖啡屋已经关门。

忍忍吧，从中午简单的午餐后到现在已经整整八个小时，看来得饿着肚子离开墨西哥了。

老吴抱歉而无奈地笑笑。

我们在安检门前分手，几乎是一步一回头，直到看不见为止。

三天后，老吴也将坐这次航班回国，我会去北京机场接他。也就是三天吧。

再过安检，登机。等飞机起飞时，已经 10 点 40 分，比规定时间整整晚了 30 分钟。

AM098 航班在夜色中的跑道上滑行，最后腾空而起，我向窗外看去，墨西哥城一片灯海，闪闪烁烁，我长长出了一口气。

2009年4月29日　星期三　晴

三个小时后，飞机抵达墨西哥西北部边界城市蒂华纳国际机场，这是墨西哥和美国的边界，机场紧靠美国圣地亚哥一侧，放眼望去，扑面而来的闪闪烁烁的灯光分不清彼此。出入墨西哥的外国人都要在这里入关，因此地处墨西哥下加利福尼亚半岛顶端的蒂华纳地位十分重要。

排队出关过边检。因当时入境填写的入境卡的底联在收拾东西时已无法找到，因此必须重新填写。好在从蒂华纳机场上来一位中国空姐小马，因东航和墨航同为星空联盟，每个航班中方都配备一名中国空姐，专门为不懂西班牙语的华人填写出入境卡、办理通关手续，这样极大地方便了旅客。小马见状，热心地帮忙填写，等我和文君出境时，已是最后两人。

一位墨西哥海关人员急忙过来，热心地领着我们原路返回，直接送我们上了飞机的廊桥，不然要绕一大圈，我们刚进入机舱，舱门随即关闭，马达已经轰鸣。

原以为飞机会直飞横跨太平洋，但座位前的那面小荧光屏显示，飞机起飞后即进入美国国境，沿美国的西海岸飞行。一串熟悉的美国城市从机翼下闪过，圣地亚哥、洛杉矶、旧金山等等。

舷窗外，夜色浓浓，机翼上航向灯闪烁着，航向西北偏西。

墨西哥空姐送来了饮料、点心。机舱内气氛祥和，人们昏昏欲睡，假如不是人人戴着口罩，他们不会和墨西哥城那肆虐的“猪流感”联系在一起。

此时此刻，大家的心终于能放下来了。

2009年4月30日　星期四　晴

一觉醒来，已是30日凌晨4时，昨天只有11小时，当初从上海来到墨西哥那天，竟有37小时，当时觉得赚了十几小时，如今又补了回去，可见自然界的公正与平衡，除非你永远待在墨西哥不回来。

此时已在日本列岛上空，山脉、河流、城市的轮廓渐渐在晨曦中显现，还有那连片的皑皑雪山。荧光屏上显示，东京等城市依次在机翼下不远处掠过。

机舱里人们渐渐活跃起来，一位年轻的中国妈妈抱着一个三四岁的孩子，在洗手间前稍微空旷的地方走来走去，孩子大概也是坐累了，他们所到之处，不时有睡醒的乘客在逗着孩子，孩子天真地咯咯笑着，舱内一片轻松。

我相信，这些从墨西哥回来的人们，不论国籍，不论行业，都会有一个故事，一个和“猪流感”密切相关的故事。而现在，那场耸人听闻的疫情已渐渐远离，至少是暂时的。

此时飞机已经进入东海，初升的太阳把天空涂得斑斓多彩，波光粼粼的海面上，已看得见点点渔船，眼前的荧光屏显示，AM098航班机头对着上海，只有十多分钟的航程。

长江口的崇明岛从机翼下闪过，浦东机场渐渐闯入眼帘。

此时，我相信，人们开始担心面临的检疫，中国已宣布将对从墨西哥飞来的这架航班进行卫生检疫，至于如何检疫，大家心里都没有底。但是谁也没有说，只是暗暗祈祷自己别发烧。发烧就是标志。

飞机在跑道上轰鸣、滑行。滑过平时停靠的机位，一直在最远处的一个机位上停住。

人们的心刚放松，立刻又紧张起来。

我看到，早已等候多时的一串车队疾驶而来。

那准是卫生检疫部门的工作人员。

机舱里的广播响了，告知大家在座位上坐好，保持安静，中国卫生检疫人员即将登机进行卫生检疫。

机舱里安静极了，没人整理随身物品。

舱门打开，六个身穿白衣戴着面罩的检疫人员走进舱门。依次向大家发放健康登记卡，并要求大家如实填写。内容不外是近两周来，是否去过疫区旅行，是否接触过流感病人，自己是否有发热、咳嗽、流涕等症状。

紧接着，检疫人员从前至后，依次拿着一只像手枪似的体温测试仪对着脑门一指，四个红点犹如正方形出现在脑门上，温度立即显示出来，另外一人立即记录在你填写的健康登记卡上。开始人们很紧张，随后渐渐放松了，见他们过来，纷纷拿起相机对着检疫人员拍照，这种经历，大家也觉得太难得了。

此时，文君问我，她是不是有点发热？

我碰碰她的额头，连忙安慰她，不热不热。

其实，我自己心里也没数。

在墨西哥的20天里，开始不知道，满世界乱跑，没有一点防护。后来知道了，还得出去跑，基本的防护就是那只薄薄的口罩。上飞机之前。我们买了两卷绷带，剪开，叠好，塞到口罩里，隔几小时换一块。在近20小时的航程中，也只换了一块。如此简单，谈何防护？

我座位后面一位中国小伙子大概因为太紧张，第一次测试温度比较高，检疫人员检到最后返回来时又对他进行测试，温度正常。闹得他和大家一场虚惊。

40分钟后，检疫完毕，没有发现异常情况，允许大家下机。大家收拾好随身物品，鱼贯而出。

走下舷梯，把健康登记表交给舷梯边的工作人员，我把行李放到一边，又开始拍照。

那架巨大的AM098航班周围是警戒线，外面站满了人，公安、消防、检疫等部门，各种车辆依次停放，其中那些标着红十字的车辆格外显眼。

警戒线里面有几个记者在忙碌。

乘客下完是墨西哥航班机组，机长率领着乘务人员，提着简单的行李，像往常一样步下舷梯。其实，我知道，他们的压力更大，在这种情况下保证航班平安降落，已是大功一件。

的确得向他们致敬。

乘客们都坐上摆渡车。

上海东方卫视的记者正现场采访，大概看到我像是同行，女记者沈倩拦住了我，摄像立即把镜头对准了我。想跑都来不及，只好说上几句。

大意是回家的感觉很好，墨西哥航班机组的服务很周到，向他们表示感谢等等。

到了航站楼。沿着专门为AM098航班乘客开设的特殊通道出关，又经过一次红外线体温测试，大家都没问题。取了行李，推车来到航站楼外，这才感到是彻底自由了，但更多的是茫然。

这一切似乎来得太快，似乎快得没有一点心理准备。

到哪里去？回家？想想也只有回家。

我们商量。先到两个航站楼之间的大众宾馆休整一下，我得先写稿子，整理图片，上午就给中国网发回去，航班检疫绝对是独家新闻，下午再飞北京。文君的父母已开车从合肥出发，下午就能到上海，她前年才分到我社，此次在国外遭遇疫情，他们怎能放心？

下午2点10分，我坐东航MU272航班离开浦东，5点抵达北京机场，回到家已经快6点了。

点点已经放学回来，一开始见到我，吓得连躲几下，说着“猪流感”、“猪流感”，随后就扑了上来，要我抱她。

但我的心却抖了一下，虽说今天两次检查都不发热，但有无病毒的潜伏？如有，那就糟糕透了，你接触的都是最亲近的人。想到这里，心情立刻郁闷起来。

但不管如何。已经到家。不安中又有一许欣慰。

衣服全换掉，好好洗洗。行李消毒。

7号离开北京，30号回来，整整23天，本来要去一年。

2009年5月1日　星期五　晴

20多天来，终于睡一个好觉。今天是“五一”，要放三天假。

妻子今天很忙，一早就要出去。我和点点在家。

好久没见女儿，自然有许多故事要讲，有许多话要说。她要我带她去公园。或者她去小朋友家玩，我不认为这是好主意。我告诉她，爸爸要好好陪你在家玩，哪里都不去。

点点同意了。

头发很长了，应该去理了，但是想想还是忍了。

其实，从心底来说，是有很大的心理压力。

自觉身体没问题，也无流感的任何征兆，但不知是否携带流感病毒。那玩意看不见摸不着，还有长达七天的潜伏期。潜意识中，还是不要出去，尽量少接触人，在家休息，实行自我隔离，为大家，也是为自己。

但上午看到新闻，令我大吃一惊。

昨天同乘AM098航班的一位25岁的墨西哥青年，在上海转机，乘当天11点的飞机赴香港，晚上9点因发烧，身体不适，被送入香港医院，现已确诊，成为中国第一位输入型“猪流感”患者。

预料中的最坏结果不幸发生，事情一下变得复杂起来。

我第一反应就是自己也要被隔离，只是时间早晚。

外面阳光明媚，满眼新绿，正是出游的好天气，可我还得和点点待在家里。

女儿拿着我在墨西哥给她带回来的盘子，别上她最喜欢的发卡，摆出各种姿势让我给她拍照。

更多的时候，我陷入沉思。

“爸爸。你不高兴了？”女儿问我。

“没有。”我岔开话题，这些事不能告诉她。

下午接到西城区卫生防疫部门电话，询问我的身体状况。我告诉他们，一切正常。

稍晚又接到朝阳区卫生防疫部门电话，问的是同一问题。

因昨天入境时在健康登记卡上填写的电话和地址，他们能在第一时间找到我。

看着点点天真的笑脸，不禁想起6年前“非典”肆虐的今天，那时她刚满一岁。

那时我在上海工作，4月底我开车从上海赶回北京，整整跑了13小时，夜里11点多从京津塘高速进入马驹桥收费站办理进京证。偌大的停车场当时空空荡荡，两个工作人员正在伏案睡觉。

看到我递上上海牌照的行驶证，抬头看看我，满脸狐疑，第一句话就是:“你来找死呀？”

我愣了一下，马上意识到其中的含义，也笑了说:“老婆、孩子都在北京，要死死一起。”

他俩也哈哈笑了，大拇指一伸:“有种。”

12点时，我进入北京，昔日不夜的都市此时只能偶尔看到闪着红光的车尾灯。

4月30日点点发烧，吃药不管用，但又不敢到医院看，“五一”那天只好带她到儿童医院，路过西直门人民医院时只见大门紧闭，门口堆满鲜花，医院因有“非典”病人死亡，已经封闭了。到了儿童医院，她又死活不肯戴口罩，哭得惊天动地，急忙到发热门诊挂号，看病。还好，只是普通感冒。拿上大夫开的药，急急地逃离医院。

如今点点已经7岁，可是没想到又碰上“猪流感”，而我又是从墨西哥回来，又和那哥们坐同一航班，他又被确诊。隔离已是必然之事。

真是无巧不成书。

报纸、电视上都是这种消息。

和文君通电话，知道她已回到合肥家中，但被要求和父母一起居家隔离。

“五一”的夜晚又是一个不眠之夜。

2009年5月2日　星期六　晴

凌晨4点10分，我被楼下急促的铃声吵醒。看看手机，上面有几个陌生的电话，因刚从墨西哥回来，正在倒时差，因此没听到。但我明白，一定是北京疾控防疫部门的，因为我搭乘的是墨西哥航空公司AM098航班。我急忙回拨过去，果然，是朝阳区疾控中心的医务人员。此刻，他们正开车来我家，这是意料中的事。

我不知道离患者有多远

昨晚看了电视，香港卫生部门确认，首例甲型H1N1流感确诊患者为25岁男性墨西哥人。香港特区行政长官曾荫权立即宣布，将香港的传染病警戒级别由“严重”提升至最高的“紧急”。

香港食物及卫生局局长周一岳在随后举行的记者会上介绍说，该患者4月30日下午搭乘东方航空公司MU505航班经上海抵达香港，入住湾仔维景酒店。4月30日晚该患者出现咳嗽、喉咙痛、乏力等症状。当天20时许自行到香港律敦治医院求诊，并初步测试为甲型H1N1流感阳性。（2009年4月30日，世卫组织、联合国粮农组织及世界动物卫生组织宣布，使用“甲型H1N1流感”指代当前疫情，并不再使用“猪流感”一词。）

5月1日20时特区政府卫生署与香港大学确诊该患者为香港首例甲型H1N1流感个案。目前患者及其亲密接触过的三位人士被隔离在香港玛嘉烈医院，目前患者及被隔离者情况稳定。

同时，中国卫生部接到香港卫生署通报，一例来自墨西哥的甲型 H1N1 流感疑似病例已确诊。卫生部对此高度重视，立即组织召开会议研究部署防控措施。

据了解，该患者 4 月 29 日从墨西哥乘 AM098 航班出发，4 月 30 日晨 6 时飞抵上海，11 时 20 分转乘 MU505 航班飞往香港。该病例途经上海时，卫生检疫未发现异常。

我和这位患者搭乘同一航班，因没有公布他的座位，也不知道自己离他有多远。

从 4 月 30 日起，上海等地卫生部门即对该航班所有乘客进行追踪，并已对绝大多数乘客实行了医学观察。卫生部已要求上海、北京、广东等地卫生行政部门立即对 AM098 航班上的所有乘客按照密切接触者进行隔离和为期 7 天的医学观察。卫生部还要求有关方面尽快查清该航班上已前往其他省份的乘客，通知相关省份核查并立即采取相应防控措施。

卫生部要求各地加强疫情监测，各级医疗机构严密关注发热病人，及时处置。同时，卫生部已派出督导组分别前往相关省份，指导当地加强防控措施。

为了确保同航班所有乘客能够及时得到医学观察，卫生部特别呼吁，乘坐过以上航班的乘客或知情者，请尽快联系当地卫生行政部门。

清晨隔离前我在河边呼吸新鲜空气

昨天下午，已有西城、朝阳区疾控中心打来电话，询问有无异样的感觉。所以，我对深夜来电一点不感到意外。

我告诉他们，救护车不要进小区，以免惊动更多的人，看到警灯闪闪，穿白衣的人进进出出，还不知发生多大的事。他们答应了。我抓紧时间刮胡子、收拾衣物。10 分钟后，他们打来电话，说已在楼下。

晨曦中，两个戴口罩穿白衣的人已在楼门口。简单交谈几句。我让他们到小区外的桥上等，我收拾一下就去。或者我直接开车到地坛医院，他们说还是坐救护车去吧。

我叫醒了妻子，告知一下。带上笔记本电脑、照相机，然后提着拉杆箱来到小区外。两辆车已在等候，几个穿白衣的人围了上来。问了姓名，确认后说救护车一会就来。一位女护士过来登记，再次确认地址和家庭成员的名字、电话。

此时天已透亮。空气清新，一片春意。河边已有人在吊嗓子、晨跑，而我却要去隔离。

救护车迟迟未来，已有半个小时了。此时，花房有人向我们这里张望。我让那两个白大褂医务人员坐进车里，自己沿河边走走，不时伸出手来，作打拳状，不知的人准以为在晨练。

直到5点半那辆救护车才闪着警灯犹犹豫豫地开来。然后开车，到了三元桥，不是直接去地坛医院，而是盘桥上下，向机场方向疾驰而去。5点48分，救护车从北皋出口出来，沿着京顺路前行不远，来到国门路大饭店后面，看到牌子，才知地坛医院已经搬到这里。

医院高度戒严穿上大号病号服

体温：36.4摄氏度

地坛医院进入戒严状态。救护车直接开往病房楼口，我进入感染二科，10号病房，其实这是一个单间，就我一人。

房间虽小却很整洁，一张床，柜子、冰箱。一个卫生间，可以洗澡。还有一台可以移动的电视，只是不能上网。

我接受了一些常规检查：量体温，36.4摄氏度。医院送来了病号服，试试太小，他们又送来一套新的，大号。试试还行。从小到大，还很少住院，特别是这种正规的医院。

给郭局长、宫社长发短信，告知隔离情况。

接老吴电话，他已经知道了。墨西哥航班已经取消，只好等着中国政府派专机来接。

郭局长来电提议在中国网开专栏。他已同黄友义副局长商议，新世界出版社出书，都是第一手资料。

中国网常务副总编辑张梅枝、编辑罗琦来电。张梅枝答应立即派人送上网卡。

罗琦开始连线。中国网直播。

新世界出版社副总编辑张海鸥来电，讨论书的框架。这就是外文局书、刊、网互动的优势。

一下就有事情做了。

和妻子通话，告诉她们不要外出，一切小心。

年轻的医护人员来来往往，都是女孩子，尽管捂得很严，但态度很好，登记、送饭、测体温，服务很周到。有时，走廊会传来一阵清脆的笑声，洒向不远处的杨树林浓郁的绿荫里，使人感到一阵轻松。

那天同机的人都先后来到这里，不由会心一笑，此时相逢，绝对难得。

晚些时候看新闻，据北京市卫生局新闻发言人通报：北京市有关部门已采取有效措施，对与确诊的香港首例患者同机的17名进京的密切接触者进行了集中医学观察。目前，17人未出现发热症状。该医院接收的14名医学观察者，其中包括中国人9名、墨西哥人5名，都已经收治完毕。

据了解，此前地坛医院于4月27日收治的从加州飞来的空乘人员1名和4月30日收治的纽约飞来的2岁小儿，目前已经排除甲型H1N1流感。而此时，网上、电视上几乎全是这类消息。

绝对是个好消息，但是七天隔离是必需的

一位身着白大褂的女孩子悄悄告诉我们，你们大概很快就要转移到前面宾馆去住了。说着，她指指不远处绿茵深处的国门路大饭店。

真的，简直不能相信，刚来不到一天，就可以住宾馆了？这消息不亚于比住五星级宾馆还要高兴。

这证明，我们这些人一切正常，而且北京的疫情相对稳定。

其实，我们高兴源于下午在地坛医院的一场新闻发布会，只是我们不知道罢了。

北京地坛医院副院长成军在甲型H1N1流感防控新闻发布会上透露，4月30日，抵达上海的墨西哥航空公司AM098航班上的一位乘客由上海飞抵香港，被确诊为甲型H1N1流感患者。与确诊者同机的乘客分别前往广东、浙江等地。其中与这名患者有关的17名乘客，由上海抵达北京，属于密切接触者，需要进行集中医学观察。

目前，17人中的15人正在北京地坛医院接受医学观察。另外两名密切接触者经北京市疾控中心与河北省和江苏省疾控部门沟通联系，分别在当地被追访到，已有效隔离。

成军说，5月2日凌晨3点至8点，14名需要接受医学观察的密切接触者全部入院，11点，最后一名密切接触者入院，地坛医院共接收了15名与甲型H1N1流感患者接触的人员。

他们当中有5人是外国人，10人是中国人，既有男性，也有女性，还有孩子。

成军介绍，北京地坛医院收治的15人入院前，北京卫生部门专业人员均已经采取措施对他们采集了相关样本，以便对甲型H1N1病毒进行检测。

“几个小时已经过去了，他们体温正常，没有任何不良症状，状况良好。”成军说，快速检测结果还需要一段时间才能出来，出来后肯定会第一时间通知媒体，但就目前情况来说，他们还没有出现不良症状。

尽管他们状况平稳，但依然需要接受七天的隔离观察。成军解释说，由于快速检测结果有时也会出现假阴性或者假阳性的可能，不完全可靠，“因此，七天隔离是必需的。”

改变　从医院到宾馆

匆匆扒了几口饭，还是米饭、青菜、豆腐和一点肉，突如其来的喜讯倒让我没有一点胃口。急忙把刚刚铺开的电脑关上，把衣柜里已经放好的衣服收拢起来，三下五除二，塞到箱子里。

此时我们似乎能在走廊里活动了，那些年轻的女孩子们已不再多管我们，从她们的笑声和轻盈的步子里，可以看出，她们和我们一起分享快乐。

几辆救护车已经在楼下集结，前面的国门路大饭店就在咫尺。隔着一条马路，但还是要坐车。

但对我们来说，无疑如同将跨越银河。

忙了整整一天，她们也累了，坐在一起小憩。看着她们那一张张疲惫的笑脸，我真有些感动。

2009 年 5 月 11 日，北京开始隔离与我国内地首例甲型 H1N1 流感确诊病例同机的乘客，隔离地是北京国门路大饭店。（李文/摄，图片来源：新华社）

“你们怕吗？”我问她们，刚说出来我就后悔，自己不是已从她们的工作中看出来了吗？

“不怕。”一个女孩子摇摇头。别看她们年轻，有几个人已经参加过当年抗击“非典”的工作。

如同副院长成军所说，地坛医院相对 2003 年有了巨大进步。医院不仅刚刚搬了新址，盖了大楼，在继续教育这方面，也抓得很紧，不管专业或非专业的医护人员，均进行了培训。在后勤物资储备上，诸如防治流感的达菲，以及抗生素、中成药等均准备充足。更重要的是，从心理上来说，做好了最坏的打算，争取最好的结果。对任何传染病，包括甲型 H1N1 流感都做好了充分准备，有信心打好这场战役。

下午 6 点多，在夕阳的余晖里，我们分乘几辆救护车，来到 200 米外的国门路大饭店。

我们集中在一个楼里，每人一个标准间，设施齐全。我住在 6444 房间。医务人员给大家量了体温，依然正常。晚上 8 点，每个房间都接到电话，问要不要到餐厅吃夜宵。尽管大家都没去，但已深深感到，这里已不是医院。

2009 年 5 月 3 日　星期日　晴

清晨，喜鹊叫声中醒来

这个夜晚睡得真好。

清晨是在喜鹊的叫声中醒来的，一抹阳光已经透过窗帘。

上午量体温36.4，一切正常。上午和远在墨西哥城的老吴通电话，告诉他今晚9时中国政府的包机将从广州起飞前往墨西哥城接他们回国，5号中午回到上海。知他一切还好，也知道新天公司的朋友们还好，才放下心来。

在MSN上和在合肥隔离的程文君聊天，她和我同机回到上海，后来父母接她回合肥，她一切也很好。

看资料、写稿件。

午餐被告知可以到一楼去吃，大家高兴极了，总算可以在走廊里走走了，鱼贯而出，一直走到一楼，午餐真丰富，宾馆就是宾馆。

2009年5月4日　星期一　晴

今天，心情忧喜参半

因为要接受中央人民广播电台《中国之声》的采访，所以起了个大早。

看到CCTV报道的两则消息，喜忧参半。

5月4日凌晨3时37分，我国政府援助墨西哥的第二批紧急人道主义救援物资从北京首都国际机场启运，预计将于北京时间当晚17时54分抵达墨西哥。

据商务部援外司负责人介绍，该批物资包括口罩、眼罩、手套、消毒用品和体温检测仪等，共约6 300箱、475立方米、70吨，由中国南方航空公司承运。

此前，中国政府4月29日宣布，为了帮助墨西哥政府应对甲型H1N1流感疫情，决定向墨西哥提供500万美元人道主义紧急援助，其中100万美元现汇援助，400万美元物资援助。100万美元现汇已于4月29日汇往中国驻墨西哥大使馆转交墨方。

中国政府援助墨西哥的第一批物资已于当地时间5月1日凌晨零时30分抵达墨西哥。首批物资主要包括口罩、手套、隔离服、消毒用品和红外测温计等，共计约4 500箱、440立方米、80吨。墨西哥总统卡尔德隆、外长埃斯皮诺萨以及多位政府高官与中国驻墨大使殷恒民等使馆主要外交官出席交接仪式。卡尔德隆总统代表墨政府和人民感谢中国政府向墨提供紧急援助。

看到电视画面上那架飞机尾翼上盛开的木棉花，看到那一件件巨大的货柜缓缓装入机舱，再次被感动了。回想不久前在墨西哥城的日子里，我只有一个薄薄的口罩，戴着它到处跑着工作，街面上口罩等防护用品早已脱销，无奈只好买些绷带剪开，不时地换上一块，就连乘坐 AM098 航班时，在漫长的旅途中，也只换了一块。所以，这些平时不起眼的防护用品。此时却是生命的第一条防线。

对墨西哥人民来说，这些防护用品无疑是雪中送炭。因此，这条消息也让我感受到中国对墨西哥的真挚情谊。

下边这条消息，却让我高兴不起来。

原计划 3 日晚赴墨西哥接回中国旅客的包机没能如期执行。据南航有关人士透露，该航班是否还将执行、具体执行日期等都将听候上级指令才能确定。

接国务院紧急通知，南航 2 日周密部署，调遣包机，原计划于 3 日晚 21 时从广州起飞接回目前滞留在墨西哥的 120 余名中国公民。3 日 18 时，南航赴墨西哥包机机组接到上级通知，3 日取消赴墨西哥飞行计划。

南航有关人士介绍说，为了此次特殊的包机任务，南航做好了充分的准备工作，如精挑细选包机机组，选择出政治素质高、业务能力强、多次执行过包机任务的飞行人员，第三轮筛选侧重考虑心理素质和应急反应能力，最后确定了“黄金搭配”的人员名单。

最后确定的 4 名飞行人员原计划乘坐 3 日 CZ327 航班至美国洛杉矶，与南航在洛杉矶的另外 4 名飞行员、2 名安全员和 12 名乘务员会合，共同执行洛杉矶—墨西哥城—蒂华纳—上海浦东航班的飞行任务，接回滞留墨西哥的 120 余名中国公民。

南航有关人士表示，南航为墨西哥包机做好了充足的准备，特别是疫情防控方面，一旦接到上级命令，将立即执行包机任务。

我一下想到的是老吴。几天前，我们在墨西哥城机场分手的时候，我和程文君最担心的就是他的身体。他说过几天北京见。他原定 5 月 1 日晚上乘飞机回国。由于 30 日抵沪的墨西哥航班上发现流感患者，中国政府取消了原有航班，改由中国政府派专机接运滞留在墨西哥的中国旅客。昨天我们还通过电话，还说 5 号他就可以到上海了。但得接受七天的隔离。

在地球那边，老吴笑了，连说应该应该。

没想到这一延期，不知道何时。

7点20分接受中央人民广播电台《中国之声》采访，主要谈了我们近几天的生活，这对消除人们的紧张情绪和恐慌心理，给社会一个真实的说明，对一个接受医学观察的新闻工作者，是责任，也是义务。因时间有限，原想最后说的几句话无法再说。还是简述如下吧：

感谢几天来全体医护人员和服务人员的辛勤工作和热情服务。

向关心我的家人、朋友、同事和领导表示衷心感谢。

在这里向仍在墨西哥工作、生活的中国人，中国驻墨西哥大使馆的全体同志和新闻界的朋友们，向仍坚持工作的《今日中国》拉美分社吴永恒社长和外籍雇员佳碧、劳艾致意，祝他们健康、平安。

并祝墨西哥人民好运!

上午，看了另一则消息，才明白中国政府包机为何延期。

中国外交部发言人马朝旭4日强调。中国隔离墨西哥来华航班乘客，并非针对墨西哥公民，也没有歧视性，纯粹是卫生检疫问题。

5月2日，墨西哥外长表示，中方将没有感染病毒的墨公民进行隔离是歧视做法，缺乏科学根据，墨方难以接受。墨外交部提醒墨公民在中方纠正有关歧视和不公正措施之前，不要去中国旅行。

对此，马朝旭表示，中方注意到了有关报道。他介绍说，4月30日，一名乘AM098直航航班来华的墨西哥公民，在香港被确诊感染甲型H1N1流感病毒。为了防控甲型H1N1流感疫情，维护民众健康和卫生安全，中方对该航班旅客采取了必要的医学隔离和观察措施。

马朝旭强调，有关措施并非针对墨西哥公民，没有歧视性。这一问题是纯粹的卫生检疫问题。中方理解墨方对其在华公民权益的关切，希望墨方从共同应对疫情的大局出发，对中方采取的必要措施给予充分理解，客观、冷静处理这一问题。

马朝旭指出，中墨是友好国家，中国高度重视同墨西哥的友好合作关系。中方愿继续同墨方加强合作，共同应对疫情。

作为AM098航班的乘客，不仅仅是墨西哥人，100多位从墨西哥回来的中国人，也受到隔离，我们知道，这是为了大局，为了更多人的健康。应对疫情，是世界人民的共同愿望。

就在写完今天的日记时，看到一个好消息：中国和墨西哥已经决定互派专机，接回各自的公民。一天来笼罩在心中的不快一扫而去。

希望老吴和滞留墨西哥的中国公民早日回家。

今天，医护人员送来了水果，也送来鲜花，整个走廊花香四溢。

2009年5月5日　星期二　晴

终于看到好消息

早晨依旧是在喜鹊清脆的喳喳声中醒了，窗外春光宜人。

昨晚终于睡了一个好觉。

临睡前，在网上终于看到好消息。半小时前，一架中国南方航空公司的飞机在广州白云机场腾空而起，消失在茫茫的夜空中，它将飞越浩瀚的太平洋，直飞墨西哥城。

此次包机由广州白云机场直接飞往墨西哥城、蒂华纳两地。预计北京时间5月5日13:30飞机到达墨西哥城，15:00飞离墨西哥城；17:30到达蒂华纳市，19:00飞离蒂华纳市，预计5月6日9:00返抵上海浦东国际机场。

南航执行包机任务的是波音777-200型飞机，满员载客284名，此次是空机由广州飞往墨西哥。南航精心搭配最强飞行力量，选派7名飞行员、10名乘务员执行包机任务。机组成员对飞行各环节已做好充分准备，并提前做好甲型H1N1流感防护知识培训以及突发情况预案，确保飞行安全和防疫措施万无一失。

除机组成员外，国家卫生部一名防疫专家和南航卫生中心医生也同机前往，随机全程监控卫生保障。专家们将在航班上为旅客现场讲解甲型H1N1流感防护措施，并随时留意旅客健康状况。同时，飞机上的一切餐食和饮用水，南航都从广州携带，并在航班上配备充足的抗病毒药物以及医用口罩、体温计、消毒液等医疗器材。机组成员和随机医护专家表示，他们已经做好充分准备，完全有信心、有能力圆满完成此次任务，平安地将滞留墨西哥的中国公民接回祖国。

此次包机原计划将接回滞留旅客120人。后来南航接到通知，应中国驻墨西哥大使馆请求，另有80名中国公民欲搭乘包机回国，南航决定将他们一同接回国。此次包机将从墨西哥接回200名中国公民。

至于接回旅客是否要进行医学隔离，据南航有关人士透露，随机医务人员将根据航班上旅客的身体状况来决定，如果机上有旅客出现发热等症状，很可能全机人员抵达后都将进行医学隔离。

另外，墨西哥外交部当地时间4日称将派飞机前往中国接回墨西哥公民。所有想回到墨西哥的人都会被接回。

5月4日，世界卫生组织驻华代表韩卓升在北京表示，中国在北京采取的隔离墨西哥游客的措施是恰当的，并没有违反相关规定。

对此，韩卓升说:“可以在医疗机构进行隔离，也可以在家中进行隔离，还可以在宾馆进行隔离。由此可以看出，中国所采取的措施是符合规定的。重要的不是地点，而是应该对疑似病例进行监测。”

由中墨两国互派包机接回本国公民的争端由此结束。

连线墨西哥城国际机场

看看时间，已是7:30，急忙给远在墨西哥城的老吴打电话。那边是晚上6点半，想把这个好消息告诉他，可是无论如何都打不通。

和使馆的新闻官贾宁一在线了解情况，她说使馆的同志都在忙，使馆正在忙着准备接送中国旅客的事。后来看到使馆的政务参赞赵洪生介绍了大使馆的准备情况（曾和赵参赞在墨西哥参加过两次活动），才彻底放下心来。

不一会儿，接到老吴的电话，他告诉我，行李已经准备好，接到使馆的通知就到机场，同行的还有老李夫妇，他是我们的朋友，原来在新华社工作，退休后国内国外两边跑。原来已定6月12日回国，已经提前到今天。

早回来早好。祝他们一路平安。

中午接到地坛医院宣传中心小陈的电话，她告诉我，大家看到我发在中国网上她们的工作照片，非常高兴，特地表示感谢。实际上，我更应该谢谢她们。

2点50分，接到老吴的电话，他们已经来到墨西哥城国际机场，大使馆20多个同志都来送行，殷恒民大使动情地对大家说，他说这是中国政府第一次派飞机到拉美来，接中国公民回国，体现中国政府以人为本、执政为民的理念。他看到大家精神都很好，非常高兴。在这次危机中，大使馆成立了应急小组，24小时值班，妥善处理突发情况。

接着，老吴把电话交给了大使馆参赞王慧君，我采访了她。

电话那边，王参赞很激动，她说，看到滞留的中国公民马上要离开墨西哥了，大家身体健康，精神很好，她很高兴，多日来提着的心终于可以放下了。她告诉记者，本来6月10日她就可以回国休假了，现在看来要推迟了。当她知道我们是河南老乡时，高兴地用纯正的河南话交流起来。

我又和搭乘这架航班的72岁高龄的一位老人聊了起来，他在北京石景山区住，是这批乘客中年龄最大的，和64岁的老伴到墨西哥旅游，没想到碰上如此大的疫情，能搭乘中国政府包机尽早回国，他和老伴都很高兴，他非常感谢祖国对大家的关怀。

我又连线本次航班中26岁的女乘客董晓萌，她已经怀孕，想早日回到祖国，有家人的照顾，她会更安心，今天能够搭乘包机，非常高兴。

老吴告诉我，使馆的同志都在忙碌，帮助大家填表格，换登机牌，还给大家准备了口罩、饮料、汉堡和预防药。

乘客们井然有序地坐上摆渡车，殷大使和使馆的同志向大家挥手，墨西哥外交部官员、机场当局最高负责人为中国旅客送行。

4点30分，老吴又在飞机上打来电话说，机上服务人员对大家非常照顾，把老年人和孕妇安排到前排位置，并帮助系好安全带。复旦大学的卢洪舟教授正给大家讲解预防流感的知识和放映制作的宣传片。他告诉大家，他知道这是一次危险的航程，但他将会尽全力，使这次航班变得安全，虽然回去也会被隔离，但他还会继续工作。

我又一次连线正在执行任务的女乘务员谭幸珊，她告诉记者，能执行这样的任务是一种光荣，尽管她们将连续工作近40个小时，但是大家精神饱满，决心为全体乘客服务好，让祖国人民放心。虽然知道回去会被隔离，但这是她的工作。说着，她笑了起来。

隔着浩瀚的太平洋，我听到了她那清脆的笑声。

写到这里，我抑制住内心激动，来到窗前，太阳西斜，阳光依然明亮，绿茵深处，又传来喜鹊喳喳的叫声。

我知道，此时机舱门已经关闭，马达正在轰鸣，在墨西哥城茫茫的夜色里，一架涂着木棉花的雄鹰展翅飞翔。

一路平安。

今天中午，我终于在窗前拍到一只喜鹊和一只猫，高兴极了，因为楼下的保安撤走了，那意味着快自由了。

一直在等老吴的电话。原来约好包机到蒂华纳机场后，他会告知详情，不会有何意外吧？

早晨起来才看到消息，执行赴墨西哥接回滞留中国公民任务的中国南方航空公司包机于当地时间5日凌晨因天气原因迫降洛杉矶，机上已经搭乘了从墨西哥城接回的中国旅客。

中国驻洛杉矶总领馆发言人陈世杰告诉记者，据他所知。南航包机因天气原因无法在靠近美墨边境的墨西哥蒂华纳市降落，因此在当日凌晨迫降洛杉矶国际机场，机组等待天气情况好转后再赴蒂华纳接上滞留在那里的中国旅客。

后来看报道。知道今天下午4点35分包机顺利抵达上海浦东国际机场。

真是一波三折呀。

2009年5月6日　星期三　晴

“瘟疫在古代是坟场，在近代是战场，在当代是考场。”

上午整理几天来手机上的短信，有领导的鼓励，朋友的问候，家人的惦念，感受颇深，摘上几条，聊以自勉。

4月30日晚上，接到朋友祝贺“五一”的短信，心里着实高兴。

·“五一”时告诉人生五个一：一副好身体，一份好事业，一世好心情，一圈好朋友，一生好运气。愿，你一生永有五个一。

·这几天最关心的就是你，今天在东方卫视看到你回来了，非常高兴，想着在倒时差，有空速回电。

·不幸被我料到，只能顾大局，好好配合，表示慰问。可以写东西，有事多联系。在中国网上开个专栏，会有人具体和你联系，网和书兼顾。

·惊闻墨西哥流感盛行，千万小心，多加保重，不知发短信能收到否，请速告之。以免悬念。切切。

·听说你们航班的情况，受惊了。请注意调养身体，调节情绪，配合防疫部门，相信不会有事的。

·我和女儿都很好，不要惦记，你要好好休息，多吃饭。

·两天来专栏反响不错，继续坚持，可以充分利用前方资源，做好报道。

·最近一直关注你们的情况，也看到媒体的报道，关于瘟疫，我记得一句话："瘟疫在古代是坟场，在近代是战场，在当代是考场。"你身临这个特殊的考场，挥着自己的笔，一定能交出满意的答卷，这一定是外文局人共同的心愿。

·知你遇到检疫的麻烦，特致问候。这是一件既不幸而又幸运的事。遭此不幸，经历可贵。调侃式慰问。

·看到《法制晚报》记者的采访，知道你的近况，党委的同志们很高兴。再次向你表示亲切的慰问和良好的祝愿。历经"非典"、地震灾区的采访和这次特别的经历，你愈发坚强和乐观。

·天天盼着看你的博客，希望你早点出来，与家人团聚，又希望你一直待在里边，写、拍照，祝你快乐。

……

中午12点，从《午间新闻》得知，卫生部已发布消息，明晨6点可以解除医学观察，心里一阵激动。

环顾左右，小茶几上的鲜花已经凋零，镜中的我，头发越来越长，略显苍老。原本都是20天左右理一次发，至今已有一月有余。原想在墨西哥城理发，不想发生这次流感，只好忍着。回到北京那天想理，又觉不妥，缓缓再说，不想一拖再拖至今，明天回家第一件事就是理发。一定。

下午两点，北京市卫生局、北京疾控中心举行新闻发布会。介绍北京收治、隔离观察甲型H1N1流感的情况。我也作了现场连线，介绍了有关情况。

2009年5月22日，经过北京市专家组的会诊，报告卫生部同意，北京首例甲型H1N1流感确诊患者刘昕蔚痊愈出院。（李文/摄，图片来源：新华社）

4点40分，终于接到老吴的电话，告之他们已经平安到达上海，身体很好。短短几句话，却弥足珍贵，悬挂多时的心终于落了地。

一个小时后，又接到老吴电话，他们每人都拿着一面小国旗走下舷梯，在那里办了入关手续，现已坐在大巴车上，他们那个车上32人，警车开道，向宾馆驰去。漫长的旅程，虽然很疲惫，但心里暖暖的，因为他们回到了祖国，回到了家。

回家的感觉真好，这一次的感觉不同于以往。

2009年5月7日　星期四　晴

7日早晨6点刚过，医务人员分别敲开大家的房间门，给每人送来了解除医学观察通知书和温馨健康提示卡。医务人员最后一次为我测了体温，36.7摄氏度。对面的小宋把门打开了，当他拿到那份通知书时，笑逐颜开。我急忙拍下这个值得纪念的瞬间。同时又为天天为我们量体温的医生拍了一张工作照，她们的脸上露出了真诚的笑容。

接到《新京报》记者的短信，说今天宾馆大门已有百余名记者等着采访第一批出去的人员。我打开窗子，远远望去，果然看到我的那些同行们密密地围在那里。他们真辛苦。

7点，又一次接受中央人民广播电台《中国之声》连线采访。

我将于9点半第二批离开国门路大饭店，之所以选择第二批，是因为还要写稿，整理照片，完成最后的工作。

昨天晚上11点，国门路大饭店的张总和部门经理来看我们，他没戴口罩，和我们握手，逐一向我们表示了慰问，并欢迎今后来做客。

我们都笑了，大家都知道，再来的身份肯定与这次不同。

我们也向几天来他们的周到服务和热情帮助表示衷心的谢意。

依旧是整理文字，上传图片。忙到8点半才吃早餐，整理行装。

9点20分接到宾馆大堂的电话，告诉我已准备开车。我拉着行李箱，打开房门，再次环顾整个房间，它伴我度过了五个难忘的日日夜夜，一种别样感觉油然而生。

大堂里，我接过一束鲜花，浓郁的花香立即弥漫开来。令人陶醉。

我和另外两名同伴宋伟、李福坐上车，张总和大家一一握手，像相识多年的朋友。

车开很远，我们还能看见他们挥手的身影。

外边的天好蓝，阳光灿烂。

回到家，第一件事是理发，接着围着小区走了三圈，圈了几天，不知还能走不能。下午5点女儿放学的时候，在小区外面接她，这是给点点一个惊喜。

晚上8点，开车到杂志社，接受中央电视台《新闻会客厅》采访。

回家后看到来自墨西哥的消息。

墨西哥卫生部部长科尔多瓦7日早间在新闻发布会上证实，最新确认的两例甲型H1N1流感死亡病例分别出现在北部圣路易斯波多西州和中部特拉斯卡拉州。他表示，这两例死亡病例出现在一段时间之前，但死因刚刚得到确认。

科尔多瓦说，截至目前，墨西哥全国确诊甲型H1N1流感患者人数达到1 160人，较一天前增加90例，之前公布的死亡病例为42例。他同时强调，全国新增疑似病例正呈现下降趋势。

鉴于目前流感疫情状况趋于稳定，自7日起，墨西哥全国各地高等学府恢复正常教学秩序，所有中小学、公立全日制幼儿园等幼教机构将于11日起恢复开放。墨西哥各地学校自6日起对教学设施进行彻底全面的卫生清洁和防疫处理。力图保证“安全、健康”的学习环境。

除全面清洁以外，学校还将同距离最近的医疗机构建立联系。医院除提供防疫相关信息外，还负责在学生表现出流感症状等突发情况下提供治疗和转移等方面的援助。

墨西哥疫情缓解，我们也放心了。

再次祝墨西哥人民、中国人民、世界人民好运！

（选自2009年第7期《报告文学》，有删节，作者：曾平）

绿色呼唤

——中国环保 NGO 启示录

从上世纪初开始的一两个组织，直到今天遍布祖国各地 3 000 多家民间社团；从大西南的长江源区、大西北荒漠高原，到首都北京、紫金山下、黄埔江边；从保护单一物种黑嘴鸥、藏羚羊，到关注生物多样性。他们是一群有着特殊理想、信念和执著的人，为着祖国大地天蓝水清地美，为着民族的美好家园。他们有一个共同的名字——环境保护非政府组织，老百姓叫他们民间环保组织，简称环保 NGO。

大西南水电开发之战

2009 年 6 月 11 日，有一条环境新闻震动社会，环境保护部对两大电力巨头——华能、华电，开出了历史上最严厉的环境影响评价罚单，同时暂停审批两家企业除新能源及污染防治项目之外的建设项目。环保部的通报指出，云南华电鲁地拉水电有限公司、华能龙开口水电有限公司未经环评，擅自在金沙江中游建设两座电站，并已经开始截流，严重违反了国家环境管理有关法规。

消息震惊之处有三：其一，两大项目已经投资数十亿元，工程未来命运如何成了问号；其二，对两大公司同时叫板，喝声巨大，惊动其余各大电力巨头；其三，民间质疑早已呼声一片的大西南水电开发项目，政府最高职能部门有了鲜明的态度。

金沙江中游的鲁地拉、龙开口，和之前叫停的其他水电开发项目，都成了人们关注的焦点，成了环保 NGO 监督水电企业保护生态环境，保护当地民族文化的热点。

大西南地区尤其长江上游金沙江以及大渡河、雅砻江、岷江、澜沧江、怒江干流及支流的水电过度开发，早已像一块块巨石，压在环保NGO人心头，成了他们难解的心结。

进入21世纪以来，我国水电建设进入前所未有的迅猛发展时期，特别是大西南几乎所有河流呈现大小工程同时启动，以及集群、无序、失控开发的态势；出现投资主体多元化、集团化、布局密集、高坝大库、装机超限、手续不全、环评滞后，以及生态、移民、民俗文化等众多问题。其中最大的风险之一，是西南水电开发主要都在地震断裂带、生物多样性丰富、生态环境无可修复的复杂地段修建水电工程。

作为横断山研究会首席科学家的杨勇，以及四川地质大队总地质师范晓等人，常年奔走在大西南、横断山地区，对那里的大小河流、冰川河谷，那里的地形地貌地质构造，生物多样性及生态环境平衡等等，有很深刻的认识。

那里的地质状况令人不安，横断山位于青藏高原，印度板块与欧亚板块相接，至今地壳运动仍然最剧烈最复杂的造山带上。这里的河谷如岷江、大渡河、金沙江、澜沧江、怒江等河川的强烈下切，形成了高山峡谷和滩多流急的河谷地貌景观。区域断裂构造复杂，河谷两侧高陡斜坡地上大规模的山体崩溃、滑坡屡屡发生。如此地形地貌丰富的水资源，吸引了众多水电开发集团，同时带来很多潜在的地质威胁。

有一组数字令人担忧。金沙江水电开发将由19个梯级组成，中下游河段的6个梯级为近期工程，截至2008年年底，中游的三个电站已经开工，其余也都在加紧前期准备，一两年内上马。同时，长江上游主要支流的集群开发也已经大规模启动，“密如繁星”的梯级开发态势令人忧虑。

岷江干流都江堰以上的上游河段，已规划10个梯级电站，中下游还规划了7

长江南源——当曲位于青海省杂多县境内，这里山势奇峻，风光壮美，让人流连忘返。
（任晓刚 / 摄，图片来源：新华社）

个，大渡河流域24梯级，雅砻江干流21梯级，乌江干流12梯级，嘉陵江干流17梯级。

这只是一部分电站的清单，支流加上支流的支流，大山里河谷中还有更多的大小水坝、大小电站。河段干涸，鱼道阻塞，两岸崩岩，植被毁坏。长江上游水电开发共涉及国家级自然保护区12处，世界遗产地3处，国家风景名胜区13处。其中金沙江中游水电密集梯级开发，已经深入“三江并流”世界自然遗产地区域内。汪永晨、杨勇、马军，很多环保NGO人拍摄了大量照片，看了让人心惊。

长江流域的鱼类淡水种类达338种，接近全国淡水鱼类总数的三分之一，特有鱼类162种，占中国鱼类特有种总数的60.36%。很多鱼类都有自己的洄游通道，大坝截流，阻断鱼类洄游通道，必然带来种群的灭绝。公众环境研究中心负责人马军担忧地对媒体说:“流水生境一旦被破坏，多种珍稀特有鱼类的生存和繁衍将会受到严重影响，即便是为保护珍稀鱼类划出自然保护区，也是名存实亡了。”

面对大西南尤其长江上游地区疯狂的水电开发大趋势，环保NGO人大声喝道：且慢!

现在已经无法用数字列出有多少环保NGO组织和人士关注这场保卫战。从首都北京有社会影响力的“自然之友”“绿家园”“公众与环境研究中心”等，到云南、四川、重庆地区的“绿色流域”“成都城市河流研究会”“重庆绿色志愿者联合会”等，甚至远在几千里之外的“辽宁盘锦黑嘴鸥保护协会”“绿色汉江”“河北绿色知音”“淮河卫士”等，都加入了战斗行列。

他们用自己并不强大的声音，集群式发出自己的建言，在社会上放大了对长江上游水电开发的密切关注。和大水电集团相比，他们根本够不上势均力敌，但毕竟出现了，毕竟博弈了，毕竟让政府有关部门、让广大公众听到了与利益集团不同的声音。这是一种进步，一种公众参与的崭新方式。历史听到了。

2009年6月11日，环保部对金沙江上的鲁地拉、龙开口电站叫停，坊间流传两座电站没有进行环评就开工，据说引起了温总理的震惊，震怒之中他说了八个字:“没有规矩，没有王法！”还有传温总理说，没有进行环评，一个企业竟敢擅自把一条大江截断！在如此“大胆违规”的事实面前，一向温和的总理愤怒了。

“重庆绿色志愿者联合会”会长吴登明和北京中军律师事务所的律师夏军，一起向环保部和国家发改委提出“行政复议”，他们认为两部委在处理鲁地拉、龙开口电站叫停事件上还有很多不足，希望两部委对水电集团环保违规问题追查到底，限令改正，并进行严厉处罚。

环保部环评司领导亲自和他们对话，说明事情远没有结束还在调查之中，环保NGO提请“行政复议”，环保部有压力，但很欣慰，来自民间的声音给他们增加了动力和信心。对话很诚恳很实在，夏军律师代表“联合会”撤出提请要求，表示理解环保部的态度。这是一起“行政复议”受理后主动撤回的成功案例。

国家发改委的回应是“不受理”。

环保 NGO 人并没有罢休，他们把国家发改委告上法庭，北京一中法院一位好心的法官悄悄地劝说，你们要告也得找一位金沙江边的村民，“重庆绿色志愿者联合会”和水电开发没直接利益关系，告不下来啊。夏军和吴登明又到武汉法院，告华电、华能两个水电公司，要求他们在两电站停工期间对当地环境进行人工生态修复，可是直到现在毫无音讯。

值得欣慰的是，去年叫停的两电站至今尚未开工，而其他有些被叫停的水电开发工程，一两个月后都悄悄开工了。鲁地拉、龙开口被叫停一年没开工，也算一种胜利吧。

环保部刚刚暂停审批金沙江中游水电开发项目几天后，“自然之友”“绿家园”“云南大众流域”等 17 家环保 NGO 组织，地质学家杨勇、范晓，生态学家徐凤翔，媒体人于晓燕、刘鉴强、陈宏伟，志愿者萧远，企业家李晨晔，金沙江边的农民葛全孝等 21 位个人，以“金沙江开发决策须对历史负责”为题，联名呼应了环保部的通报。

他们呼吁，“这是金沙江江段呈现明显过度开发甚至恶性开发的形势下，采取的紧急措施，对于维护国家环境安全具有特殊重要的意义”，“如果今天的过度开发得不到制止，不出十年，许多特有、珍稀鱼类赖以生存的流水生境就将毁灭，壮丽的峡谷景观将黯然失色，沿江人民世代居住的田园就将大量被淹，同时在这一地质构造不稳定地区建设高坝大库引发的潜在风险也令人担忧”。

呼应环保部的同时，也提出他们的建言，“我们建议政府对水电工程审批与建设程序作出调整”，“我们建议将环评前置到工程预可研阶段，在环评审批之前不允许进行三通一平、导流洞施工等实质性的工程建设活动”，“两家开发公司应严格履行相应法规，在完成环评报告并报请批准前，向社会公开环评报告；同时环境主管部门应本着对历史负责的态度，为当世和后代守住环境底线”。

大西南水电开发之战中，环保 NGO 和政府主管部门站在同一条战线上，成了战友。但愿这种“战友”式的精诚合作，能出现在更多场合；但愿能在更多场合环保 NGO 和政府部门步调一致，去夺取保护生态环境的胜利，避免出现更严重的生态危机。生态环境的保护不仅仅属于政府主管部门，不仅仅属于环保 NGO，更属于全国公众，甚至更大范围的民众。

有个女孩叫梅念蜀

梅念蜀告诉所有来访者，“绿色昆明”和她本人参加昆明地下水保卫战，“不是我们的选择，而是问题找到我们。”

2006年8月，梅念蜀担任总干事的“绿色昆明”刚成立不久，接到昆明西山区一位农民的举报，说有条地下河流突然断水，有个公司要建大型洗车场，私自抽走了地下水。不久又接到村民举报，一家在昆明注册的香港公司准备在滇池边的白草村、观音村购买土地和大龙潭，开发大型休闲旅游景区。龙潭是当地人的土语，指地下冒出水流形成的积水，比湖泊要小些，一汪一汪，有的成串，有的单独，是当地人主要饮用水源之一。梅念蜀和“绿色昆明”没想到，就是这几封举报信，让他们加入到长达两年之久的昆明地下水保卫战之中。

他们来到现场调查，发现滇池周边地下河流以及整个昆明地下水系的管理竟然是空白！政府有关部门职能中都缺少这一块，谁也说不清地下水系到底什么状况。水利、水务、环保、城建、国土，你不管，他无此职能。体制不顺，条块分割，多头审批，缺少规划。一些企业和个人乘机钻空子，私自滥采，造成昆明地下水过度开采现象严重。

梅念蜀把初步调查结果写成报告，找到一位省人大代表，在省“两会”期间写了提案。谁知一等就是八个月，听说提案传遍几个政府部门，都以“不在自己职能范围内”为由推三阻四，“九龙治水”，毫无结果。

按照梅念蜀的办事风格，遇到困难阻力首先从自己身上查找原因。分析下来，她发现提案中有些数据不够充足，论据不够充分，不足以引起高层决策者的警觉。

她带领“绿色昆明”再次成立项目组，请来协会理事会的专家、省环科院的科技人员、云南大学的教授，还有一些市民志愿者，分成几个小分队前往滇池地下水最丰富的西山地区，走遍响水闸、白鱼口金线泉、白草村等地的大龙潭，以及更多不知名的地下水出水口，发现许多严重的环境问题。地下水被一些企业、个人私自占用，采石场、建筑群阻断了地下河流，致使出水减少甚至断流。不少龙潭干涸，周边水田不得不改作旱地，水库源头变鱼塘，大片库底裸露，奶嘴箐水库竟完全干涸，而且有的地区地下水污染状况十分严重。

调查的日子里，梅念蜀和志愿者们背着民间环保组织“自然之友”捐赠的简单水质检测仪器，每天步行几十公里，跑遍滇池周边绝大部分地区。一处处龙潭，一条条河流，一眼眼水井，一座座小水库，一片片水田湿地。累了在路边歇歇脚，困了靠着树旁小眯一会儿，饿了渴了拿出自带的干粮矿泉水吃一口。他们认真地用GPS定位每一处没遭破坏的龙潭、出水口，每一个被填埋、采矿或被企业非法占用、被村民乱丢垃圾堵塞的水源。拍下照片，拿出GPS定位数据，做好文字描述，再把检测到的水质数据和地表地下水标准对照比较，写出详尽的调查报告。那段日子，梅念蜀和协会的专家理事、志愿者爬行在滇池周边的大小山头、村庄龙潭；他们的脚步，从未停止。有人统计，整个调查全部花费4 650元。这笔钱，来自梅念蜀个人积蓄。

提到这笔费用，梅念蜀说，如果需要一个杠杆来撬动这个项目，我可以自己出钱来当杠杆，哪怕10 000元。梅念蜀的口气很平淡，仿佛在讲他人的事，完全与己无关。拿出这笔钱时，她早已辞去事业单位稳定的工作，甚至离开打工的公司，做起一名拿不到任何固定收入的民间环保组织总干事。说是总干事，说是昆明环保科普协会（简称“绿色昆明”），那时全职工作人员仅仅两人，她和一位大学毕业生，后者每月1 000多元的“工资”，是梅念蜀这个总干事自掏腰包给他发的。几个月后，小伙子受不了如此低的收入辞职离去。

2008年8月的一天，一封长达50页、照片、数据、详尽说明的题为“关于入滇地下河、水库、龙潭管理存在真空”的市民来信摆在昆明市委书记仇和面前。仇和看到信和36名志愿者的名单，大学教授、科技人员、个体户、大学生、普通市民，仇和更记住了领头的那位有着诗一样名字的梅念蜀。

梅念蜀和志愿者们诚恳地希望昆明市政府“能对地下水加强控制和监管的同时，也能注意到已经流出地表的地下水源，明确其管理权限，指定专管局负责日常的审批和督察，并效仿目前地表河流的管理方法，指派专管员、巡视员随时督察，杜绝企业或个人未经许可私自占用的行为再次发生”。他们希望政府能组织环境监测单位，对滇池流域的地下水质状况进行全面采样监测，以使得“滇池的毛细血管自由流淌，周边居民的身体健康得到更可靠的保障”。

仇和很快做了批示，市水利局主动和“绿色昆明”联系，在他们调查的基础上，深入开展滇池周边水系水源普查。

水利局的调查结果更令人吃惊：昆明主要城区沿线温泉热水井开孔密度平均每平方公里有4个，最密集处竟达8.6个！孔间距最近处仅有50米！著名的安宁温泉每年地下水位下降1.2～2.48米。地下冷水过度开采引起翠湖干涸，海源寺、蝙蝠洞泉、黑龙潭等名泉一度断流；茨坝机床厂有的地面塌陷1～2米，翠湖等地区发生地面塌陷；马街地区地面开裂，建筑物遭到破坏。一些地区地下水位下降累计超过30米，最多竟达51.77米！

有关专家预测，滥用地下水甚至会危及地质结构发生永久性破坏，对于处于地质断裂带的昆明市来说，过度开采地下水，如同在全体市民脚下埋了一颗巨型炸弹。

“绿色昆明”的市民来信，仇和书记的批示，水利局的深入调查，上至书记市长政府职能部门，下至市民志愿者，更有梅念蜀和她带领的“绿色昆明”这样的民间环保组织，昆明地下水保卫战终于形成完整的战役规模，在昆明市民自己的家乡打响了。

2009年5月7日，梅念蜀和“绿色昆明”的其他几位代表，坐在了昆明市“地下水保护条例草案听证会”上。

由昆明市政府法治办、市水利局联合召开的听证会，有17位正式听证代表，“绿色昆明”的理事占有4席，占总代表人数的四分之一。10位旁听代表中，也有2位该协会的志愿者。

听证会上最大的焦点是如何改变长期以来“九龙治水”的局面，其背后则是各利益集团的权益之争。政府部门的职能权力，企业的利润效益，民间环保组织夹在其中，言谈话语，分量几重，许多了解情况的市民为他们捏把汗。

梅念蜀很冷静。这种凡遇大事格外冷静的性格，曾为阿拉善SEE生态协会前会长、著名企业家王石十分欣赏。一位年龄不到30岁的女子，在各利益方纷争混战的听证会上，冷静地意识到，昆明市地下水保卫战将是一个漫长艰难的过程。从一年多前接到举报，几次跑遍滇池周边调研取证，上书乃至市委书记亲自过问，各方利益集团能坐在一起召开今天的听证会，为昆明地下水开发与保护的可持续性订立法规，已然是环保工作者的胜利，是她与“绿色昆明”以及其他环保NGO人辛苦努力的成果。积累许久的问题不可能立刻全部解决时，还是要抓住主要矛盾。

她和几位“绿色昆明”理事会的专家们，力陈关注滇池周边村民饮用水源地安全的急迫性，建议在制定昆明保护地下水的法规中，加上当工业发展（包括旅游服务业）与村民饮用水源安全发生矛盾时，在“以人为本”的前提下，坚持以保护村民饮用水源地环境安全为第一位的重要原则。

半年后《昆明市地下水保护条例》终于出台。《条例》吸取了他们的建议，令滇池周边广大村民满意，也令梅念蜀和“绿色昆明”志愿者感到欣慰。

当地民众说，几十年没人关注的事，被一个年轻女子梅念蜀，被“绿色昆明”这么一个不起眼的小小民间环保组织提出来。梅念蜀他们的能量不小啊，竟然调动了市委书记，调动千军万马的政府“正规部队”彻底解决了，昆明地下水的安全终于有希望了。

从接到村民举报，到《昆明市地下水保护条例》出台，历时两年多，梅念蜀带领队伍直接参与了政府法规制定的全过程，完成“公众参与”的一次成功实践，在当地民间环保组织，乃至全国民间环保组织中，都是不多见的。

马军和《中国水污染地图》

采访马军之前，我做了案头准备，把他的建树和获得的荣誉整理出来。我不会按照这些已经在媒体上出现过的“头衔”去对号入座，我只想知道，除此以外马军还做了什么，为什么做这些。后者最能打动我，因为那是我的了解，我的感受，决定我怎么去写他。

这个名字很普通，北京许多男孩子的名字里都有个“军”字，是家长的一份祝愿，希望这个男孩子能像军人一样坚强。马军这个普通的名字近几年多次出现在国内媒体视线内，当然也开始引起公众的关注，他创办的环保 NGO 就叫“公众环境研究中心”。

马军 1992 年从国际关系学院新闻系毕业后，受聘于香港《南华早报》，刚开始的记者生涯中他并没有格外关注环保。十年的新闻生涯马军走遍祖国大地，看到太多的江河湖海被糟践得实在不像样子，中国的环境危机，尤其是水环境危机，早已到了骇人听闻的地步，他采访不下去了。几年后马军出版《中国水危机》一书，这本深入探讨了黄河、长江、西北、东北、华北、东南、西南七大水域问题的著作，犀利地指出中国现阶段工程治水的积弊，提倡生态治水和开源节流并重的理念，十年之后的今天再读此书，仍能感受到马军这番论述的超前见地。2004 年此书被翻译成英文，在国内外引起很大反响。美国《华盛顿邮报》曾大篇幅介绍了马军和他的《中国水危机》。中国环境科学出版社出版的《中国水危机》第一版早已告罄，他们多次提出再版，让更多的人了解中国水危机的状况。

书籍出版后马军远赴美国在耶鲁大学做访问学者，正是有了这份经历，他对西方工业文明以及西式环保有了不同看法，他开始关注中华民族传承几千年的人与自然的“天人合一”。在他眼里，先民们出于对人与自然依存关系的朦胧意识，讲究敬畏自然，崇拜神山圣湖，客观上保住了一批关乎民族繁衍生息的水源地和栖息地，保护了一部分生物多样性，为我们今天的人们留下宝贵的自然遗产、生态遗产和思想文化遗产。

马军在耶鲁大学做访问学者时，听到中科院何祚庥提出“人类无须敬畏自然”。说来也巧，凡是听到这话的环保 NGO 们，没有一个人能无动于衷漠不关心，都会毫不犹豫站出来批驳这种观点。马军也不例外，他说，相对于神秘莫测的大自然，人类理性的认知是有限的，不可能完全了解清楚，也更不可能真正将其征服，对自然存在一份敬畏之心，和大自然和谐相处，放弃征服者的狂傲，才能减少破坏生态环境，维护生态平衡，最终有益于人类自身的生存。马军质问，如果有一天水里游的、天上飞的、陆地跑的千奇百怪的生命消灭于无形，那亘古的寂寞向你袭来时，你的无所畏惧还有多少底气?

正是十年新闻生涯中对中国水危机的担忧和对中国生态环境现状的思索，从耶鲁大学回国后，马军创办了“公众环境研究中心”。

他的信念和行动方向很简单，“用数据和行动说话”。数据就是信息，首先是水污染状况的各种信息，汇聚一起，做成《中国水污染地图》，建立了国内首个公益性的水污染数据库。

打开“公众环境研究中心”网站，一幅特殊的中国地图格外抢眼。在这幅承载着太多污染太多苦楚的地图上，有着数千个水污染的信息。打开“污染源分布”栏目，能看到全国水质自动监测站实时运行状况，从七大流域到“三湖”、西北内陆河。数据来源赫然写着：环境保护部网站、中国环境监测总站发布，表明这些数据出身“正统”，行为“严谨”，有可靠的社会信任度。

在企业查询中，可以找到“环境监管记录”。在“上海日立家用电器有限公司”

名下，可以顺利查到企业污水年排放量，以及其他污染物排放状况。这些数据，直接来自上海日立公司的“自我曝光”。

全国各地的人们，都能从《中国水污染地图》中查到自己家乡附近企业是否偷排污水，对自己家乡河流水源地是否造成危害。有这样的地图在身边，老百姓放心了。

四年如一日艰苦的数据挖掘整理，《中国水污染地图》上从最初的 2 500 多条记录，到现在有 4.26 万条企业的污染记录，几年时间内增加了 4 万条。这些记录中也包括一些知名企业。而开发一年多的《中国空气污染地图》也已经列入了 1.5 万条企业违规超标排放的空气污染不良记录。

“两图”的数据都来自各地政府网或环保网站，清楚表明信息来源。马军带着中心工作人员和志愿者完成的两大数据库，作为政府和企业之外的第三方来审核数据信息，公正地为已经整改“知错”的企业提供表明态度的平台，让广大公众信任企业、信任品牌的平台。马军带着他的团队开辟了一条政府信息公开和环境信息公众参与的新思路。

不到 10 名工作人员的小小中心，能够和成百上千尤其一些动辄几百强的大型企业去对话，不能不说是一个创举。两年前全球著名零售商沃尔玛公司一位副总来中国时特意找到中心，和马军面对面坐下来，了解数据库的情况。沃尔玛在中国有庞大的采购团队，这次来拜访中心的有 15 个人，都是负责在中国大宗采购的负责人。他们大多数人并不了解在中国采购的商品生产企业是否有环保违规情况，因此对这位副总亲自拜访马军和中心十分不理解，他们眼中只有商品的质量、价格、性价比，唯独没有环境标准。作为负责任的全球著名零售商，沃尔玛要求它的员工尤其高层管理人士，一定要把采购的大宗商品生产企业的环保责任感放在重要位置，同时把这种理念变成实际行动。这次拜访后不久，沃尔玛在北京宣布，自己的全球采购商必须要求商品生产企业达到所在地环境标准，如果不愿意或者做不到，就无法再继续维持供货关系。

马军管这个叫作“绿色选择供应链管理系统”，希望通过这一体系，这些企业能够公开宣布并做到在中国不用污染企业做供货商。这种体系已经传播开来，从大洋彼岸的美国企业开始，欧洲的一些大型企业也已经使用。

“绿色选择供应链管理体系”直接面对企业，是环保 NGO 做“绿色供应链项目”的一条腿；后来做的“年货黑名单”则从消费者群体入手，间接给污染企业施加环保压力。这就是马军他们做“绿色选择”的两条腿，对象不同，目标一致。

马军和“两图”靠数据说话，数据来之不易。“水图”的4.26万个数据，“气图”的1.5万个数据，将近6万个数据，都是靠马军和他的团队从政府相关网站获得，或者有人举报企业污染后去寻找准确数据来印证。每个数据从得到、整理、确定、校对、“入图”，每道工序、每个标点都不能有半点差错。并不是每级政府每个部门都能痛快地把数据公开，并不是每个企业都能老老实实地把排污情况送到公众面前，得到数据不易，使用好数据更不易。公众看着，各级政府相关部门看着。

2006年马军获得两个荣誉，当年5月被美国《时代》周刊评选为全球最有影响力的100人，年底，又被评为中央电视台、国家环保总局联合发起的绿色中国年度人物。2009年4月马军和他的团队做的“中国水污染地图及绿色选择”项目，获得阿拉善SEE生态协会和美国大自然基金会（TNC）联合主办的第三届“SEE-TNC”生态奖的二等奖。评审方认为，马军及其团队的工作依靠环保NGO自身的“工作智慧”，用商业等现实力量而非激情的口号，驱动利益各方主动加入环保行列。同年马军和于晓刚一起荣获菲律宾政府颁发的“麦格赛赛奖”。当马军和于晓刚一同站在领奖台上时，所有的人又一次看到了中国环保NGO的力量。

美国《时代》周刊这样评述：“如果把马军的头像和篮球明星姚明以及章子怡的头像一起放在北京街头的广告牌上，大多数路人肯定不知道他是谁。但那些知道的人会说，中国需要马军这样的人，而且对于这一类人的急切需求远远超过一名体育巨星或一个电影明星。”

汪永晨和“江河十年行”

我手里有份“2009年12月江河十年行行程安排”——

2006年11月，绿家园志愿者开始了“江河十年行”，即连续十年，通过电视、广播、报纸和网络媒体，不间断地关注中国西南部的六条大江大河。这六条江河是岷江、大渡河、雅砻江、金沙江、澜沧江、怒江。

三年过去了，几十名记者、专家和民间环保志愿者沿着这六条大江大河实地考

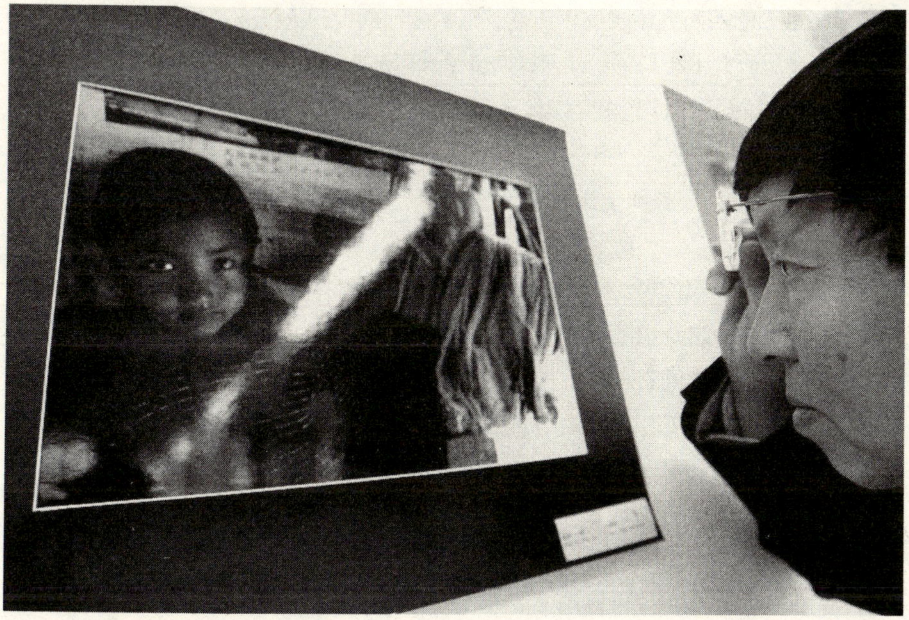
一位参观者在观看“情系怒江”环保摄影展。（汪永基/摄，图片来源：新华社）

察、采访，真实地记录了这些江河的变化，以及这些江河流域生态的变化，并将与这些江河相依相伴的民众的生活一同记录下来……

在总结三年江河行经验的基础上，2009年的行走将更理性，更具科学精神。我们相信，真实的、客观的记录才有生命力。在关注江河变化的同时，我们将更关注生活在那里的人们。因为，任何经济发展的同时，都应是以改善人的生产和生活环境，使人与自然更加和谐相处为终极目标。

2009年考察时间：12月16日~30日。这真是一个诱人而又艰辛的计划。他们沿途调研的水库大坝电站有：紫坪铺，杂谷脑河水电梯级开发，大渡河上的双江口、金川、丹巴、瀑布沟等电站，雅砻江的锦屏、二滩电站，金沙江的观音岩、鲁地拉、梨园、阿海电站，怒江上规划的电站坝址、六库电站，澜沧江的漫湾电站等等，还有那些大坝水库所在峡谷两岸生态环境的变化。

有一张2006年11月19日“江河十年行”第一年出发前在成都的照片，上面的十几个人兴奋不已，摆着各种“泡司（pose）”，站在前排衣衫最鲜亮张开手臂似乎要拥抱即将进入的西南大山水的，正是“绿家园”的发起人汪永晨，她的身后是水专家、公众环境研究中心马军主任。这两位是“江河十年行”第一年行动的灵魂人物。

汪永晨、马军带着十几位媒体人、志愿者，迈出十年宏伟计划的第一步。迈出这一步，他们再没有回身的余地。一步好走，万步艰难，一日好走，十年难行。为了怒江、为了长江上游水电开发，那片山河间注定留下他们的足迹，也留下更多思考。

按照汪永晨自己的说法，发起江河十年行的动因有两件事。第一件是2003年和其他环保NGO一起认识了贡嘎山中的高山神湖木格措，在那片神圣的湖水边，听到了“三江并流”中的怒江即将开发13级梯级电站的消息。电站开工之时，便是神湖木格措没顶之日。那里深山峡谷地质活跃、生物多样性丰富，民族风情依存，更有着木格措这般美得醉人的神湖。一旦通通让位给水电开发，成了人类追逐利益的牺牲品，我们将如何面对后代子孙？汪永晨站出来带着一些环保NGO和公众一起呼吁，木格措水电站终于不建了。当地藏族老乡站在静静的木格措湖水边向汪永晨他们竖起大拇指，“感谢你们为我们留住了我们心中的神湖。”

也在那年夏天，都江堰的百姓向汪永晨和绿家园求救，听说要在古老的都江堰鱼嘴口附近再建一座杨柳湖电站，2 000多年滋养成都平原的世界上唯一使用至今的无坝水利工程将在现代人手中“改变”得面目全非。汪永晨联合其他环保NGO当仁不让地冲了上去。秋天的时候四川省政府2003年第十六次常务会议上，四川省省长张中伟说:“省政府对这个事情（都江堰杨柳湖水电站）的意见是一致的，不能上。”汪永晨他们又一次看到了中国公民对江河开发公共决策产生了影响。

几年来汪永晨去过八次怒江，六次木格措，十次到过金沙江、大渡河、岷江及其支流。眼看着手中相机拍下的自然风貌一天天变化，被破坏得支离破碎，她的心在疼。

有人问，你的职业是公正地报道，为什么越位，既当裁判员又当运动员？

汪永晨回答：当你亲眼看到那么美的大自然被摧残、被撕碎时，你不管吗？如果管，仅仅靠手中的笔就够了吗？

她是个大忙人，一会儿大西南，一会儿大西北，一会儿哥本哈根，一会儿外地环保NGO邀请。回到家，常常深夜11点以后开始动笔，写稿子，还各种文字债，凌晨三四点后给各方朋友发电邮。我采访她是凌晨3点多，一口气给我发了20多篇文章，都是讲去年夏天她和杨勇等志愿者赴大西北找水的事。

“绿色记者沙龙”结束后，主讲人和各媒体记者又缠着主持人汪永晨问个没完。她一边回答问题，一边张罗着卖她们“背”来的书，《记者沙龙》《绿色使者》等。她特别向我力推《绿镜头——大自然的昨天和今天》，这本书文字图片都非常精美，是汪永晨在20多年中央人民广播电台记者生涯中写下拍下的。312页的书开价69元，够贵的。我还是笑着买下这些书。她马上招呼“绿家园”的工作人员，给我登记好名字和买书的款项，买书款计作捐款。

她周围的朋友都知道，每次出门采访、调研、讲座、出国，汪永晨都不忘背书卖书，能背多少背多少，坐飞机经常超载。先生知道腰疾缠身的她这样拼命，常常生她的气，可没办法制止。义卖是“绿家园”志愿者长期做的项目，坚持了多年，募捐所得已经为怒江边大山里的孩子捐献了37个阅览室，还买来光盘在这些学校开设电影课，让深山里的孩子们也能打开眼界。

“记者沙龙”结束，大家都走了，我们终于可以面对面坐下来，此时是晚上6点10分，一个多小时后她要赶另一场“约会”，还有别的记者等她。她笑笑说，不吃饭了，没时间。当天一起对话的，还有一位大学教授，正在写中国NGO的论文，对汪永晨和“绿家园”很感兴趣。

这一期“记者沙龙”正值西南大旱，有人又挑起西南水电开发的话头，说是那里的水库修少了。汪永晨用一种急促的语调说，要搞清水库有各种功能，有的是发电，有的是灌溉，有的是防洪。现在一提水库就是建电站发电，只剩下一个功能了，这个发电功能有利可图啊！她说，我们走遍那六条大江河，好多地方因为建了电站，下游整段河流一滴水也没有，裸露的河床全是大石头。上游截流，下游的地下水位下降，打不上水，那里的百姓喝什么？她直言不讳地诘问水电开发商们，有的水电站只管截住河流发电要利润，根本不顾下游百姓张着口等水喝，你们捞到巨额利益时，想没想过下游“嗷嗷待水”的百姓！我就是关注怒江，关注大西南水电开发，人家说我是“死磕”，不磕行吗？我从上世纪80年代开始就关注西南河流，那时看到的都是最漂亮最美的水，优美的高原峡谷，还有长江源头的冰川，现在破坏得惨不忍睹，冰川退缩得不成样子了。

她告诉我们，新一轮的水电开发给江河带来的影响可能比当年砍伐森林更严重，未来十年是中国江河变化最大的。十几年前长江上游大规模砍伐森林，直接造成的严重后果之一就是1998年长江中下游的特大洪水，乃至今天水患不断。本世纪初开始的长江上游水电开发热，仅能用“疯狂”二字来形容。新老水电集团、民营“炒水电团”，资金大把大把成百亿千亿地砸向那些地区，砸昏了一些人的头脑，砸碎了当地居民安稳平静的生活，砸毁了一条条江河。如果再这样无序无度地开发，真不敢想像十年后长江上游地区各条江河干流支流会是什么样，那里的居民将如何生活，那里的生态环境会变得怎样惨不忍睹，那时的长江中下游还会是美丽的江南大地吗?

于是，汪永晨、马军，后来还有杨勇，和志愿者们一起开始思索性地行走，调研性地采访，开始了江河十年行。

《中国经济时报》记者陈宏伟记录下第一次江河十年行的“集体日记”——

2006年11月19日 星期日 成都 阴

早上9点前从宾馆出发。苏燕纯是昨天晚上到的，任琴、曾繁旭和苏苏早上陆续从成都市区的其他地方赶来。这样，“江河十年行”第一年的队伍算是齐了。这些人包括:“绿家园”的汪永晨和萧远、水问题专家马军、《华西都市报》的苏苏、《南方人物周刊》的曾繁旭、《新京报》的郭晓军、北京电视台的郭铁军和柴济东、北京人民广播电台的邢云、《云南日报》的任琴、独立制作人苏燕纯（美籍），还有《中国经济时报》的陈宏伟。

2006年11月20日 星期一 雅安—康定 阴雨转晴

关于住宿，大家有了分歧：汪永晨强烈要求住在山上；马军建议下山，明日再上。事实上，住在山上有很大风险：当地藏民告诉我们，山上有旅馆，但没热水没电，只怕夜里我们挺不住。听说曾有野营者因寒冷和缺氧（当地海拔近4 000多米——笔者注）而在此丢了性命。汪永晨还想坚持，马军有点着急地警告说:“弄不好会出人命的！”汪永晨妥协。大家一起下山，宿雅拉乡王母村荣东江措老人家。

饭毕，所有人拉开架势开始工作。老柴、小郭、萧远和苏燕纯架起录像器采访荣东江措与老伴、孙子、孙女，别人分别去找其他所有能采访到的人采访。

深夜12点多，大家陆续睡下。陈宏伟与郭晓军、汪永晨、马军在客厅赶稿子。高原反应（王母村海拔约3 500米）使脑子如同灌了糨糊。至凌晨3点，几个陆续勉强写好。可是网络不行，怎么也发不出去。

马军警告大家，尽量不要感冒，否则很危险。大概听了这话有些紧张，加上旅途劳顿，郭晓军已经病了，陈宏伟也觉得自己要感冒。

2006年11月21日 星期二 康定—石棉 晴转多云

到了一座木桥边，差不多就是有人曾经设想修水坝的地点（木格措湖——笔者注）。眼前的美景震撼了所有人，全体又一次“崩溃”，下车狂拍不止。

突然，有哭声入耳——是汪永晨。她为保木格措湖是拼了力的。2003年6月，汪永晨与《中国青年报》张可佳第一次去木格措，由此，开始了对木格措修水坝的关注和呼吁。其间经历了太多挫折、委屈和痛苦。保住木格措虽非她一人之功，但终究比局外人的感受要深得多。

《华西都市报》的苏苏在“江河十年行”感言中写道:“一个人的十天可以做些什么？一个人的十年呢？也许还来不及细致盘算，这十天，这十年，已飞逝而过。我很庆幸我的十天，在2006年11月，跟这样的一群人一起度过。”

2007年12月14日，北京绿家园负责人汪永晨在“2007绿色中国年度人物”颁奖典礼上。（杜洋/摄，图片来源：新华社）

汪永晨把她身边做环保NGO的朋友称作“野人”，有“野性”的人，她自己当然更是。汪永晨的比喻让我的思维在读到这两个字时居然戛然而止，因为我再也找不到比这两个字更准确地形容她，形容我认识、采访过的环保NGO人。

野人必有野性。

当汪永晨甩着长达后腰的一条又粗又黑的长辫子“甩吧甩吧”行走在山川

峡谷间，身边群山高耸、林木黛绿，流水清新，野花满山，这个“野人”一定笑得尽兴尽情。而当身边出现断泾的河流露出龇牙咧嘴的碎石，在阳光中低下头，一座座大小电站把两岸山坡剥裂，“野人”们只能一次次哭泣。笑和哭，皆为大自然，皆为自己和人类生存的家园。

她和他们只有奔波在大自然的怀抱里，才能放松精神放松心境，得到最朴实的快乐。野性只有在旷野中方能整理出别样的思维，远远超前的思维，把大自然的忧当做自己的忧，把大自然的乐作为自己的乐。野性思维还要呼唤起最大多数公众的警醒，让环境保护、生态文明，甚至生态危机的字眼，扎根公众心间。

但这应该不会太远了，毕竟这些“野人”冲在最前沿的身影已经在公众眼前渐渐清晰，毕竟公众身边的水和空气变得越来越不干净，已经直接威胁到他们的健康。有一天，野性的思维变作公众普遍意识，汪永晨和环保 NGO 们就不再哭，只会笑了。

从“治沙”到“保护”的减法之路

2004 年春天，为北京乃至整个东亚的沙尘暴而忧心忡忡的一群中国企业家，想做一件在历史上“留下一笔”的事，想试图“扫清北京的天空”，于是他们来到内蒙古阿拉善腾格里沙漠。沙地的浩淼无际，沙尘暴的彪悍肆虐，人在其中的极度渺小，都让这群来自北京等大城市的企业老总们彻底震撼了。

那一夜，他们聚集在阿拉善腾格里沙漠腹地月亮湖边一所度假村酒店，走进刘晓光的讲述。之前北京首创集团老总刘晓光来过这里，满眼望去的大沙漠，苍天在浑噩的沙尘中颤抖，不能不使这位京城房地产大亨“跪倒沙地仰天长叹”，爆发出“人类在创造财富的同时也在毁灭自身”的哀叹。

治沙，成了这些企业家的理想愿景，成了他们在追求最大经济利益之外寻找灵魂丰满的另一个切入点。如果说上世纪 80 年代他们学习做企业，今天则突然发现，大家在找寻一种共同的语言，开始学习如何参与公民自己的公共事务。

百位中国企业家选了 2004 年 6 月 5 日，选择了一条与以往奋斗创业的人生道路有所不同的新路，“世界环境日”成了他们为绿色梦想行动起来的诞生日。SEE，亮丽的名字，历史的风景：以社会（socirty）责任为己任，以企业家（entrepreneur）为主体，以保护地球生态（ecology）为实践目标的绿色 NGO 的公益机构。

那刻起，阿拉善 SEE 生态协会站到中国绿色 NGO 行列中，逐渐成为这支大军中的巨人。

和其他绿色 NGO 组织成立之初一样，刚成立的阿拉善 SEE 生态协会也把目光锁定种树植草等一些“看得见”的环保建设项目。毕竟，当每位会员每年掏出 10 万元会费，凑出一笔上千万的巨款时，习惯于“看得见”楼座和产品的实业家们，要求“看得见”一片片树林草场，再正常不过了。

然而他们慢慢发现，大自然生态环境、生物多样性固有的“生态链”，根本容不下人为斜插进去的“外来入侵物”。种树植草要浇水，这边过度开采地下水，势必让另一块原本受地下水涵养的草场因缺水而干枯毁灭。巨大无边的生态环境，亿万年形成的生态链，此处与彼处紧紧相连的生态利益，岂是渺小的人类能够轻易干预的。

当种树植草的环保建设“加法”无法实施时，这些企业家们“及时”把“治沙”的口号收了回来，改用环境保护的“减法”。他们帮当地农牧民调整致富之路，减少过度放牧，保护草场的自然生态，让沙地里原有的梭梭林和草地，能够按照自己的生存方式自然修复。在组织当地社区建设项目时，帮助农牧民们积极参与社区管理，从“被管者”成为“主人翁”的新型社区管理者，和他们一起去探索一条不破坏当地生态环境的经济发展新路。他们的论点：当自然因素不可改变时，只能改变人们的生活生产方式。

阿拉善 SEE 生态协会宣布，我们已经从盲目治沙，走向更科学的生态修复，我们的工作对象不再是大自然，而是在那片土地上生活着的人们。从“加法”的治沙，转向“减法”的保护草场，这一漂亮的“转身”，使 SEE 完成了战略性的调整，成为以先进生态文明理念为依托，走上可持续发展道路的成功案例。

积累了一定资金和经验后，阿拉善 SEE 把视角横向扩展到支持其他中国民间环保组织。《光明日报》著名记者冯永峰赞道，他们是“用本土的力量支持本土的环保组织”。国外发达国家基金会资助 NGO 是很平常的事，但在我们国家却还很少。

他们支持的主要渠道有三：资助项目、颁发生态奖，以及做“绿色领导人”培训。

2007 年 10 月，SEE 执行理事会决定扩大资助范围。第二年，资助基金项目正式启动。一年多来，共资助其他环保NGO的项目14个，协议资助总金额近165.5万元，项目遍及内蒙古、四川、上海、贵州，以及各大专院校学生绿色社团。乌珠穆草原湿地科考与研究、江河十年行、上海社区水环境治理和环境教育项目、全国大学生环境保护网络建设等，一批品牌项目得以持续展开。

阿拉善SEE联合美国大自然保护协会（TNC）、印第安纳大学、北京大学、中山大学等国内外高校研究机构，进行了有针对性的“绿色领导人”培训项目，以国内外环境保护组织有成效的活动为案例，以国内绿色NGO迫切关注的生态环境热点问题为剖析点，授课与实践相结合，着力于提升绿色NGO组织领导人和志愿者寻求可持续发展的必要“绿色领导力”。

自协会成立的第二年起，SEE每两年举办一届“生态奖”评选。从第二届开始联合美国大自然保护协会（TNC），共同发起“SEE-TNC生态奖”。2009年“绿色昆明”的“滇池地下河调查及保护项目”等10个项目从全国各地申报上来的100多个项目中脱颖而出获得大奖。

美国大自然保护协会（TNC）中国区首席代表张爽发自内心地赞叹，“大量中国环保人士所运行的保护项目，资金很少，人手也不是很足，但态度、过程、方法、效果，都让我非常惊讶。从这些环保能人及其团队身上，我学习到‘中国式民间环保’的工作经验。”

阿拉善SEE生态协会秘书长杨鹏则说：“颁奖只是对那些做出优异业绩的机构或个人进行的奖励。更重要的是，我们还有更多的资助平台，包括资金上的支持、能力建设上的培训等。SEE今后的使命之一就是要当中国民间环保事业的催化器。同时，我们也想由此告诉世界，中国社会的自身能量有能力资助中国本土的环保事业。”

（选自2010年第14期《中国作家·纪实》，有删节，作者：陈金陵）

吃饭，天下大命

民以食为天。衣食温饱，是天字第一号大事，是睁眼第一件要事。对于拥有世界五分之一人口、13亿人的中国而言，尤其如此。对于全人类而言，温饱就是生存，就是第一人权，唯当生存有保障、衣食无忧之后，人们才可能去讲求发展，讲求享受。然而，对于中国，乃至对于全世界，远离饥饿始终是一个尖锐而峻切的课题。

吃饭比上天重要

让我们从这样一个故事开始吧——

1977年夏天，在一次科学和教育工作座谈会上，一件意外的事情发生了，有人向刚刚第三次复出的中共中央副主席邓小平当面呈递了一封信。这是由时任北京农业大学的三位副校长联名写给邓小平的，信里的每个字都如铅块般沉重，他们历数了北京农大在十年动乱中被迫搬迁并遭受惨重破坏的遭遇，"请求中央批准把学校迁回北京原址——马连洼办学。"邓小平看后，以沉重的心情立刻作了批示，然而，马连洼早已被国防科委的几个部门占用着，而且是经过毛泽东批准的。而在当时，"凡是毛泽东同志圈阅的文件都不能动，凡是毛泽东同志做过的、说过的都不能动。"而且，谁都知道，国防科委自诞生之日起就是共和国最重要的战略部门之一，北京农大想要搬回原址办学，或许只是一种梦想，想迈出一步都太难了。但当时分管国防科委的聂荣臻元帅却说了这样一番话："农业大学迁回北京原址办学的事，早经邓副主席和中央同志批准，并已责成国防科委贯彻和执行。9亿人的吃饭问题是比'上天'更重要更迫切的重要战略问题。"身经百战的聂荣臻元帅站在更高的战略高度，一下揭示了一个比一切战略问题"更重要更迫切"的战略问题——吃饭比上天重要！

叶剑英元帅也迅速表明了他坚决支持农大迁回原址的立场和态度，还给北京农业大学题写了校名。邓小平、叶剑英、聂荣臻……这些经历过战乱也经历过饥荒的开国元勋，或许，从一开始就不是单纯地考虑一所大学迁回原址的问题，而是要为中国人的“吃饭问题”扫除一切障碍。1995年，经国务院批准，早已迁回原址的北京农业大学与北京农业工程大学正式合并，成立中国农业大学，但叶剑英元帅题写的校名和聂荣臻元帅批示“吃饭比上天重要”的纪念碑，还矗立在经历了百年风雨沧桑的农大校园。

2009年春天，我特意去马连洼农大校园去找寻这两座碑，我看见了，它们并没有我想象的那样巍峨，但当它们连同农大的整个背景在我的视野里突然出现，我难以描述我的感动，那一刻，有一种奇异的震颤传遍我的全身，它来自三十年前，三百年前，甚至三千年前……

今天的中国已经不是9亿人，早已越过了13亿大关。这里边可能还有多少人口是没有被统计的，而中国的人口峰值还远没有到来。现在的中国人，上上下下，不是没有粮食危机意识，而是有特别强烈的危机意识。而最让中国人挥之不去的一个魔影，无疑是美国人布朗在十多年前提出来的，有人称之为“布朗的咒语”：21世纪谁来养活中国人？

布朗提出这个问题的背景是，中国人终于告别了粮票，从1995年开始，粮票从流通领域开始步入收藏领域。这意味着，中国延续了40多年的“以人定量”的统购统销政策已经彻底终结，粮食开始和其他商品一样进入一个开放的市场。历史的教训是深刻的，“统购统销”和“以粮为纲”尽管在数十年里包括在十年动乱中都是中国没有动摇的基本国策，并且在后来又启动了世界上最严厉的人口控制政策，但中国人的温饱问题一直没有得到彻底的解决。中国人最终能够吃饱肚子，用农民的话说靠的是“两平”，尽管农民这种朴素的总结不一定确切，但它非常精炼地概括了能够让中国人吃饱肚子的两个伟大真理，一个是以邓小平为核心的中共第二代领导集体坚定不移地推动的改革开放政策，一个是以袁隆平为代表的科学家对“科技兴农”的居功至伟的实践。

中国人均粮食产量在改革开放之初的1982年就已达700多斤。从那以后便一路走高，到“布朗的咒语”横空出世时，1996 年，中国人均粮食产量已经达到史无前例的 800 多斤，中国也史无前例地从买粮难进入了卖粮难的时代。毛泽东在大跃进时代问过的一个问题，粮食多了怎么办？这么多粮食怎么吃得完？在几十年后已经成为现实。而市场开始第一次发挥对粮食的调节作用，从这一年开始，中国的粮食产量开始小幅回落，粮价在 1997 年后也开始首次明显上扬，同时也带动油、肉、蛋价格有所上涨。这其实只是在市场经济运行中对粮食生产过剩的一种客观反应，中国依旧有强大的粮食生产潜力和粮食储备来保证粮食供应，中国政府也丝毫没有松懈对粮食问题的高度重视。然而，饥饿已是中华民族最大的一个心理阴影，甚至是一个魔障，很少有人为农民的卖粮难担心过，但粮价稍有上涨，立刻就有无数人随布朗“项庄起舞”，危机，中国粮食危机！一时间，到处一片危机声，谁在养活中国？谁来养活中国人？我们刚吃了几天饱饭？诸如此类的问题，无不在表达中国人对粮食的焦虑，也表明了中国人面对市场经济的心理还非常不成熟，承受能力十分脆弱。

吃饭比上天重要，粮食是关系国计民生和国家经济安全的重要战略物资，这是中国人应该永远牢记的，丝毫不能动摇的。然而，中国也的确需要有一种更理性、更成熟的方式来面对和处置这些问题。

当历史进入了布朗设问的 21 世纪，中国粮食依然是府库充实，中国人依然丰衣足食。布朗担心的那种危机没有出现，而中国政府在刚刚进入 21 世纪的 2001 年发表的《中国粮食问题》白皮书，对“21 世纪谁来养活中国人”之类的问题作出了充满自信也底气十足的回答：中国能够依靠自已的力量实现粮食基本自给……高度重视保护和提高粮食综合生产能力，建立稳定的商品粮生产基地，建立符合我国国情和社会主义市场经济要求的粮食安全体系，确保粮食供求基本平衡，这既是我国政府解决粮食安全问题的基本方针，也是实现粮食安全的总目标。

那么，让我们就布朗的问题和中国政府的回答，来看看中国粮食的现实。

布朗说，中国的人口增长不可逆转。这也是他提出“21 世纪谁来养活中国人”的第一个问题。这也是第一个大问题，粮食主要是给人吃的。中国人口也的确还处在异常严峻的上升阶段。但从中国人口和粮食的现状看，中国粮食年需求量大致在 9 600 亿到 9 800 亿斤，这还包括了工业、饲料用粮，供需相抵，并扣除合理的安全储备规模 2 000 亿斤后，我国粮食仍有 4 000 亿斤左右的剩余库存。专家由此判断：

如果未来中国粮食产量能够保持不低于9 000亿斤的水平，就可以保障充足的粮食供给，不会出现安全隐患。

那么，从未来对粮食的需求看，“布朗的咒语”会不会灵验呢？这就要知道中国未来将会有多少人口。根据现行的《国家人口发展战略研究报告》控制人口的要求：到2010年，中国人口总量控制在13.6亿人；到2020年，人口总量控制在14.5亿人；到本世纪中叶，人口峰值将控制在15亿左右。这里谨慎起见，如果将15亿作为中国的人口峰值，这意味着，中国还需要为新增的2亿人口准备好粮食产能。而按照中国现在的粮食产量，每年一万亿斤粮食，足以养活20亿左右人口。这也意味着，中国人不但可以养活自己，每年还有充足的粮食储备、饲料和工业用粮，还可以为世界作出自己力所能及的贡献。

而布朗所担心的中国人口不可逆转，也是不科学的，当中国人口达到峰值之后，由于现行的计划生育政策对未来人口的必然影响，中国人口当逐年下降。这不是逆转又是什么？可见，我们对布朗提出的第一个问题是不必过于担心的。

布朗提出的第二个问题是，中国的农田减少不可逆转。

事实上这个问题一直是中国政府高度重视的。中国是一个发展中的农业大国，以世界上7%的耕地承担着养活世界22%的人口的重任，人多地少的国情使得粮食安全问题一直困扰着中华民族。这也使得中国政府一直厉行对耕地严格进行保护的国策。根据国土资源部发出的《关于进一步加强土地整理复垦开发工作的通知》，为严格补充耕地，坚守18亿亩耕地红线，从2009年起，除国家重大工程可以暂缓外，中国非农建设占用耕地将全面实行“先补后占”。如果这一政策得以落实，中国耕地就会保持现有面积。

另一种不必要的担心是，随着工业化、城市化的加速，粮食播种面积会快速下降，对于这个忧虑，也不能简单地用减法去计算。在工业化和城市化的过程中，也意味着农村人口和村庄的减少，很多人只算了城镇占用的土地，而忽略了无数散乱的村寨占用的更多的土地。事实上，随着我国工业化、城市化进程的加快，中国耕地还有进一步增加的一个不可忽视的潜力，这个潜力不是通过开荒，而是通过中国城镇化的不可逆转，使一盘散沙的自然村落逐渐合并到相对集中和科学规划后的城镇集中居住，到中国人口达到峰值时，中国城镇人口将占绝大多数，而农村自然村落占用的土地，将会广泛得到开垦。以我调查的坦渡村为例，全村土地3 000多亩，但耕地却只有2 000多亩，还有1 000多亩，就是被十多个自然村落占用了。这其中除了宅基地，也包括每户人家房前屋后闲置的土地，每家人还有一个比宅基地还要大的禾场。而1 000多居民如果通过移民建镇得以安置，100亩地就可以建成一个相当宽敞舒适的花园小区，而且让村民的生活质量得到巨大的改善。

这也让我深信，中国未来拓展土地的潜力，最宽广的一条路就是让无数的自然村落走向城镇化。而随着机械化的逐渐普及，农业剩余人口向城镇转移，配之以土地流转的政策，不但不必担心没人种田、种粮食，而恰恰是中国农村走向现代化的必由之路。事实也是这样，世界上的许多工业大国并不担心粮荒问题，如美国、加拿大、澳大利亚和欧盟都有余粮，都是粮食出口大国，缺粮的却恰恰是一些农业国家，像非洲大陆、西亚的部分地区很多人都处在饥饿之中。这是值得我们深思的一个问题。粮食固然重要，但不能因对粮食的误判，让它成为我们走向现代化的阻力和包袱。

针对中国的工业化和城镇化进程加快，有人因此断言，中国经济正处于“费景汉－拉尼斯”拐点。大意是说，如果一个国家在工业化过程中，不重视农业生产，不断向工业转移农业资源，就会出现全社会资源都趋向于赢利高的行业，社会资源开始撤离农业，造成农产品总供给的结构性短缺，农产品价格上扬，粮食问题将不可避免。但在目前，这种断言在中国还是一个假定的判断。不过，从战略的高度上，应该引起中国对农业和粮食的高度重视。

从一般意义上讲，尽管可以将自然灾害频繁和流通环节不畅等变量引入粮食价格上涨的坐标中来，但这些临时性因素并不是粮价上涨的决定力量，推动粮食价格上涨的根本性动力在于不断推进和日益加速的中国工业化和城市化，进而产生粮食供求局面的失衡。但中国当前的现实是城市化率还只有30%，这相对于发达国家还非常低，而国际上一般在工业化中期的城市化率至少要达到50%以上。按照这一标准，我国的城镇人口要在现在的基础上增加2.5亿，由此必然大大增加对粮食的需求。但这个问题诚如布朗的问题，只要环境方面不出大问题，中国就有足够的粮食生产潜力来保证自己不可逆转的城市化进程。这也是中国走向现代化的必由之路，我们完全没有必要在心理上背着一个不存在的沉重包袱上路。

随着工业化与城市化的加速推进，城乡居民经济收入明显提高，食物消费结构也在明显升级。这是一个值得我们重视的问题，也就是对传统粮食观念的转变，以后，粮食这个概念，可能逐渐将被更有广泛外延的“食品”所取代。中国人在粮食紧缺的年代产生的“以粮为纲”和“民以食为天”的观念，将会出现结构性变化。在未来的岁月里，我们不但要种小麦、种水稻，还要更多地种五谷杂粮，资料显示，2007～2008年度，我国玉米消费需求较上年度增长3.6%，大豆消费需求较上年度增长5.7%。除此之外，更多的粮田可能要用来发展品类繁多的种养殖业，以满足国人对食品消费结构的升级，随着肉禽蛋奶和精加工食品消费需求的迅速增长，现在的主粮必然会呈现逐渐下降的趋势。事实上，以南方地区为例，每个人对大米的需求现在下降到了每年人均500斤以下，而城市人口对大米的需求更少，每个月30斤米就根本吃不了。据此估计，城市人平均对粮食的需求在三四百斤。这可能还是一个被高估的数字。

另一个不可忽视的方面，就是通过土壤改造拓展和改造田亩。举一个例子，1984年，李振声同中国科学院的农业专家，通过三个月的调查，提出了黄淮海中低产田治理方案。在周光召的全力推动下，中国科学院400多名科技人员深入黄淮海地区，与地方科技人员合作，开展了大面积中低产田治理工作，使黄淮海地区增产了500多亿斤，与学者们预测的500亿斤增长潜力相符。这一改，就超过了江汉平原以及湖北全省的粮食总产量，可见粮食增产的潜力有多大。

再看布朗的第三个问题，环境破坏造成的农作物减产不可逆转。

应该说，布朗的这个问题击中了中国现实的要害。

中国最严重的问题就是对自然环境的破坏，这种破坏又大致可以分为两个阶段，一个是前30年，从大跃进、人民公社到农业学大寨，各地几乎是不计代价地兴建农田水利，当时的农业样板大寨，最重要的建设就是梯田，所谓“先治坡，后治窝”，宁可忍受家里破烂，也要改善基本农田，但这种对农田水利基本建设持续的高强度投入，既功不可没，也得不偿失。说它功不可没，是有些水利工程所产生的功效保证了当时的粮食增产，至今还在发挥作用；说它得不偿失，是在那个过分相信人定胜天的时代，有很多用人海战术兴建的工程不但让当时的民力大伤元气，而且最终被历史验证是失败的或接近失败的工程，譬如洞庭湖、鄱阳湖流域的围湖造田、北大荒对湿地的过分开垦，以及学大寨、修梯田时对山林的大规模毁坏，都是人类对大自然欠下的难以偿还的巨债，也是引发新的灾难的原因，如1998年的长江大洪水就与洞庭湖的几十年内的围湖造田有直接关系，一些山区的泥石流和地陷等地质灾害，就是因为人类在荒山坡上修梯田而毁坏了山林，而气候的异常、灾难频发，也与森林毁坏和湿地的消失有关。现在许多地方都在退田还湖、退耕还林，很多人又开始担心农田面积减少，而从自然规律来看，哪怕农田面积减少，这个债也是坚决要还的。

现在，有这样一种情绪，有的人还在怀念那个特定的时代以人海战术来兴修水利，这是缺少理性的。在那个年代，由于许多工程是仓促上马，遗留下了许多病险水库，成为今天的隐患，但由于改革开放以来国家对水利和农田基本建设的巨大投入，以“万里长江，险在荆江”的荆江为例，当年荆江分洪后依然年年要抗洪抢险的荆江大堤，在洞庭湖综合治理和防洪大堤加固之后，那种一到汛期就是千军万马上堤抢险的危机四伏的场面，十年内已基本上消失，我深信，只要人类不再疯狂地抢占大自然的地盘，那样的危机也不会再出现。有人担心，现在农村青壮年劳动力大量进入城市，许多地方只有老人孩子留守，农田、水利基本建设没人管了，这仍然是当年的人海战役思维。事实上，在一个市场经济越来越完善的时代，市场不会留下任何死角，农田、水利建设完全可以通过市场化手段来解决问题，而机械化施工也远比那种人海战术能发挥出更大的效益。最重要的不是担心没有人来兴修水利，而是加强对工程的监管，以避免出现豆腐渣工程。在这些与人民的切实利益有关的建设项目中，最重要的是赋予我们的人民以决策权、知情权和监督权。

第二个阶段，就是近30年来的工业的污染，尤其是废水的排放，一直是对农业生产最可怕的威胁。而这样的污染，主要来自内地的、尤其是中西部的“县域经济”。当我穿行在九大商品粮基地时，几乎每到一个农村，都能看到污水滚滚的黑色河流。还有大片的农田在工业废水中枯萎。即使没有枯死，这样的农田也只能生产出比使用农药更加有毒的粮食。而这样的污染，绝大多数来自所谓“县域经济”和乡镇企业。很多农业大县，想到的都不是怎样延伸农业的产业链，不是推动农业现代化，而是希望通过办工厂来迅速增加财政收入，也包括迅速搞出“政绩”，而县一级的环保部门大多是为“县域经济”服务，只要上面没有人来查，基本上是睁一只眼闭一只眼。这里面还有许多众所周知的猫腻不说。这种县域经济就是污染经济，他们的利润基本上就是在地方保护主义的保护伞下省下来的排污费。他们从沿海地区引进的一些工厂也大多是污染严重的工厂。而最大的受害者就是当地农民，除了农田被污染，近30年来，农村得各种怪病的、绝症的人越来越多了。这种“无工不富”的县域经济思路，应该引起有关部门的高度重视了，决不能一窝蜂地大办工业，中国应该因地制宜地明晰产业分布带，对一些工业基础薄弱的农业大县，应该立足于怎样从种养殖业方面来拓展和深化发展县域经济的思路。关于这个问题，在拜访中央党校三农研究中心主任张虎林教授时，我就非常坦诚地提出来了。说实话，当时我很激动，我记得当时我还很激烈地打着手势说，这种可怕的“县域经济”，真的不能搞了！

张虎林老人的脸色也很严峻，他考虑的问题肯定比我复杂得多。我也深知，要解决这个问题，不是激动就能解决的。中国目前还处在一个重建理性的过程，漫长的过程。而“布朗的咒语”，在他的第三个问题上，已经在应验并将进一步验证。

布朗在提出了三个问题后说，虽然中国也可以有能力用足够的外汇储备来购买美国的所有粮食，甚至买上几年美国的收成，但谁又能供应得起十几亿中国人的粮食缺口？

诚实地说，如果中国真的会出现粮食缺口，可能就是第三个问题得不到有效解决。这也就是我们还要进一步强调和重申“吃饭比上天重要”的意义。试问，连国防科工都没有吃饭重要，难道这种可怕的“县域经济”就比吃饭重要？

看了布朗的三个问题，再来看看《中国粮食问题》白皮书，它的核心意图就是“高度重视保护和提高粮食综合生产能力，建立稳定的商品粮生产基地”，而在你翻它时，最好同时翻开中国的粮食版图。

中国粮食作物种类多、分布广、地域差异大。生产水平不平衡而发展潜力大。中国栽培较普遍的粮食作物共有20余种，其中有些还有春播、夏播、秋种和冬种之分，而每种作物又有不同的品种，世界各种主要粮食作物几乎都见于中国。

中国也是世界重要的产粮国之一，1990年粮食产量约占世界粮食产量的22.8%，稻谷、甘薯产量均占世界第一位，小麦和玉米、谷子居第二位，大豆和高粱居第三位。

中国是世界上人口最多的国家，也是世界产粮大国，其中粮食作物面积占全部耕地的五分之三以上。

中国的主要粮食作物一直是“北麦南稻”，粮食主产区遍及全国各地，但西部地区粮食播种面积不足全国的百分之五，粮食产量仅及全国的百分之四。这也是历史早已形成的格局，对中国粮食的现状没有太大的影响。目前粮食面积减少的主要是沿海发达的工业和商贸圈，最令人关注的也就是我在前面提到过的珠江三角洲商品粮基地。

小麦。目前，小麦播种面积广布全国，以黄淮海平原及长江流域最多，可分冬小麦和春小麦，以冬小麦为主，其面积和产量均占80%以上。全国有14个省、市、区种植春小麦，主要分布在长城以北，岷山、大雪山以西地区，占全国春小麦面积的85%以上。冬小麦可分为北方和南方两大区：长城以南，六盘山以东，秦岭、淮河以北为北方冬麦区，面积和产量均占全国冬小麦的70%左右，大都和玉米、甘薯、高粱、谷子、大豆等轮作，多实行两年三熟，部分一年一熟或一年两熟。以麦产区为主的中国北方农村今天已经成为中国机械化程度最高、耕地面积最大的农耕区。工欲善其事，必先利其器。从“牛农业”变成了“油农业”，机械化代替手工工具，提高劳动生产率，还有一些更高效的农业产区如北大荒已经迈向欧美发达国家的生态农业、绿色农业和精准农业，这也就是白皮书中特别强调的“提高粮食综合生产能力”，他们走向现代化大农业的前景越来越宽广。

稻。中国是世界种稻最早、产稻谷最多的国家。目前，稻谷在各种粮食作物中平均单产最高，全国90%以上的稻谷集中于淮河、秦岭以南的南方地区。稻谷面积和产量均占全国的三分之二。据袁隆平院士介绍，他考察过美国、日本和以色列等农业高度发达的国家，也考察过很多发展中国家的农业，中国在世界上的农业发展程度，处在中等偏上，而中国的水稻在国际上处在领先水平。这里面杂交稻作出了巨大的贡献。他算了一笔账：中国的粮食安全线是9 400亿斤，全国有4亿5 000亩的水稻种植面积，如果每年推广种超级稻1亿亩，每亩就算增产300斤的话，一年就可以增产300亿斤。这相当中国一个中等省的全年的粮食产量，可以供养4 000万人口！到2010年实现超级杂交稻的第三期的目标，大面积示范亩产达到1 800斤，实现超级杂交稻的大面积应用，进而实现“种三产四”，即种三亩田就能生产出四亩的粮食，在五年内，全国就可节省土地2 000万亩。尽管目前种粮还很难让农民直接致富，但这为农民致富创造条件，这些节省出来的良田，可以用来发展经济效益较高的种植业，同时也保证了中国的粮食安全。

袁隆平的杂交水稻配制种子成功，可以说是中国粮食史上最伟大的一个事件。从1975年大面积制种成功，在此后十年全国累计种植杂交稻面积12亿5 600万亩，

2004年4月15日，74岁的袁隆平院士（右）和76岁的杨振玉研究员在国家863计划杂交水稻与转基因植物海南研发基地交流经验。（姜恩宇／摄，图片来源：新华社）

累计增产稻谷2 000多亿斤。1996年，根据袁隆平的提议，农业部制订了超级稻发展计划，到2010年，超级水稻单产将达到每亩1 800斤。袁隆平院士说，中国目前的杂交水稻播种面积大约为2亿亩，如果都种上超级稻，每亩可增收水稻300斤，新增水稻总产可以多养活7 500万人。农民兄弟说，杂交水稻救了大半个中国的人，这话并不浮夸，因为原产一二百斤的稻田，在引种杂交水稻后，亩产高达一两千斤。袁隆平院士充满自信地坦言：“中国水稻研究远远走在了世界的前列，困扰中国几千年的粮食问题基本破解，中国生产的粮食完全能够养活自己！”

在中国的主要粮食作物中，小麦、水稻和玉米合占全国粮食总产量的86%以上。此外，还有高粱、谷子、薯类、大豆等主要粮食作物。但现在，这些粮食作物更多的是用作主食之外的杂粮、食品酒精和生物汽油的工业燃料，其中，玉米在粮食作物构成中仅次于稻、麦，而居杂粮之首，目前玉米产量占全国粮食总产量的21.69%，主要集中栽培区是从黑龙江省大兴安岭，经辽南、冀北、晋东南、陕南、鄂北、豫西、四川盆地四周及黔、桂西部至滇西南，面积占全国玉米面积的80%左右，其中东北多于西南。东北和西北地区以一熟春播玉米为主。黄淮海平原和西南山地为春播、夏播玉米混合区。华北地区两年三熟制多采用春播玉米晚熟种，一年两熟制则用夏播玉米早熟种。云贵高原也是玉米的重要产区。长江中下游及华南各省区为春播、夏播、秋播玉米混合区。高粱、谷子、大豆主要分布于中国北方，是洼涝盐碱地区的主要作物。谷子耐旱性强，全国95%的谷子面积集中分布于黄土高原、黄淮海平原、松辽平原和内蒙古西部和东南部。东北和西北以春谷为主，华北夏谷居多。大豆原产中国，栽培历史悠久，主要集中分布在东北平原的松花江下游，黄淮海平原的鲁西南、豫东、冀东北及晋西北和苏皖两省淮北地区。此外，还有以甘薯为主的薯类作物，全国薯类面积和产量分别占粮食总计的8%和6.1%。黄淮海平原和长江中下游以夏秋薯为主，华南沿海以秋冬薯为主，内蒙古东部及东北三省以春薯为主。马铃薯主要分布在东北、内蒙古和西北各地。木薯集中分布在南岭以南的两广和滇南。

这就是一幅大轮廓的中国粮食种类分布图。再看白皮书特别强调的“建立稳定的商品粮生产基地”的现状。事实上，对于中国的九大商品粮基地的叙述，我在前面都有以点带面的翔实叙述，这里没有必要再过多地重复那些细节，只回溯一下大致的情况。从2009年1月到6月底，我用了半年时间，穿插走访了洞庭湖平原、江汉平原、珠江三角洲、江淮地区、太湖平原、鄱阳湖平原、松嫩平原、三江平原，九大商品粮基地我走访了八个，还跑了广东、江西、福建、安徽、江苏、河北、河南、湖北、湖南、北京、天津及东北三省15个省（市）的粮食产区，另一个重要的商品粮基地成都平原，这次我虽然没去，但在此前，也曾多次到过那里。这次走访加上过去积累的记忆，使我对中国粮食生产尤其是商品粮供应的家底子多少有些了解。

所谓商品粮，就是指农业生产单位或个人为交换而生产的粮食，具有使用价值和价值两大因素。为自己消费不是为了交换而生产的粮食不是商品粮。例如，在统购统销时期，粮食部门计算商品粮是将定购减去返销。简单地说，“商品粮”就是进入商品流通领域的粮食，在某种意义上来说，也就是给不种粮的人吃的粮食。一直以来，我国的商品粮主要来源于农民和国营农场交售给国家的粮食。

在九大商品粮基地中，北大荒垦区就跨越了两个：松嫩平原和三江平原。黑龙江省委在今年年初召开的全省农村工作会议上强调，除了要抓好三江平原和松嫩平原两大农业开发区建设，推进千亿斤粮食产能和新农村建设两大工程，今年还要确保粮食产量超过850亿斤，这也是北大荒农垦系统、两大商品粮基地加上黑龙江全省的粮食生产能力。按目前中国粮食人均实际需求量每年500斤来计算（由于各种副食品供应的充裕，实际上这个粮食消费量还被高估。数据显示，自1985年后，作为主食的稻谷加小麦在粮食总产量中的份额就开始下降，而作为饲料和酒精、淀粉原料的玉米则替代了它们空出的份额。这说明，酒肉之需开始弥补口粮之需。随着人们的膳食营养水平的改善，中国人对口粮的直接消费正在逐年减少），一个黑龙江省的粮食产量就可以养活1.7亿人，而黑龙江省人口总数约为3 832.9万人。这意味着一个黑龙江省的粮食就足以养活四个黑龙江省，而在他们千亿斤粮食产能得以实现后，他们对国家的粮食生产将作出更巨大的贡献。

洞庭湖平原以及湖南全省的粮食产量，今年可望突破600亿斤大关，这意味着他们在养活6 778.25万湖湘儿女之后，还可以另外养活一个5 000多万人口以上的大省；江汉平原以及湖北全省的粮食产量在2007年就已达到457亿斤，而湖北省总人口为6 016.1万人，在满足本省粮食供应后，也有大量富余粮食调出；江淮地区以及安徽全省粮食产量已突破600亿斤大关；太湖流域以及江苏全省粮食产量已达到608亿斤；鄱阳湖平原以及江西全省的粮食产量连续四年创新高，已达380多亿斤；成都平原以及四川全省的粮食产量已跃上700亿斤台阶，四川农口部门称，汶川大地震对全省粮食总产量影响不大，全省粮食播种面积稳定在1亿亩以上，而且有望在2015年再增加粮食产量100亿斤……这些粮食生产大省在满足了本地人口需要后，都有大量余粮调出。

这些数字均来源于当地农口和统计部门发布的最新数据，我又以中国宏观数据挖掘分析系统为参照作了核对，应该是相当准确的。它表明，中国九大商品粮基地中的八个依然保持粮食增产的强劲态势，唯一一个出现粮食减产的是珠三角地区。珠江三角洲商品粮基地以及广东全省的粮食总产量约300多亿斤，这也是目前中国粮食缺口最大的地区之一。由于广东省尤其是珠三角地区处在中国改革开放的前沿，从1999年起粮食播种面积和总产量都在逐年下降，这里又是外来务工人员最集中的地区，广东已经成为全国最大的粮食主销区，产需缺口约400亿斤左右。但这里显然也存在着人口与粮食消费重复计数的问题，许多外来务工人员在广东吃粮，也把家里那份粮食节省下来了。尽管有不少学者以珠三角为例来表达他们对粮食的担忧，担心我们又会像上世纪50年代末期那样，再次奋力投入工业化、城市化之时而出现大规模的饥荒，这种警觉是有必要的，但只要对中国粮食的宏观生产能力略有了解，过分的担忧又是多余的。

而中国的粮食产区，远不止这九大商品粮基地。农业部副部长危朝安日前表示，今年我国粮食生产继续保持良好的发展势头，已实现粮食连续四年增产，2009年尽管发生了北方的严重旱灾，南方又连遭暴风雨，但粮食总产仍有望超过10 000亿斤。

这些粮食够中国人吃吗？这就涉及了中国的粮食安全线：我们到底需要多少粮食？

这个问题袁隆平院士非常谨慎地回答了，目前，中国粮食安全线是9 400亿斤。中国的粮食生产能力远高于这个安全线。这么说吧，只要不再出现大跃进运动中那种全民大炼钢铁、把熟透了的粮食烂在田野的情况，哪怕出现了比较大的自然灾害，中国仍可打出足够的粮食，并可以通过粮食市场满足每一个中国人对粮食的需求。中国现在面临的不是粮食危机，而是一个越背越重的包袱，每年都有大量的余粮转入国库——国家粮食储备库。而从市场经济的价值规律看，粮食的储备并非越多越好，在储备的过程中就加大了粮食成本，也难以避免粮食的损耗，而这都是由国家买单的，事实上也是纳税人在买单。

所以，粮食也是一把双刃剑。我们既要强调“吃饭比上天重要”，同时也要重视粮食产量过大再次出现“卖粮难”的问题，考虑把粮食产量调控到一个合理的基数，还是那句话，不能摸着脑袋想事，只能按经济规律搞经济。

事实上，早在1985年，茅于轼就出版了《择优分配原理》一书，将整个经济运行归结为约束条件下的极值问题，由此论证利润极大化将导致资源的最优配置，而价格是最有效的经济信息系统。这个理论体系自洽而有大量实证支持，极具说服力。茅于轼痛斥“虚拟的”粮食危机，其基本论点正是源于社会经济系统的内在机制，“只要市场在，就不愁买不到粮食。”“个人的粮食安全依靠市场，国家的粮食安全同样依靠市场。这没有什么本质的不同。世界市场上从来没有缺过粮，倒是总是生产过剩，为卖不出去发愁。各产粮国都想尽一切办法补贴出口粮食。世界贸易组织近期的一个重要任务就是取消粮食出口的补贴，让粮食自由流通。因为过剩，过去半个世纪虽然人口增加一倍半，人均消耗增加17%，种粮食的人减少了大概三分之二，而粮食价格相对于其他商品却降低了一半。”这是一个极有力的论证。仔细思量这个论据，不难发现它是建立在“有效需求”之上的：只要你有钱，就可以在市场上买到粮食，粮食相对于其他商品的价格，是表征粮食余缺的信息系统，既然相对价格在下降，足以证明无缺粮之虞。这个论证完全符合经济学教科书的原理，足以从理论上消除关于粮食危机任何“虚幻”的观点。然而，这个观点却遭到了很多人的批驳，认为他这个论证用粮食购买力替换了全社会人口对粮食的实际需求，而只承认有购买力的需求。事实上，当今挨饿的人全是缺乏购买力的穷人，在茅于轼的论证中，这部分需求是不存在的。而我们很容易发现，这种针对茅于轼的批驳偷换了主题，这不是粮食少了的问题，而是钱少了的问题。

越是在激烈的争论中，越应该保持冷静的理性。应该说，中国政府有关部门在这方面保持了足够的理性，来自权威部门的声音表示：我国粮食安全保障充分，中国的粮食、油料、水果、肉类、禽蛋、水产品等产量已连续多年稳居世界首位，人均占有量达到或超过了世界平均水平。农业方面的专家普遍认为，我国目前的粮食安全状况是新中国成立以来的最好时期。虽然近几年来我国粮食库存降幅较大，但这是有序调整，近期我国粮食供给仍能完全满足市场需求，不会出现粮食短缺局面。

天下大命

中国历代粮食储备，一是官仓储备，二是藏粮于民。而官仓又分地方和朝廷。事实上，这种格局至今未变，目前，我国粮食储备基本上分为三大体系：一是中央储备，二是地方储备，三是农户储粮。目前，分散的农户储粮仍是我国粮食储备的主体。一些专家说，藏粮于民——可以为粮食安全起到蓄水池作用。但令人担忧的是，农户储粮条件差，浪费损失巨大。据国家粮食局副局长郄建伟介绍，由于农户储粮装具简陋、储粮技术水平低，农户储粮损失大，平均损失为5%～8%。这个比例不大，但只要稍作推算，全国每年农村储粮水平普遍偏低，每年损失粮食就在350亿斤左右，这相当于江西全省的粮食年产量。

然而，我在很多农村看到的现实却是那样的让人揪心和惋惜。在黑龙江尚志市元宝镇，在村口的土路边，我看见一个一个露天粮囤，下面由木栏围着，上面拉着一圈铁丝网，顶上盖着几片水泥瓦。那金黄金黄的玉米棒子上已布满了霉烂发黑的斑点。这一囤粮食，该有上万斤，一个农民要打出这么多粮食，该付出了多少汗水，可现在，就这样一天天地在风吹雨打中糜烂着。难道这些农民不心疼？问村人，怎么不把粮食存放在更好一点的地方？他们气呼呼地说，还哪有地方存？连床底下都塞满了，连猪栏、牛栏里也放的是粮食。又问他们，为什么不卖？他们反问我，你说，咋卖？连肥料钱都换不来哩！但我想，就算卖了赔本，也比烂在这里强啊，多少能减少一点损失。然而，事情却并非这样简单，一是这些农民把这些粮食储存下来，是在观望和等待，希望价格高一点时再出手。然而，国库里粮食充足得很，市场上粮食也充足得很，等到粮食长出霉斑了，粮价也没有涨上来，一囤的粮食就这么废了，连猪都不吃了。“不过，等它烂透了，还可以用来肥田。”一个农民这样说。

如果有哪位专家学者不信，你可以去我说过的地方亲眼看看。我以我全部的诚实告诉你，这不是个别现象，而是中国农村非常普遍的现象。真的，我们应该反思，我们目前的粮食是过剩了，还是有危机？为什么有这么多的农民家里储存了这么多的粮食？不要责怪我们的农民兄弟，应该理解这些农民的观望和等待。在目前，我们还没有太好的办法解决农民种粮、卖粮的许多复杂问题时，最直接的办法就是应该为他们的观望和等待创造更好的条件。如果能够帮助农户改善储粮条件，全国每年相当于增加 1 200 多万亩高标准粮田。

改善农户储粮条件，就是增加“无形粮田”！

现在，我们看到了一线希望，最近，温家宝总理专门就农户储粮作出了重要批示:“我国农户储粮数量巨大，推广科学储粮技术，改善储粮条件，减少损失，对于保障国家粮食安全有着重要意义。国家粮食局要继续抓好这项工作，有关部门要予以支持和配合。”国家粮食局和各地粮食部门已开始推广农户科学储粮示范工程。其中，由成都粮科所、河南工业大学、辽宁粮科所、湖南粮科院等单位承担的“减少三大粮食作物农户储粮损失技术集成与示范”课题，经过对粮食主产区上万户农民的技术宣传和培训，先后建立了农户科学储粮技术示范点 3 000 多个，对降低粮食储藏损失、保障粮食安全、增加农民收入，促进新农村建设都起到了重要的示范作用。

还记得我走进小岗村的一户农家，第一眼就看见的是一个摆在大门口的大桶子，深绿色的，有一人多高，上面印着“科学储粮示范仓”，这是安徽省粮食局统一制作并在农村推广使用的。我围着这个大桶子左看右看，我是农民的儿子，在农村长大的，米桶和谷仓都见过不少，中国农民有储粮的习惯，但一直没有从根本上解决粮食在储存过程中受潮、霉烂和遭耗子、虫子的漏洞，粮食损失很大。现在，有了这样一个“科学储粮示范仓”，太好了，真是想到老百姓心里去了，而且想得特别周到。听这家里的内当家说，这样的一个示范仓，可以储存一吨粮，密封得很好，也不会受潮发霉，用起来也方便。我也立刻估算了一下，一吨粮，足够这一家四口吃上一年了。如果每家能够保证每年一吨粮的储备，全国农村每年储粮将是一个天文数字，我估计可以大大超过国库储粮。只要能保证每个农户拥有这一吨储粮，无论遭受怎样不测的灾难，只要没有可怕的人祸，就不可能发生大规模的饥荒，更不会像大跃进时饿死那么多人。一般来说，粮食生产的周期也就半年，有的地方还不要半年，哪怕有了半年的粮食储备，即使一季粮食绝收，半年之后新一茬的粮食也开始收割了。

安徽小岗村的这种“科学储粮示范仓”，应该像小岗村一样，发挥出一种标本的价值和意义。“夫积贮者，天下之大命也。”这个大命，既是国家使命，更是天下苍生的生命。

藏粮于民，可以说是为国家粮食筑起的第一座安全岛，但也要警惕让过多的粮食淹没了这座安全岛。

和农民储粮过剩一样，目前，在这三大储备体系中，中央储备仍是国家粮食宏观调控的主要力量，国家粮食库存总量，近年来已远远高于联合国粮农组织确定的17%～18%安全线，中国粮食的库存消费比是世界平均水平的两倍。

这无疑也是国家粮食安全的又一座安全岛。但国家每年为这些粮食储备而背负的财政包袱有多大？不知有人算过没有，这是我没有能力得出答案的。我只能说出一个普通公民的感受。但我们可以听听权威的说法。

包克辛，现任中国储备粮管理总公司党组书记、总经理，第十一届全国人民代表大会代表、农业与农村委员会委员。这个比我整整年长十岁的温州人，还有一些不可忽视的经历，他1968～1978年在山西农村当过十年下放知青；他先后毕业于山西财经学院贸经系和首都经济贸易大学财贸系；他曾在国家计委商贸局、经贸局、对外经济贸易司任职，从一般干部到对外经济贸易司副司长、司长，上世纪90年代曾挂职任广州市计划委员会副主任，2002～2007年曾任贵州省副省长。如此丰富的历练，又加之年富力强，作为执掌中国储备粮管理的第一人，让我们听听他怎么说。

他说，中央储备目前比较充足，中央储备需要完善的主要是进一步扩大调控能力。但粮食的调控是一个系统工程，要想更好地发挥宏观调控作用，只抓一个环节的调控往往效果不好。中储粮应该立足储备，在“两个确保”即确保中央储备粮数量真实、质量良好，确保在急需时调得动、用得上的基础上，向生产和加工流通环节延伸，实现从农田到餐桌的粮食全过程的调控。

2009年全国粮食产量有望再创新高

从农田到餐桌，对粮食的全程调控，这是中储粮的使命。

首先，在我国粮食储备体系中，中储粮在粮源上占有绝对优势。当下，国家粮食科技投入的两大重点领域是加工和仓储。

这里，我们只说仓储，也就是国家粮库建设。目前，遍布全国各地的国家粮库普遍应用了自主研究开发的机械通风、环流熏蒸、计算机粮情检测和谷物冷却四项新技术，大幅度提高了仓储技术水平。特别值得一提的几项高新技术是：郑州粮科院等单位研究开发的“散粮储运装备技术与应用”，为区域化散粮流通提供了技术支撑；国家粮食局科研院、河南工业大学等单位开发的低温储粮技术、成都粮科所等单位开发的二氧化碳气调储粮等技术得到了示范应用；郑州粮科院和北京中谷润粮科技公司等单位自主开发的玉米低温真空干燥技术、浅圆仓装仓防破碎装置、粮仓气密技术等成果解决了粮食流通实际工作中的诸多技术瓶颈。随着这些高新技术的综合利用，国家粮库建设设计水平近年来有了很大的提高。新科技革命和经济全球化为粮食科技的发展带来新契机，也使粮食生产、储藏、加工、物流的技术发展空间不断拓展，使国家粮食安全的保障能力大大加强。

应该注意到，当前，我国粮食库存品种结构与粮食消费需求存在结构不适应的矛盾，加剧了粮食市场稳定风险，值得关注。从粮食消费品种来看，大米消费群体不断扩大，优质大米尤其是粳米在主食消费中的比重不断上升，供给相对偏紧；小麦总量上供需基本平衡，但优质小麦不足；大豆产不足需，缺口还在扩大；玉米消费快速增长。而当前全国粮食库存中，小麦库存约占总库存50%以上，大米库存约占总库存的19%左右。供需对比，大米库存偏少，小麦库存偏多，食用植物油库存偏少，粮食品种供求结构性矛盾还需要进一步改善。

除了国家储备和藏粮于民，在这三大储备体系中，还有一个重要的安全岛——

在宁夏永宁县望远镇，一块耕地被当地制药厂堆放的药渣污染后变为废田。（图片来源：新华社）

地方储备。当前，各级地方政府的储备粮已具相当规模。但也有不少专家认为——相对中央储备粮，地方储备普遍偏弱。中央储备有大的优势，但由于受运输、轮换计划等各种因素的影响，对区域性供应紧张，有时难以发挥作用。而地方储备的一个最大优势，就是在关键时刻可以就近投放，可以在短时间内应急，给国家储备粮的调拨带来更从容、理性的决策时间，这是非常重要的一环。但储备粮食对地方财政的确是一个包袱，由于粮食主产区大多财力薄弱，尤其是一些比较穷苦的地区，更是难以负重。这就需要国家对地方储备加强扶持。一些专家建议，中央和省级财政可对地（市）县储备给予管理费用和银行利息的补贴，还可考虑启用地方粮食风险基金补贴储备。

另一个问题是，当前，我国地方储备基本都是储存原粮。既然地方储备是应急

两个孩子在黑龙江省绥化市东富乡东升村的玉米堆上玩耍。（图片来源：新华社）

动用的第一线，成败的关键就是反应要快，控制住事态，必须要立即投放和供应市场，因此地方储备存储只有原粮显然不符合要求，应调整储备品种，特别是市县一级的储备和大中城市的储备，更需要以大米、面粉、小包装植物油等成品粮为主。

如果这三大储备体系能够建立起高度默契，取长补短，都发挥出各自的优势，就会成为一道国家粮食的安全岛链，中国粮食哪怕真的出现了危机，也可以迅速有效地化解。

粮食储备，在某种意义上也是养兵千日，用兵一时，就是在关键时刻发挥关键作用，灵活应对突发事件导致的短期粮食供给不足。这就要求在粮食储备上要兼顾粮食宏观和应急调控能力。

在2008年年初的南方冰雪灾害和汶川大地震中，中国粮食储备遭受了考验，也经受住了考验。灾区的粮仓和粮油应急加工、供应网点都在第一时间迅即启动，以南方冰雪的持续时间之长，以汶川大地震的灾区面积之大，粮食都能源源不断地保证供应。

我曾到了南方冰雪灾害的第一现场。在这样的人力不可抗拒的大灾难中，能够保证粮食供应是奇迹，没有人抢购粮食是奇迹，粮食没有涨价也是奇迹。当时，几乎所有的道路上都闪烁着又亮又硬的光泽，那是冰。在这样的暴风雪里，道路中断了，电讯也中断了，湘西南的大山区，一下陷入长达一个月的冰灾寒极，成了与世隔绝的绝境。而就在这样的情况下，还有运粮的队伍，背着装满了麻袋的粮包，把粮食运到每一个乡镇粮站供应点上。我在湖南永州见到了十几个运粮人，他们身上背负的是粮食，嘴里嚼着的却是冰块。翻山越岭，实在背不动了，就嚼一块冰，嚼过了，身上又有些劲头了。一声喊，哥们，上啊！火火烈烈的，汉子们又背着沉重的粮包爬向山顶。哪里粮食没有了，回去了，再背，再爬一次山。就这样，才保证了那些被困在一条条瘫痪道路上的司机和乘客——几十万处在绝境中的人，能够在严寒中饱肚子，一碗面条可能就是他们的命根子。

应该说，这些粮食储备库在灾难中发挥了重要的作用，但也暴露了一些问题和不足。如储备粮主要集中在地市一级大库里，边远及交通不便地区缺乏应急粮源。这也是今后需要进一步完善的。尽管中国现在处在一个和平年代，但除了战争，各种突发事件还有很多，这就要密切关注国内外粮食市场的供需变动，一旦出现突发状况，就要及时出台相关政策，有效开展粮食调运，合理调整粮食的进出口量，稳定国内市场，确保粮食安全。

但这里，我们应该注意到包克辛的一个关键词：适度储备！

谁主沉浮

如果说三大储备体系构筑起了中国粮食的安全岛链，还有一个不可忽视的存在，决定着国家粮食安全——市场。

郑州国家粮食交易中心副总经理邱清龙认为，应继续发挥粮食批发市场的价格发现功能，适当控制国家临时存储粮和中央储备粮的销售节奏，既要避免在新粮上市时轮入过于集中，抬价抢购粮源，又要避免在新粮上市期间集中大规模轮出打压市场粮价，既要保证市场粮食供应不断档、不脱销，又要坚持顺价销售的原则。这样才能进一步发挥储备粮的吞吐调节作用，为国家宏观调控和稳定市场粮价服务。

还有很多专家认为，为确实有效保障粮食调控政策实施，应着重打通制约粮食运输的流通瓶颈。当前，我国基本形成了“北粮南运”格局，东北地区粮食运输商品量大、运输季节性强、运输方向集中，由于地处铁路末端，运出的物资多，运入的物资少，且在一、四季度时粮食运输与其他品类“争嘴”现象严重，粮食铁路运输能力与粮食外运需求差距较大。国家应对包括东北地区在内的粮食主产区在流通基础设施建设和粮食加工转化方面给予特殊支持，加大对国有粮食购销企业仓储设施维修改造和物流体系建设等方面的投资力度，提升粮食收储、烘干、加工、发运等设施条件，更好地适应粮食生产稳定发展的需要。此外，还应加快粮食主产区的粮食物流节点和流出通道建设，降低粮食流通成本，提高粮食流通运转效率，为国家粮食安全提供可靠保障。

然而，就在国内着手理顺粮食购销价格、打通制约粮食流通的瓶颈时，很多粮商都开始惊呼，狼来啦，外资进来啦！

这是谁也不可阻挡的。随着中国加入WTO后，外资进入中国粮食加工流通领域的设限消除，中国粮食市场将不得不放弃非关税壁垒，逐步降低关税以及对国内农业的支持水平，中国包括粮食在内的所有农产品市场，终将被迫打开自己的一扇又一扇大门。不是引狼入室，而是自觉地放他们进来。从此，中国，不仅只是一个农业大国，一个粮食生产大国，而且将是一个粮食贸易大国，你也只能在全球贸易自由化的大背景下去接受公平或不公平的竞争，在自己的国土上去接受挑战，当然，你也可以去别人的领土上打拼，拼实力，也拼智慧。但同那些早已在市场上积累了丰富作战经验的、老谋深算的跨国粮商相比，中国人起步得实在太晚了。

就在中国粮商的一片惊呼声中，世界上简称“ABCD”的四大跨国粮商（ADM、邦吉、嘉吉和路易达孚）就像当年的十字军东征，开始大举进军中国。入关以来，他们就在粮源、加工、物流三大体系上开始了他们蓄谋已久的布局，中国固有的市场主体格局，几乎在一夜之间就被打破了。这四大跨国粮商到底有多大的实力？他们垄断了世界粮食交易量的五分之四！就凭这种实力，他们成了世界上所有大宗农作物的最后定价者。而他们在中国的战果又将如何？

这就不能不说到中国的大豆，这是他们瞄准中国粮食市场的第一个突破口。这四大粮商登陆伊始，便在中国开展粮油加工业务，在华投资项目包括饲料蛋白、植物油、玉米加工、各种食品配料、动物饲料和化肥。同时，他们还进军小麦、稻谷、棉籽、芝麻、大豆浓缩蛋白等粮油精深加工项目，并投资控股和参股铁路物流、收储基地、船务等辅助公司。随着外资的大举进入以及快速成长，让中国粮食市场上的原有主角——国有粮企和民营企业均感受到了极大的压力。

而最悲惨的第一个事件终于发生了，中国大豆产业全面沦陷在外资之手。

请看这些跨国粮商是如何操纵中国东北大豆价格的——从 2007 年开始，国内很多媒体都在关注国际农业资本对国内大豆和食用油市场的争夺。国家有关部门也没有袖手旁观，在这场争夺战中多次出台政策保护国内豆农的利益，维护国家粮食安全。而就在这场几乎是你死我活的争战中，一般老百姓最真切的感受，是最近两年一直在低位徘徊的食用油价格突然出现暴涨，并长期维持高位。这就是跨国粮商在操纵和长期控制油料作物尤其是大豆的价格。为什么偌大的中国竟没有挡住国际资本巨鳄对大豆市场的蚕食？在食用油高价背后是一场怎样的市场博弈？

对此，黑龙江省龙江福粮油有限公司董事长宋胜斌有最直接也最深刻的感受。他用“来势汹汹”这个词来形容已经打入黑龙江的“丰益国际”。这家准备斥巨资收购东北大豆的跨国企业，在黑龙江的第一个大动作就是圈地建厂，建立自己的根据地。他们的工厂距宋胜斌的粮油加工企业还不到 400 米。而这个厂的规模将会成为黑龙江省内最大的一个大型的油脂加工，占地十多万平方米。宋胜斌虽然只是一家民营大豆油脂企业的老板，但在业内早有“油王”的称号，可见其实力。他的厂也不小了，但跨国粮商的这个厂要比他们大好几倍。这个新邻居的到来让宋胜斌和业内的同行们如坐针毡。宋胜斌说：“他要垄断了，因为他有这样的实力，整个把货源进行控制，那就会对价格走势造成很大的影响。”

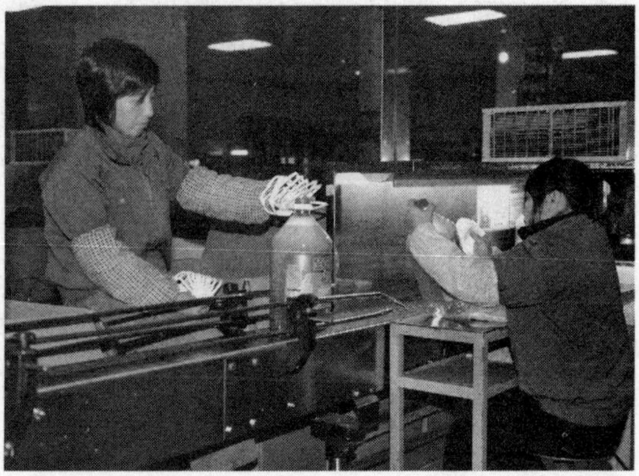

新加坡丰益国际有限公司投资的嘉里粮油（防城港）有限公司的工人在“金龙鱼”生产线上工作。
（陈树根/摄，图片来源：新华社）

事实上，这些跨国资本最擅长的手段就是利用资金优势，通过资本运作消灭对手，垄断市场，从而实现操控价格，牟取巨额利润的目的。他们的实力来自雄厚的资本。在来中国之前，他们已经用这样的办法控制了整个拉美的粮食市场，非洲、东南亚更不在话下。现在，他们盯住的是中国，中国大豆！他们首先利用期货把大豆价格一路拉到了每吨4 300元的历史最高价，诱使国内榨油企业集中采购了约300多万吨美国大豆，随后又一路把价格打压到每吨3 100元，就这一下，致使中国油脂企业半数破产。现在，你知道了这些资本大鳄的厉害了吧。这当然还不是他们的全部目的，随着这些企业的破产，他又乘人之危开始以并购、参股、合资等各种资本运作方式，一下控制了中国五分之三以上的油脂企业，连北大荒集团旗下的九三集团也一度传出有外资试图参股的消息。要知道，九三集团是国内目前最大的油脂加工企业，它还有北大荒集团这样一个中国农业的巨无霸作后盾，而这些跨国企业也像狼一样盯上了他们。

提到这事，九三油脂集团董事长田仁礼的眼光特别犀利，他说，这些跨国粮商在中国办了很多大加工企业，但是他们不是为了通过加工企业加工产品在市场上赚钱，而是要通过办加工厂来消化他们从国际市场上倒来的大豆，他们主要是为了卖大豆，以前许多外商也与我们谈过合作的问题，他们都有一个相似的条件，就是合作可以，但是你必须买我的大豆！

此言可谓一针见血。而这些跨国粮商也毫不掩饰他们就是通过控制原料来赚取利润的赤裸裸的目的，他们就像狼在吃掉羊之前，还要说，我就是要吃掉你！但你却不能把他们撵走，他们是合法的狼，他们吃掉你在WTO的自然界是合法合理的，天经地义的。这对于他们，是资本与市场成功运作的与生俱来的荣耀。你不要幻想他们会接受良知的光芒，更不要寄希望于会有宗教裁判一类的角色出现。市场是博大的，也是残酷无情的，有时候酷似物竞天择的自然法则，适者生存，自然选择。狼来了，可能会吃掉你，也可能会逼迫你加快奔跑的速度，强健自己的筋骨，让你的血肉进一步丰满。如果你不想被他们吃掉，你就得拥有比他们更强壮的力量。但从中国的大豆产业看，显然还不具备这个实力。在跨国粮商的操纵下，中国进口大豆价格从每吨2 000多元一度猛涨到了6 000多元，其中每吨4 000元的差价流进了国际粮商的腰包，一个利润并不丰厚的油脂行业，从炼油脂，被他们变成了奇妙的炼金术。

然而，这些跨国粮商在中国的布局并未结束，还仅仅只是开始。很多中国人突然发现，这些跨国粮商开始干蠢事了，他们大量收购非转基因大豆，竟然又把高价生产的非转基因大豆油，用远低于转基因大豆油的价格推向了市场。这不是干了世界上最大的蠢事吗？谁都知道，非转基因大豆是稀缺资源，非转基因大豆油是上等油，应该卖个好价格，可他们对转基因大豆油的标价是56元，他们又特意在转基因大豆油旁边放一瓶非转基因大豆油，标价却是35元，然后，他们告诉消费者，哪个油好看标价就知道了，可等到消费者真要买这瓶非转基因大豆油时，他们却不卖！其用心可想而知了。这其实就是跨国资本惯用的价格战略。他们在上游环节有丰厚的利润，可以从中拿出来一部分打价格战，为了争夺一个市场，他们可以在两三年内把产品价格压得很低，让竞争对手跟不上，一般的企业都赔不起。结果不出所料，随着他们的低价油抛出，国内油脂企业再次遭遇滑铁卢式的重创。而与此同时，跨国资本却迅速扩张，丰益国际旗下控制的大豆压榨企业迅速达到了12家，年压榨能力超过1 000万吨，稳稳地占据了中国小包装食用油近85%的市场。

至此，在第一个回合的争战中，在中国粮食企业和跨国粮商上演的大豆争夺战中，中国大豆产业的阵地就这样沦入敌手，眼睁睁地看着这些跨国粮商牢牢地掌握大豆控制权、定价权，大把大把地从中国人身上赚取巨额利润，而国内企业却毫无还手之力，完全失去了话语权。对于中国粮商，最大的危险还不是市场被人家占领了，更可怕的是由于原料被这些跨国粮商掌控之后，致使大豆价格起伏不定，企业经营风云莫测。以宋胜斌为例，在跨国粮商纵横捭阖中，尽管他凭着丰富的经验几次都躲过了这些跨国公司的围剿和暗算，可对越来越高昂的原料价格却一筹莫展。那感觉真的特别窝囊，就像在自己家里被人欺负了。每一个真切地感受到这个过程的人，都明白了有一种极强大的东西，可以超越任何国家的意志而存在。这也是国内植物油价格暴涨后，国家难以调控的重要原因。这也表明，在这场大战中的终极受害者，还是中国的老百姓。

提到这事，很多中国的专家们都痛心疾首："这样的事情绝不能再在粮食上重演！"

现在，整个中国都在担心，东北大豆"沦陷"的悲剧会不会在其他粮食作物上面重演？鉴于跨国企业一旦掌控我国的植物油定价权，就让国家难以调控植物油价格，如果他们进一步取得粮食流通的控制权，尤其是中国的主粮小麦和大米。种种迹象表明，中国粮食的定价权可能旁落，最终由这些跨国粮商说了算——这才是中国粮食安全的最大隐患。谁都知道，粮食为万物之首，粮价是百价之基。一旦粮价被这些跨国粮商操纵，中国的所有物价都将陷入失控状态下的大动荡。如何保护中国粮食安全？这也让我们今天提出要保护中国的粮食安全、中国农民的利益、中国自己的农业以及农产品加工业，充满了未知的变数。在全球化的大趋势下，中国的粮食安全能够成为一个孤岛吗？我们能保护得了吗？

这不是杞人忧天。事实上，这些跨国粮商在大豆之战中首战告捷之后，更加雄心勃勃了。2008 年 11 月，海关总署发出预警，外资企业在我国粮食领域的控制力正在加强。他们正向中国的稻谷和小麦这两大主粮下手。这里，只提一桩就够了，以世界四大跨国粮商之一的美国 ADM 公司与新加坡 WILMAR 集团合资成立的跨国企业——益海嘉里集团为例，他们在掌握了中国植物油销售的终端渠道之后，又在山东兖州建立一家大型面粉加工企业，一期年加工能力为 30 多万吨；在河南周口、河北石家庄也正准备建设面粉加工企业；在黑龙江佳木斯，已收购一家大米加工企业，还计划近期在辽宁盘锦建设另一家大型大米加工厂。而且，他们不仅涉足粮食加工行业，还在江苏射阳，益海嘉里集团已进行了考察，准备在射阳沿海建立大型粮食收储加工基地，进军中国粮食收储领域。这一系列动作表明，跨国粮商已开始了并付诸实施他们在中国的又一轮更大的粮食战略布局。

这也难免让人质疑，在粮食市场，我们对外资进入的门槛是否太低了？事实上，中国虽然是农业大国，但在全球而言，我们政府对农产品的补贴要远远少于欧美以及日韩这些发达国家；中国还是全球最大的农产品消费市场，但我们的市场门槛也远远低于欧美和日韩。我们经常能看到欧美或者日本对中国的某一项农产品提出贸易壁垒，我们也看到韩国民众为了抵制来自美国的牛肉，酿成了巨大的社会动荡。

如何更好地保护我们的农业和民族工业，我们做到的其实还很不够。

今麦郎面粉（兖州）有限公司总经理宋宝学说：“外资企业在国内设厂，给民营企业带来很大压力。他们有雄厚的资金规模和庞大的购销体系，逐步拓展并延伸其在中国的粮食加工网络。我们的竞争压力非常大，很多市场份额已经被蚕食掉。”

来者不善！——郑州粮食批发市场总经理乔林选一开口就是这句话，他认为，跨国粮商不仅有强大的资金优势，而且通过食用油已经建立起了全国性的营销网络，并树立了一系列品牌优势。凭这几大优势与我国粮食加工企业竞争，会有很强的杀伤力。

还有人断言，如果不采取措施，三年后，他们就有可能成为中国粮食加工销售的老大。

然而，在粮食安全已经处在红色预警的状态下，我们的一些地方政府缺乏这种警惕性，在地方招商引资中，普遍存在外资优于内资的思想，由于跨国公司能慷慨地开出大价钱，地方政府极易被他们诱惑和利用。现在，中国粮食的顶梁柱就是中储粮，然而，即便这些跨国粮商不与中储粮合作，他们也能找到粮源。而更可怕的是，国内还没有真正的大企业能与之抗衡。目前，中储粮作为全国最大的粮源控制企业，但却没有粮食加工业务；中粮集团有加工业务，却不能掌控粮源，销售网络也不够；华粮集团虽然在全国属于比较大的企业，但实力与跨国公司根本不能相提并论。而依靠民营企业，国内尚不具备这种实力的企业，而且民营企业也难以实现国家对粮食的调控。而且，目前我国粮食市场调控存在的一个大问题是，只有储备，没有对加工品和销售的控制，这样就会给调控带来风险，一旦国家出现粮食紧张，就会出现很大问题——调控无效，调控失灵！

这不是危言耸听。中储粮总经理包克辛在谈到食用油价格暴涨时说，中储粮在国庆节前抛售 20 万吨食用油储备，但市场一点水花都没有，调查发现 70% 让益海嘉里买走了，他们买了后存在那儿，不投放市场，这就让国家的调控在一定程度上失灵。

随着外资开始在我国粮食流通领域广泛布局，流通市场也在重新洗牌。我们已经无法回避这样一个事实：外资已经开始扮演中国粮食市场的主角之一。但他们的胃口可能比这还要大，他们想要扮演的是像在中国大豆产业中扮演的那种说一不二的龙头老大。

摆在眼下的现实是，中国粮食市场已经出现了国有企业、外资和民企的“三资演义”。

在粮食流通领域，国有粮食企业在执行国家粮食购销政策、实施粮食宏观调控等方面继续发挥着主渠道作用，也基本上控制着大局。随着社会多元主体积极参与入市，搞活了粮食流通。通过市场的有序竞争，也促进了粮食的合理流通，提高了粮食资源的配置效率。但是，基层粮食企业在市场化改革中则形成了两极分化的局面：一些企业经过改制，焕发了生机活力，企业效益明显改善。与此同时，还有相当多的基层粮食企业自2004年改制后，尤其是一些县级国有粮食企业，生存非常艰难，它们现在完全是企业化经营，一没资金，二没贷款，一些粮库只能靠个人自筹资金来惨淡经营，很多企业长期发不起工资。然而，改革的方向不可逆转，目前的困难企业也不能心存幻想，中国不可能也决不能重新走上粮食“统购统销”的老路，所有的困难，都只能随着改革的深入而主动去化解。这就出现了一些经营困难的国有粮食企业（主要是县以下的粮管所）在生存压力下，开始寻找新的“靠山”。一种是成为国家“托市收购”的委托点，这种“托市收购”不负担经营风险，还能获得收购和储存粮食的费用；还有一种就是为一些大型粮食加工企业打工，这就不问“姓社姓资”了，很多粮管所已经成为跨国粮商的基层合作伙伴，例如，山东兖州市的基层粮管所与益海合作，基层粮管所平均每年帮益海收购约4 000多万斤粮食，所得利润四六分成。这让跨国粮商轻而易举地解决了粮源，也让粮管所从中受益，双方合作范围逐步扩大，收购量连年上升。粮食改制企业由此解决了生存问题，以前企业亏损，职工发不出工资，现在企业没有一家关闭，老人都养了起来——这也是外资进入中国给老百姓带来的实惠。这是双赢，当然也是预伏着危机的双赢。

既然你已经放人家进来了，就会有风险，有危机，重要的是，如何化危为机?

面对这些资本大鳄，也有不少专家认为，我们不能完全被强烈的恐惧控制了。越是在危机中，越是要理性地保持冷静的思考和判断能力。譬如，你应该看到，外资的进入对中国粮食产业也起到积极作用。他们也许来者不善，但他们带来的资金、人才、技术优势，客观上也有利于国内粮食产业水平的提升，更值得国内企业学习借鉴。以黑龙江佳木斯市的益海粮油工业有限公司为例，他们在粮食加工及循环经济方面独具特色，加工大米后的稻壳可以发电，燃烧后的稻壳灰还能被进一步提取出活性炭和白炭黑，是一种高级的新型建筑材料。在稻米加工过程中产生的米糠，则被提炼出营养价值极高的米糠食用油，榨油后的米糠粕，还可以继续提炼出卵磷脂、谷维素等高附加值产品。在这样的水稻加工过程中，无废料、无污染，益海粮油公司的总经理吴志华说，粮食在这里可算被“吃干榨净”了。

这就是可怕的益海，也是可爱的益海。如果中国的粮食企业都能像这样进行深加工、精细加工，那么中国粮食的局部“沦陷”，或可引来数倍的效益。这是很多国人想要看到的，寄望于这些跨国粮商在中国粮食市场起到“鲶鱼效应”——刺激一些国有或民营企业活跃起来，投入到市场中积极参与竞争，在竞争中让自己变得更有竞争力了，从而激活整个粮食市场中的同行企业。简而言之，其实质是一种负激励，但它却是市场竞争也是激活员工队伍的一大奥秘。

一些专家认为，为了加强同跨国粮商抗衡的力量，首要的，是做大做强国家队，当前应由国家协调，尽快实现央企与央企联合、中央与地方联手，建立粮食加工流通的国家队和大型企业集团。我们还要在粮食加工流通领域培育足够强大的龙头企业，只有自己的企业强大了，才能够与跨国粮商抗衡。目前，我国粮食市场调控存在的一大问题是只有储备，没有加工和销售的控制，这样就会给调控带来风险；在对外资问题上，我们应当密切关注国际资本与跨国企业的动向，提升我国粮食战略，充分打好“粮食牌”。针对西方国家特别是美国以粮食为武器，达到控制世界的政治图谋，我国应提升粮食战略，确保国内粮食安全，以便及早采取防范措施。我国应当借鉴日本、韩国和我国台湾地区几十年来管理大米的成功经验，在 WTO 的框架内，强化对本土粮食加工流通环节的保护，增强粮食终端的控制力。同时，要牢牢掌控粮源，搞好粮食的托市收购，加强国家储备，做到真正的手中有粮。同时，也要建立和强化我国粮食加工严格的外商准入制度，提高外商进入我国粮食加工流通领域的门槛，严格控制外资进入的速度和规模。

当前，威胁中国粮食安全的，除了跨国粮商合法的市场运作，还有中国粮食越境走私的暗流涌动。由于国内外粮价的巨大价差，近来我国很多海关和边境口岸接连发现粮食及粮食制粉伪瞒报出境情况。中国粮食在国内的价格，实际上包含了国家对粮食的各种补贴。如果粮食走私进一步猖獗，影响的不但是我国粮食供需平衡，除了关税损失外，还使国家的粮食补贴流失境外。

在毗邻港澳的广东海陆丰地区，近在咫尺的内地和香港、澳门之间，同样的粮食，价格相差六七倍。六七倍的价格，就意味着有六七倍的暴利，这也让很多人铤而走险，开始将大陆大米走私到香港市场。一些走私分子在夜色的掩护下，用小型飞艇或渔船走私大米，而香港那边也早已找到了接应的走私人员。据一位参与过走私的人说，开始几年，“每天运送的量不大，一般是停停走走，因为香港方面接单的客商很难说一定愿意接受这种没有任何出口标志的产品，无论是大米还是面粉。”但在2008年春节过后，香港对这种走私大米的需求量突然大增。

2009年6月7日，跨区作业收割机正在山东费县方城镇石灰埠村优质麦田里收割小麦。
（刘涛/摄，图片来源：新华社）

很多业内人士都知道，占据香港大米市场第一位的长久以来都是泰国大米，比例高达90%以上。其次是越南大米。但近年来由于全球粮食危机，加之泰国、越南和东南亚其他一些大米出口国的粮食减产，致使中国港澳还有菲律宾等大米进口较多的国家或地区，大米缺口相当大。为了从出口大米中继续赚取高额利润，越南、泰国的一些粮商也将目光瞄准了中国的优质大米，试图通过走私渠道，从中国进口大米来填补大米出口的缺口。而从口感上看，东南亚国家的大米与中国东北、四川、云南、广西的优质米差不多，一些米商说，只要通过去燥、抛光等加工，就能让人们从视觉效果上认为，这就是原产越南的大米。还有的大米经销商在推销时撒谎说："这是今年的新品种，口感与以往有所差别，推出新品种的原因是为了提高产量，满足消费市场的需求。"就这样，从中国偷运出境的"走私大米"大多贴上了泰国大米、越南大米标签进入港澳、菲律宾大米市场，甚至远销欧美、日韩。而香港更是"近水楼台先得月"，一些粮商把直接从内地进口的走私粮食也打上泰国大米、越南大米的标签，在市场上公开销售。这种走私链能够形成，也说明中国大米质量确实非常好，价格也确实非常低。目前，国际市场上的粮食平均价格是国内价格的3倍，一般大米的价格是国内价格的5～8倍，优质大米是国内价格的10倍。如此巨大的利益驱动，杀头也有人干了。

这种中国大米走私被称为"黄金走私"，在中越边境上活跃着很多粮食走私分子，中国大米运到越南之后，就直接打包，甚至直接成为越南出口国际市场的优质大米，交易过程可以用美元、人民币、黄金结算，而且全部都通过银行，不用过手。他们的走私渠道如此通畅，据说是因为打通了"天地线"——这是走私链条里的行话。天线，就是大米采购商找到了从大陆内地粮食企业手中获得粮食的渠道；地线，是向境外市场销售的环节。通过"天地线"两个关键环节，打造了从"农民—粮食收购商—粮食加工企业—大型批发市场经销商—越境走私分子—境外经销商—境外市场"的粮食走私"产业链"。

当然，他们的风险也很大。最近，广东加大了打击力度，仅广州黄埔老港海关，一个月内就连续查获了七起粮食走私案。杭州海关曾在十多天的时间里查获四起粮食走私案，广州海关7月份在一起走私案中查获的粮食，相当于80万人一个月的口粮。在中国东部的青岛，海关人员在对一批以一般贸易方式申报出口到泰国的"氧化锌"进行查验时，发现这些"氧化锌"没有按照常理溶于水，却产生了面筋，经报相关部门进行成分鉴定，实为小麦粉。后经查证，这些犯罪嫌疑人已经多次将小麦粉伪报为形态、比重、包装相近的氧化锌，先后分 22 批出口到泰国、菲律宾、新加坡等国，总计从中国走私出境优质面粉 457 万多斤。

而粮食走私不仅是在东南沿海地区，一些海关执法人员用“南北并进”来描述目前粮食走私形势。据报道，2008 年 6 月，地处中蒙边界、地理位置十分偏远的阿日哈沙特口岸，海关缉私警察发现六辆出口到外蒙古的水泥大挂车很可疑，他们爬上满载出口“水泥”的货车，揭开车厢上厚厚的苫布，普通硅酸盐水泥的字样明显地标在整齐的编织袋上，而当金属制的“粮食探子”伸进“水泥”袋时，流出来的却是白花花的面粉。经最后清点，六辆车共装有走私出境大米、香米、白面、挂面共 70 多万斤，涉案的走私货物偷逃关税一次就达 10 多万元。在中国西部的新疆阿拉山口，海关近日竟在出口的卫生纸和石膏板中查获到了走私出境的大米。今年，仅乌鲁木齐海关在半年内就查获了 37 起粮食走私出境大案。

伪装，已经成了粮食走私的最主要手段。在珠三角一带的口岸，走私分子大部分采取将面粉、小麦当作水泥、元明粉等，装入集装箱偷运到境外出售。面粉、小麦与这些产品都比较相似，如果不是开箱检查，海关很难发现其中的奥秘。面对如此复杂多变的粮食走私出境渠道和伪装手段，海关执法人员认为，一方面，必须积极加大情报调研，建立联动机制，采取口岸现场查缉与非设关通道查缉相结合的模式，组成巡察组对边境线进行每日不定期查缉，不断加大打击和防范走私粮食出境活动力度；另一方面，必须加大对边民互市通道走私粮食的打击力度，尤其要注意通过“蚂蚁搬家”方式走私的情况。

当前，虽然我国已严禁企业将供港的粮食产品转口至其他国家和地区，从而进一步封闭了小麦、玉米、大米、小麦粉、玉米粉、大米粉等粮食及其制粉大量出口的可能性，但在国内国际粮价巨大反差下，一些不法分子还是敢冒风险，进行走私。随着粮食走私的日益猖獗，尽管各地海关和边境口岸都在对走私分子重拳出击，但某种极强大的利益驱动，走私在相当长的一段时间内，仍然是威胁中国粮食安全的一个重大隐患。

（选自湘潭大学出版社《共和国粮食报告》，
2009 年 9 月出版，作者：陈启文）

丰碑

——武汉天兴洲大桥通车纪实

2009 年 5 月，武汉第二座公铁两用长江大桥——天兴洲长江大桥进入通车试验阶段。这一公铁两用斜拉桥的主跨达 504 米，超过了当今世界公铁两用斜拉桥中跨度第一的丹麦海峡大桥 490 米的跨度；可行性研究、方案设计长达 12 年的天兴洲大桥，是世界上第一座按 4 线铁路修建的大跨度客货公铁两用斜拉桥，可以同时承载两万吨的载荷，其列车设计时速高达 250 公里，远远超过目前世界上同类大桥列车设计时速在 120 公里至 160 公里水平。

是谁第一个把斜拉桥的斜拉索比喻成琴弦？这是一位天才。他的想像力没有给后来人留下任何想象的空间。站在天兴洲大桥上，仰望一面面斜拉索，除了让人想到是一部巨大的琴弦，还能想到别的什么呢？我实在找不到别的词汇，来表达我的惊叹和赞美。

这是当今世界上最为雄伟的公路铁路两用斜拉桥啊！

如果有一位超级巨人，像中国神话中的“无长大”一样，站在天兴洲大桥上，轻轻地拨弄这部琴弦，我相信一定能够演奏出世界绝响。

现代钢索斜拉桥的历史并不长。最早由瑞典人于 1955 年建成第一座主跨为 182.6 米的公路斜拉桥。到上世纪 60 年代斜拉桥技术开始传入中国，直到 1975 年建成两座试验性的斜拉桥，已经晚了西方国家整整 20 年。现在的中国到处都可以看到斜拉桥的身影，仅仅在长江武汉段的江面上，六座大桥中有四座斜拉桥。然而我们所见到的双塔斜拉桥，唯有天兴洲大桥是按三个索面布置，其他全都是两面斜拉索。正因为有三个索面，天兴洲大桥这部琴弦，就显得更加美妙绝伦，成为世界上最为壮观的琴弦。

天兴洲大桥创造了“主跨，荷载，速度，桥宽”四项世界之最。每一项世界之最，无一例外地系在这部琴弦上。

天兴洲大桥正桥的总设计人对我说：修桥有意思。这是因为从传统文化观念看，修桥铺路就是积德，造福大众。从现在科技水平看，修桥是多种学科知识的展示，是接受智慧的挑战。

但是，在天兴洲大桥上，并没有写上他的名字，也没有写上任何大桥人的名字。天兴洲大桥高高耸立的两座主塔，是两座无字的丰碑，是所有大桥人的两座功德碑。

我对我采访过的大桥人说，你们的名字已经融合在两座主塔的钢筋水泥之中，全世界都可以看到你们的功绩，历史将永远记载你们的不朽功勋。

在天兴洲大桥接近全面竣工之时，我第三次采访这项工程，我在最牛的大桥工地上，遭遇到最为艰难的采访。我甚至隐隐约约想到，担当这项采写任务，是不是一个错误的选择。

要想联系上一个愿意接受采访的对象难极了。

有的施工标段已经完成任务，全部人员已经撤离现场，转移到新的桥梁工地。

有的标段正在进行紧张的扫尾施工，确保2009年“十一”之前实现铁路公路两用大桥全面通车，向共和国六十华诞献礼。人人都忙得不可开交，没有谁顾得上接受我的采访。

武汉天兴洲道桥投资开发有限公司，代表湖北省武汉市出资。这个日出斗金的甲方，对我深陷困境似乎爱莫能助。一个炎热的正午，我在公司大楼的门厅内徘徊，为找不到联系不上采访对象而焦躁不安。突然间，正面墙上的“但求事功，不事张扬”八个大字，吸引了我的眼球。原来，我所遭遇到的一切不顺利，根源都在这里呢。

九省通衢在尴尬中腾飞

武汉是一座江城，长江汉水在这里交汇，使这座城市充满灵动的美丽。在以水路为交通主体的明清时期，武汉独享九省通衢之称，当之无愧。其时又何止畅通九省呢，不过是以“九”言其多而已。共和国立国之初，武汉建成长江上的第一座桥梁，这是武汉人永远的骄傲，从此武汉三镇连起来，告别了只有水上交通的历史。

从此南北交通大动脉京广铁路得以贯通，给九省通衢的地位赋予新的意义。正是因为有了这座举世瞩目的长江大桥，当年吸引京城两位著名作家来到武汉安家落户。那时我还是一个高中生，也曾赋诗一首：京粤携手龟蛇吻，江汉络绎好奇人。昔日恋人两岸思，今朝情侣倚桥栏。

武汉是一座名副其实的桥都。武汉的长江大桥多到什么程度呢，作家刘醒龙在参观天兴洲大桥之后，所写散文标题竟然是一个感叹的发问句：“你是长江几号”。连同最早的长江大桥，到迟到的天兴洲大桥，已经是六座大桥铺陈江面。我曾戏言不如干脆修建一个大盖子，把武汉的整个江面盖起来。由于武汉桥多，曾出现过桥名荒。武汉长江大桥的名称大有独霸一方的味道，似乎在同一座城市里，不会有第二座长江大桥，不会有更多的长江大桥。到了修武汉长江二桥之时，我记得国家领导人早先题名为武汉长江公路桥，当时似乎也没有人想到武汉还要在长江上修更多的公路桥。一位北方记者笑话我们的长江二桥说，这就像一个家庭，老大叫大桥，老二叫二桥。多俗呀！

于是，桥名文化切入桥文化，提到议事日程上来了。

1994年10月17日的《武汉晚报》上，刊登一则消息——《市地名办顺应民意请您为6座长江大桥赐名》，公布了武汉在长江上正在建设和规划建设的几座大桥的命名方案。我不看好那个方案，第一个站出来回应，在11月23日发表了《我为大桥取名》的文章。我提出了一个打破“城市名＋长江＋大桥”的定名思维模式，将原来的“××长江大桥”词序调整为“长江××大桥”，简便叫法就是后面“××大桥”四个字。同时提出可以在字数上突破：“通过白沙洲和天兴洲的大桥，全称应为七个字：长江白沙洲大桥，长江天兴洲大桥。其简称为五个字：白沙洲大桥，天兴洲大桥。”我的文章当时引起一些读者的兴趣，也得到了我们城市领导人和市民的积极响应。这就是我与天兴洲大桥的一点缘分。

尽管武汉在不断修建长江大桥，但是人们依然感到，桥多不如车多，桥梁的通行能力仍然跟不上城市发展的步伐，作为国家南北交通大动脉的京广铁路线，也长期受到只有一条过江通道的困扰，这一现状直接制约着武汉作为华中地区中心城市向周边地区实现经济辐射的功能。毋庸讳言，武汉多少年来引为骄傲的长江第一桥成为南北铁路通道的瓶颈，得天独厚的大武汉，也没有形成铁路交通的枢纽态势，九省通衢的地位受到严峻的挑战。1985年，正是处在改革开放势头强劲的时期，武汉铁路局却降格为武汉铁路分局，到了与本省小兄弟襄樊铁路分局平起平坐的分上。

早在上世纪 80 年代，铁道部就有了在武汉开辟第二条过江通道的设想，先期的选址勘探工作也悄然开始运作，天兴洲是重要目标之一。到了 90 年代初，武汉在制订城市规划时，拟建第四座长江大桥，开辟城市交通的中环线，天兴洲进入选址人的视线。1998 年 7 月，武汉市政府成立了天兴洲公路铁路两用大桥建设工程领导小组，各项前期工程正式启动。

它后来怎么成了老六？真是好事多磨呀。

一边是铁道部想在天兴洲建铁路大桥，一边是武汉市想在天兴洲建公路大桥，能不能再像武汉长江大桥那样，建一座公路铁路两用大桥呢？这是一个非常聪明的思路。两桥合建有两大好处，第一大好处是可以合理利用有限的桥位资源，第二大好处是可以大大降低工程造价，其中包括减少无底洞似的征地拆迁费用。在当今中

武汉天兴洲长江大桥雄姿。（杜华举 / 摄，图片来源：新华社）

2009年2月9日，武汉天兴洲公铁两用长江大桥首条货运铁路线全线铺通，为大桥2009年6月底通车奠定了坚实基础。（杜华举/摄，图片来源：新华社）

国城市发展和交通发展进程中，拆迁工作被称为天下第一大难事。武汉市的这一大胆设想，得到湖北省决策层的首肯。湖北省与铁道部之间，经过一个短时间的磨合过程，于2001年11月联合起草了《武汉天兴洲公铁两用大桥工程项目建议书》，报到了国家计委。到2002年6月19日，在国务院总理办公会上，讨论通过了天兴洲大桥及相关工程的项目立项。武汉市为促成两桥合建的锲而不舍的努力，为自己赢得一个国家建设项目，而且是把“十一五”期间做的事情，提前到“十五”期间来做。天兴洲大桥提前建成的意义，本文将会有专门的叙述。

全世界的铁路大桥，一般都是两线设置，最初天兴洲大桥也循例按两线设计铁路桥线。随着铁路运输形势的发展，改为按三线设计，两线客运，一线货运。紧接着是沪汉蓉高速铁路要在武汉过江，分段修建的京广客运专线要在武汉衔接，促使决策层的思路发生了与时俱进的变化，将铁路桥的三线设置改为四线设置。中国城际铁路的快速发展，中国高速铁路的快速发展，把天兴洲大桥推向了一个跨越式发展的阶段。

按照武汉原有的城市规划，预留的南岸铁路引线为沙湖线，这条线由青山区沿江而上进入武昌区，穿越居民密集地带，又有分割城区之虞。武汉人自然会发问：当年好不容易将汉口火车站从大智路移出，就是为了减少铁路线对城市环境的污染，现在再修条铁路从中心城区穿过，岂不是又走回头路吗！于是，武汉市做出了修编城市总体规划的决定，湖北省向铁道部提出调整天兴洲大桥南岸接线方案，改沙湖线为武东线，于2003年11月完成《新建武汉天兴洲公铁两用长江大桥工程可行性研究报告》。这种报告的简称，多数读者会感到陌生，它叫做“工可报告”。这个“工可报告”，与铁道部“跨越式发展”的思路不谋而合。2004年2月，铁路环保技术中心，国家环保总局环境工程评估中心，还有一些相关单位，组织专家对武东线方案环境影响报告书进行了预审。

以下我将以最浓缩的文字，概括好事多磨的结果。我建议读者跳过这些枯燥的文字——

2004年6月21日，国家环保总局批准天兴洲大桥及相关工程的环评报告。

2004年7月5日，国家发改委主任办公会议讨论通过天兴洲大桥“工可报告”。

2004年7月21日，国务院第59次总理办公会通过天兴洲大桥“工可报告”。

2004年7月29日，国家建设部回复认可天兴洲大桥的选址。

2004年9月8日，武汉天兴洲道桥投资公司董事长王新华与武汉海事局局长高江俊、长江航道局局长周起元，分别签订了天兴洲大桥建设期海事安全监督维护协议，天兴洲大桥建设期航道维护协议。

2004年9月21日，武汉市方面与郑州铁路局签订天兴洲大桥工程统征、统迁及相关费用拨付协议。

2004年9月28日，在武汉青山区建设十路江滩，举行了天兴洲大桥开工动员大会。中共中央政治局委员、湖北省委书记俞正声亲手按下了开工电钮。

啊，程序这么复杂呀。写到这里，我也该喘口气了。

中铁大桥勘测设计院朱旭初回忆说，他担任副总工程师兼前期组组长时，1992年就开始了武汉铁路枢纽通道的研究。从那时算起，到2004年举行天兴洲大桥开工仪式，历时12年之久。

中国正处于一个经济高速增长期，其中不乏拍脑袋工程、边设计边施工工程、边报批边施工工程应运而生，难得有天兴洲大桥这样的好事多磨工程。这是实践科学发展观的一个完整样本。其间所经历的每道程序，都是为了百年大计，为了对纳税人负责，为了不交无谓的学费，同时也是为了保证将要创造的所有世界第一的真实性、可靠性。武汉能够赢得这样一个发展的机遇，得益于湖北省省委、省政府，武汉市委、市政府几届领导人的不懈努力。省委书记罗清泉，时任省委副书记、武汉市委书记，曾在世纪之交两次亲自赴京，与铁道部共商兴桥大计。武汉天兴洲道桥投资公司以国有企业的名义参与运作，发挥了许多鲜为人知的积极作用。

四项世界之最

天兴洲大桥，是世界上第一座按四线铁路修建的公路铁路两用大桥，创造了同类桥梁四项世界之最的记录。第一项主跨为504米。在同类桥梁中，瑞典、丹麦合建的厄勒海峡大桥，主跨为490米。天兴洲大桥比厄勒大桥主跨长14米。第二项荷载为2万吨，世界上没有哪座大桥有这么大的力气。第三项铁路客运专线按每小时250公里作动力仿真设计，实用时速为200公里，而当今世界铁路桥最快通行时速为160公里。第四项铁路桥面按四线布置，公路桥面按双向六车道布置，宽度为27米，是世界最宽的桥梁。

桥梁跨度的增长幅度，是科技进步水平的一个标志。就公路铁路两用桥而言，武汉长江大桥主跨为128米，芜湖长江大桥主跨为312米，经历了40年主跨增加不到200米。天兴洲大桥一举实现主跨度从312米到504米的跨越，按建成时间计算，其间只经历了9年。由此可以看出中国桥梁科技的发展在大大提速。

那么，我会问一个愚蠢的问题，设计这个504米的主跨，是不是暗含争个世界第一的需要？

这个问题我在中铁大桥勘测设计院有限公司找到正确的答案。这可是一个桥梁设计的权威机构。武汉被称为桥都，不仅仅是因为桥多，而且因为有强大的桥梁勘测设计队伍，还有强大的桥梁建设队伍支撑，后者为中铁大桥局集团有限公司，武汉人通常称之为大桥局，而前者则称之为大桥院。大桥院和大桥局，都是世界一流的桥梁队伍，满世界都有他们设计建造的桥梁。

好不容易同大桥院总工程师高宗余约好一个小时访谈时间。他是天兴洲大桥正桥的总设计师，他听我提出这样的问题一点也不生气，也不觉得有什么奇怪，他说在现实生活中有这个情结，有许多为第一而第一的事物存在。按照长江航道管理和规划部门的要求，天兴洲大桥航道净空跨度不得小于480米。天兴洲大桥主跨设计504米，是为了满足各种季节通航的需要，同时也考虑到河势变化的因素，是通过实验和理论计算的结果。而且这个第一，是有几个限制词的第一，它是公路铁路两用的斜拉桥的第一。见面时我们交换过名片，我的名片上没有任何头衔，只有两个电话号码，以及E-mail、Blog。他指着我的名片说，如果加上一些限制词，你这张名片也可以成为世界第一。斜拉桥中的单一公路桥，主跨已经超过1 900米。跑汽车的公路桥的荷载，与跑火车的铁路桥相比，就是小巫见大巫了。

高宗余有好多光荣历史，为了节省我的篇幅，请读者不妨上网搜索查询。这位年轻的老大桥人，从学校门出来走进大桥院门，听着老大桥人的故事成长起来。本文开头写一位大桥人所说过的话就是他的意思，他为积德而造桥，为展示智慧而造桥。他告诉我，跨度小好做，荷载小好做，在四个世界第一中，难度最大的是大跨度和大荷载。高楼大厦只有垂直方向一种力，而桥梁力学就要复杂得多，那个504米悬空钢梁承载的重量，要通过斜拉索传导到塔墩上。这是一段可以并行四列火车的504米呀，这是一段有六个车道并行汽车的504米呀，这是一段承载2万吨的504米呀！他必须迎难而上，攀登眼前的世界高峰。

通常的公路铁路两用大桥，纵向看就像一个方形的笼子，下有底上有顶，两边是垂直的钢架子，用行话说就是两片主桁（这个“桁”字要经常出现，您最好记住它的读音 héng）。现在修四线铁路桥，造一个方形的笼子，能够承载2万吨荷载吗？一个大胆的想法在大桥人头脑里产生了，在四线正中间再加上一片桁架，这样这个笼子结构的稳定性自然会更强，用接近行话的语言表述，就是可以解决钢梁在荷载作用下的刚度和疲劳问题。高宗余在纸上写了一个“日”字，再横过来给我看，我一下子明白了，原来的一个口字形笼子，变成了并列两个口字形笼子。于是，一个更大胆的想法又在大桥人头脑中诞生了：三片桁架配三面斜拉索。大桥人的自主创新，催生了一项发明专利：“三片或多片桁架结构式主梁”。

由两片桁架到三片桁架，由两面斜拉索到三面斜拉索，这不是一个非常简单的加法吗？但是，请注意，人类的认识，就是这样一步步深化的。在高宗余们之前，谁都没有想到做这个加法是不是？在苹果落在牛顿脚下之前，谁都没有想到地球有引力是不是？您有什么好想法，就赶快拿出来哟！

在504米的大跨度上，四线铁路都有火车跑，会不会把钢梁中间压弯，会不会使两端翘起来？这个问题我连想也没有想过。是高宗余自己设问，自己来回答问题。有必要先说说桥墩的布置。大桥正桥主跨有两座主塔，主塔下部搁两用桥梁，上端悬挂斜拉索。两座主塔靠南岸的叫3号墩，靠洲子一边的叫2号墩。2号墩向北延伸，与1号墩的跨度为196米，1号墩与0号墩的跨度为98米跨度。3号墩与4号墩，4号墩与5号墩的跨度，分别为196米和98米。为了压重的需要，公路桥面在上述两边196米的位置上，用混凝土板代替钢板，把压重需要变为桥面结构（这也是一项创新呢）。在铁路桥504米跨度两端，用钢铁块和混凝土块施压，不过这些压重物都藏着掖着，不会让人们看见。

我还要向你吐露一个秘密，你站在远处仔细观察504米主跨钢梁，是不是平平的呀？再仔细瞧瞧，其实有一个微微的弧度，中间要比两端略略高那么一点点。火车开上去一压，就会压平了。这里隐藏的力学的奥妙，是一位专家手把手教我的。

同高宗余聊些技术性问题，是一种特别的智力享受，他会用些形象的比喻，或者随手拿个纸巾盒，顺手拎个开水瓶，用来比划他要讲解的某个部件。遗憾的是我必须遵守约定，在一个小时的访谈之后，自觉地体面地离去。不过他所谈的内容远不止这些，我会在本文里另找机会向读者陈述。

一座主塔挑起两万吨

天兴洲大桥正桥的承建单位是中铁大桥局集团有限公司。这个名称是怎么啦，又是局，又是公司？局是旧体制的遗迹。大桥局改制为集团公司，完完全全进入企业化的轨道，但不能丢掉原有的大桥局的品牌。这可是个什么桥都敢修，什么桥都修得漂亮的企业。大桥局给咱武汉可争够面子了。

可是这个大桥局不给我面子。我用电话联系采访事宜，给我的回答是问我收不收钱。我的天哪，这句话太伤我的自尊心了，我可不是报告文学的掮客。我说我想采访胡汉舟先生。他是大桥局天兴洲大桥工程指挥部的头号指挥长，但他又到南京或是苏州那边揽活去了（过几天又听说上北京去了），我烦死了。我打电话向我的作家朋友诉苦。金禾兄开导我说，不要怕麻烦嘛，有麻烦就有好东西嘛，不要像某些“贵族作家”一样嘛，走到哪里不要人前呼后拥嘛。他跟我嘛来嘛去，还点名抨击几位“贵族”同行，他们在屁大的散文里，炫耀何时何地受到何等贵宾式的接待。那么好吧，我不学他们，我不怕麻烦。

我的注意力转向大桥局工程指挥部的常务副指挥长刘崇梁。道桥公司帮我联系多次，好说歹说约定谈半个小时。趁他到道桥公司开会之机，我守候在会议室对门，等会议刚刚结束，就在走廊上拽住他。他同我回到会议室里，看我把他的名字写成刘崇良，立即纠正说:“是桥梁的梁，我跟桥梁有缘分。这个名字不是后来改的，而是小时候请老先生给起的。”崇梁不满16岁就报名参加修南京长江大桥，当时上初中只读了几个月，到南京上夜校大体学完初中课程。到处修了几年桥，1972年一个机会来了，西南交大到桥梁工地招生，高渠清教授考了他几道题，问他想不想上大学。天上掉馅饼啦，谁不想捡呀？一个名额，大学本科，非崇梁莫属，这也是缘分。他在高等学府学了4年桥梁专业，又回到桥梁工地上，现在是大桥局集团的副总经济师。

崇梁给我讲围堰的故事。

看大桥施工，好戏在正桥上。看正桥施工，好戏在主塔墩上。天兴洲大桥的3号墩要打40根桩，根据地下地质状况，每根桩的深度不一，最深处为104米。那么请问人站在哪里打桩，钻机安在哪里打桩呢？大桥局为3号墩建造的施工平台，是亚洲第一大双壁吊箱围堰。这是一个钢铁的庞然大物，长70米，宽40米，高15.5米，像一艘五层楼高的轮船，也可以说是一个可以悬浮的大箱子。有40个大圆孔按5×8的方阵整齐排列，垂直地穿过这个大箱子，这些圆孔可以通过3.4米直径的钻机。由青山船厂制造的这个钢铁围堰，上部平面面积达3 200平方米，整体浮运到施工江面上。围堰在江面采用定位船加预应力锚墩技术精确定位，首次实现围堰顶部作为钻孔平台，而且可以根据长江水位变化负载进行升降。这又是一项国家发明专利。

天兴洲大桥催生多少专利技术，我没有过细统计，但就我知道的几项专利，项项含金量都特别高。天兴洲大桥在设计思想上的突破，为施工设备和施工技术的进步，拓展了新的发展空间。为什么要搞3.4米大直径的钻孔桩设计？这既是为了满足承载力的要求，同时可以减少桩基数量，以减少承台的断面尺寸。大桥局下属公司研制的KTY4000型扭矩动力头钻机，就成为一项具有自主知识产权的设备。

听我这样的转述您不会觉得特累吧？我如果不是在2005年夏天亲自上过围堰平台，亲眼看过钻机工作的情景，我也不一定能够听明白。

一个惊险的事情发生了。就在2005年汛期，洪水急骤上涨，迅速漫过围堰。遇到这种情况，必须将围堰整体提升2米以上，才有可能继续施工，否则将面临停工的尴尬。刘崇梁正在现场按预案组织施救，他不知道法国监理的一纸停工令，也许正在草拟之中。一天时间过去了，大桥局人成功了，重达4 000吨的围堰提升起来了。这里面也有一些可供一说的技术奥妙，只是连我自己也没有完全听明白，只能就此打住。

40根桩位一根根钻好孔，一根根桩基浇注完毕，施工平台就完成了它的历史使命。不过且慢，它还走不脱身，又派上新的用途。这时围堰整体下沉到黄海高程12米处，浇注成一个16.5米的整体承台，188.5米钢筋混凝土结构的主塔，就立足在这个承台上。围堰起到一石二鸟的作用。

这个3号墩靠近南岸，得地理之便，媒体经常聚焦在它身上。胡锦涛总书记视察天兴洲大桥工程时，也是在3号墩的位置上。其实，2号墩做了无名英雄，它设计为32根桩，所有施工技术，包括围堰型制和定位技术，都同3号墩无异。2号主塔和3号主塔要共同挑起天兴洲大桥504米主跨的大梁。每个单塔都能挑起2万吨荷载，不眨眼地站立一百年呀。我借此机会向2号墩的施工队伍致以特别的敬礼。

3号主塔于2007年9月3日封顶，比预定工期提前58天。

2号主塔于同年10月3日封顶，比预定工期提前28天。

你想知道斜拉索怎么固定在主塔上吗？主塔柱上部在浇筑时正反两面预埋48个

孔，斜拉索穿过1.5米的厚墙，铆固在塔芯内。3排斜拉索，每排16根，每一根穿进主塔墙的角度都不一样，因此预埋孔道的定位和斜拉索的安装，又有一大堆学问。据大桥局天兴洲工程总工程师潘东发介绍，头天白天为预留孔进行初步定位，到次日凌晨2点到4点之间，再用世界先进的全站仪精确定位。只有等前一天日照温度退去，第二天太阳还未起床，塔柱的变形最小，检测的结果才最准。天兴洲大桥斜拉索定位精度误差控制在0.1度以内，超过世界大多数桥梁执行的误差1度的规范标准。斜拉索安装角度的精准，自然会减少拉索与预埋孔道的摩擦，有利于桥梁的安全保障，并延长拉索的使用寿命。

工期催生的超常智慧

我现在不是按照时间顺序在叙述。在主塔封顶之前，还有故事没说呢。

2号墩、3号墩两个主塔，远看像两个倒立的Y字。Y字的腰部是连接两柱的合拢段。仅仅5米高的合拢段里，有钢拱筋、钢骨架、预埋件以及4层冷却管，这些东西加起来有近百吨重，所用混凝土有650立方米之多。我看是够结实了。2007年4月9日和4月24日，3号墩中塔柱和2号墩中塔柱，先后实现了无误差合拢。这时两座主塔已经长到132米。

在天兴洲大桥的报道和文档中，随处都可以找到“标志着”三个字，的确这里在不断发生着“标志着”的事件，推动四项世界之最成为现实。2007年5月28日，又是一个“标志着”什么的日子，正桥架梁仪式在这天举行，“标志着”大桥施工进入一个新的冲刺阶段。不仅如此，这一天由于一项新的桥梁架设工艺在现场实施，还“标志着”大桥局又有一项自主创新的成果诞生。

架设钢梁是一种高空作业，按照传统的工艺模式，是将杆件一根一根吊到位，在空中一根一根铆拼起来。这种工艺从上世纪50年代的武汉长江大桥一直沿用至今。无数根杆件，无数枚螺栓，无数回起吊，无数次铆接。全桥有48 000吨重钢梁的杆件，需要一年半的时间吊装铆拼呀！

洪水已经耽误掉不少时间，工期本来就显得更紧了。

铁道部还提出提前通车的意向，似乎在鞭打快牛。

武汉市缓解过江交通压力的呼声愈来愈高。

怎么办？

刘崇梁非常得意地向我介绍大桥局创造了桁段架设新技术。为了争取大桥正桥主跨提前合龙，在一次例会上，大桥局工程指挥长胡汉舟提出，要在工序上和工艺上挤时间。他的设想是：能不能变杆件吊装为节段吊装？也就是说，把过去在高空作业的一部分活儿挪到岸上来做，把现场的拼装作业变成工厂化作业，把零散作业变成整体作业。这个化零为整的工艺模式，无疑是一个划时代的进步。

面对胡汉舟提出的新课题，几乎没有人敢立即跟进，会场在短暂的沉默之后，法国监理提出了疑问："这个方案挑战性太大，值得不值得去这样冒险？"

提出设想的胡汉舟，虽有雄心壮志，却也如履薄冰。在他的带领下，一个科研小组经过半年攻关，用实验数据证明其可行性。为了保证万无一失地完成整节段钢梁架设，大桥局天兴洲大桥指挥部邀请专家出谋献策，曾经参与武汉长江大桥、南京长江大桥的七位专家，亲临现场对钢梁架设的前期准备工作和架设方案，提出指导性的意见。同时，还在更大的范围内，邀请全国的桥梁专家到工地进行指导。

现在的工艺流程是，中国宝钢和武钢生产的高强度桥梁钢材，先运到山海关桥梁厂加工成杆件，成型的杆件再运到九江桥梁厂拼装成节段。每个节段都是在标准的工作平台上，在严格的温度控制之下，按照精确的尺寸标准，拼装成型。拼装出来的节段，纵向看就是高宗余写的那样一个倒放的日字，横向看就是一个字母N。每个拼装好的字母N，工差都不得大于2毫米。如果一个个字母N都大（或小）那么一丁点儿，整个钢梁最后就不能合龙啦。

拼装好的字母N，小心翼翼地装船，从水上运输到天兴洲水域。要想把一个字母N吊到空中组接，那可不是一件容易的事情。让我们来看看它的大小吧：纵向长度14米，横向宽度15×2米，高度15.2米。形象地说，它像一幢420平方米的5层楼高的大房子。这个大房子重达700吨。新的工艺需求，带动新设备的研制。大桥局与武桥重工联合攻关，制造出国内最大的4台履带架梁吊机，每台吊机可以吊起900吨。在这4个大力士面前，那些个700吨重的大房子，就只能算是一个个小小的字母N，"轻轻地一抓就起来"。

我原来以为，那些字母N是一个个并排紧挨着，然后再怎么用螺栓铆接起来。刘崇梁告诉我，一个字母N垂直吊上去，再横向插进前一个字母N，然后把它们之间铆接起来。这个办法让我豁然开朗。

不知道这算不算世界最重量级的拼积木游戏。在吉尼斯世界纪录里，肯定没有比这个更辉煌的拼积木记录。让我们看看接着怎么拼吧，好玩着呢。现在我描述的环境，在天兴洲的水域上空，2 号主塔和 3 号主塔同时向蓝天伸展长高，两边的钢梁同时向着南汉的江心伸展长长，当一节钢桁架安装到位，三面桁架上就会同时扣上三根斜拉索。大桥就是这样，主塔长一截子，钢梁长一截子，斜拉索又套上一节钢梁，如此一环套一环地成长起来。

你听过我的复述，会不会豁然开朗——原来是这样的呀，我以为是等主塔修好，再架钢梁，再挂斜拉索呢。大家都是这么想的，我们都用不着惭愧。

天兴洲大桥主桥钢梁全长 1 092 米，分为 78 个节段，主桥水域 52 个节段全部采用整桁段架设，其他部位的 26 个节段，采用传统散拼架设。整桁段架设大大缩短了工期。

解读合龙的时刻

火箭点火升空的那个瞬间是最惊心动魄的。

大江截流的那个时刻是最惊心动魄的。

钢梁合龙的那个时刻，也是人们期待的惊心动魄的时刻。

天兴洲大桥于 2004 年 9 月 28 日正式开工，经历不到 4 年时间，终于进入正桥钢梁合龙倒计时。

著名的桥梁专家，中国工程院院士，有钢霸之称的方秦汉，亲临现场站在指挥船上考察过了。

在等待的日子里，夕阳每天盯着钢梁豁口，眼巴巴地要看合龙呢。

然而大桥局工程指挥长胡汉舟迟迟没有下达合龙时间表。

《武汉晚报》报道，为了抢在一个逢 8 逢 9 的好日子合龙，大桥工地有工人主动请缨，宁可不睡觉也要抢工期。胡汉舟适时发出“合龙既不赶工期，更不挑吉日”的指令。明确要求在夜间施工中，严格禁止工人连轴转。铁道部科学研究院、法国赛格达公司共同组建的咨询总部，有位法国人佐罗是派驻现场的专家，佐罗积极支持科学的理性的施工，认为工程质量与工人安全比工期更为重要。疲劳作业也许会赢得时间，但一个小螺栓拧不紧，所造成的后患将无法设想，而且以毫米计算的合龙精度不允许出现任何疏忽。

8月31日，一个不逢8不逢9的日子，上午11时，首根杆件从船上缓缓吊起，上升到合龙豁口下弦部位，从而拉开了世界第一跨钢梁合龙的帷幕。

江面上船舶载着最后一个桁架节段，一个字母N，一个大房子。已经架起的钢梁两端之间的豁口刚好能够容纳一个字母N，钢梁两端上部的吊机已经滑行到位，只要一声令下，它们就会伸手把最后一个N字提上来。

合龙的时间为什么不从早上开始？

看着渐渐西下的夕阳，人们又要发问了：为什么不抢在大白天合龙？

夜幕马上降临。

气温在逐渐下降。

原来选在这个时刻，是要让白天热胀的钢桁架，缩回到设计的尺寸上来。而且夜间温差小，各个杆件尺寸受温差的影响相对要小。

这是一项按毫米误差的对接。

会不会有合不上的情况出现呢？

虽然是惊心动魄的时刻，大桥人似乎是以平常心视之。

我问高宗余，有没有误差？

高宗余说：误差肯定有。

高宗余又补充说：误差的提法不科学。

我理解了，这是因为在一个允许值的范围内，多一点点少一点点，不能叫做误差。譬如钢梁上的螺栓直径为33毫米，螺孔比螺栓的直径大3毫米，螺孔与螺栓之间的合理间隙，就不能称之为误差。

我问：合龙难不难？

高宗余似乎很不情愿正面回答是难还是不难。他说：“我是学工科的，做工程的。”这个回答好像是在告诉我，没有什么不难的问题，但总有解决难题的办法。他还明确地回答我，没有碰到过合龙合不上的时候。

钢桁架合龙，是9个杆件的合龙，是30米桥面的合龙，是8根铁路纵梁的合龙，是7 000根螺栓固定的合龙。因此，高宗余告诉我说，什么是合龙的时间，你可以从第一个螺栓算起，也可以说是最后一个螺栓铆定的时间。整个合龙的时间需要两天。

2008年9月10日，为天兴洲大桥主桥举行了合龙贯通仪式。武汉城投公司董事长吴长钧，沪汉蓉铁路湖北公司天兴洲大桥建设指挥部副指挥长彭光辉，武汉天兴洲道桥投资公司董事长王新华和总经理朱斌，武汉铁路局天兴洲大桥工程指挥部指挥长唐大清，中铁大桥设计院总经理张敏，天兴洲大桥咨询总监刘晓光，中铁山海桥梁集团公司总经理刘恩国，中铁大桥局党委副书记、天兴洲大桥工程指挥长胡汉舟，中铁科工集团总经理鄢怀斌，以及长江海事局、长江航道局、武汉海事局、武汉钢铁集团、武昌造船厂、青山区水务局等相关单位的领导人，出席了主桥合龙贯通仪式。刘崇梁向大会报告合龙现场准备完毕，胡汉舟发出了庄严的指令：合龙开始！在欢庆的礼炮声中，在各方人士激动的泪光中，合龙段钢梁拧紧了最后一个对接螺栓。

其实这只是一个仪式。

人类需要仪式激励自己前进，中国需要仪式激励自己前进，我们民族需要仪式激励自己前进。这个拧紧的最后一个螺栓，标志着504米的主跨成功对接，标志着中国人可以设计建设世界最大跨度的公路铁路两用桥梁。

面对着这样的仪式，我们会想些什么呢？

中国人不仅能够制造些小东小西，中国人理所当然地能够制造世界级大桥。

当中国处于闭关自守的时期，西方人用坚船利炮敲打中国的大门，他们自告奋勇地来帮助中国改革开放。如今中国改革了，如今中国开放了，国门大大地打开了，人民能够吃饱肚子了，不再穿一色的蓝布褂子了，好像我们又惹着谁，又有人不那么高兴，找茬的事儿接踵而来。都来看看我们的天兴洲大桥吧，天兴洲大桥将会向全世界宣布——

文明谁也不能垄断，进步谁也不能阻挠。

一桥两制，美不胜收

天兴洲大桥正桥全长4 657.1米，共有91个桥墩，90个孔跨。其中大桥局集团承建公路铁路合建部分，包括南汊主桥以及洲上的一部分，全长2 842.1米。公路铁路共建部分上洲以后，就开始分道扬镳，公路桥和铁路桥平行布置，两桥相距13

米，分头穿越北汊。北汊为小跨度的连续桥梁。北汊这边的公路桥由中铁十二局集团承建，铁路桥为中港二航局集团承建。

前面我写到了，公路铁路两桥共建，可以大大降低工程造价。为什么南汊桥修到洲子上，又要分开来修建，岂不又要增加造价吗？其实，再分建也是要降低工程造价。北汊季节性河道，即使通航时期，也只过些小船，不像南汊那样为了满足大轮通过，需要大跨度和高净空。两桥分建，技术难度相对较小，也不会像南汊504米大跨那样烧钱。

还需要交代一个技术性问题。公路桥桥面升降的自由度比较高，火车可不能像汽车那样，爬个坡下个坡都只能慢慢来。如果在北汊南汊都修公路铁路两用桥，北汊的铁路桥也像南汊一样高高在上，那么它的缓降引桥线将会拉得很长很长，由此也会增加大量投资，包括更大面积的拆迁难度。

中国是个首创一国两制的国家，中国人的政治智慧也用在桥梁设计上，天兴洲大桥又成了一桥两制的范例。

一桥两制，好不好看？

好看好看。

我体验过了。在公路桥正式通车之前，2009年7月7日。

那一天，我们从南岸乘车上桥，桥头引桥段还在施工，堆积的材料挡住去路。我们只好步行到斜拉索的位置，我也获得了一个亲手抚摸斜拉索的机会。192根银色的斜拉索，在骄阳下闪闪发亮。最粗的拉索里有451根7毫米直径的镀锌平行钢丝，最大索力为1 250吨，最细的拉索也有开水瓶那么粗。

仰望188.5米高的主塔，小心帽子掉下来，吹到江里去了哟。高宗余告诉过我，主塔顶部横桥向有12米，顺桥向有9米，算个乘法就是108平方米。高宗余形象地说，上面可以住一家人。我们看到的主塔直直地挺立在那里，专家说它们在日照和风力的作用下，不断做着"旋转运动"呢。稀奇古怪吧？

我曾经站在化工厂的各种管道面前发问：是文学伟大，还是化学伟大？

我曾经站在挡住一江水的大坝面前发问：是文学伟大，还是大坝伟大？

这会儿我站在天兴洲大桥的主跨塔面前发问：是文学伟大，还是大桥伟大？

吃我这碗饭的人，大都有良好的自我感觉。此时此刻，我明白了一个道理：生活伟大！

站在巨塔之下，我觉得自己渺小。

在这里看滚滚东去的江水，看急流险滩，我觉得自己渺小。

有一位名字叫蔡先桃的电梯工，她每天面对脚下的滚滚江水，在半天云里上上下下，得到一个“空嫂”的雅号。我觉得“空嫂”伟大。她也许被骄阳晒得很黑。她为共和国奉献了自己的美丽，因此她最美丽。

混凝土公司的搅拌车首席司机老刘有个牛脾气，调他到公司总部开小车他就是不去，广州一家公司高薪聘请他，他硬是不去，心甘情愿留在天兴洲大桥工地上，这种牛脾气难道不伟大吗？他爬到车底修车，累得头昏眼花，撞得头破血流，缝合三针，不下火线。天兴洲大桥正桥85万立方米混凝土结构里，有他的汗水，有他的鲜血，他当之无愧是共和国的优秀儿子。

天兴洲大桥，能够抗7级地震，能够抗11级大风，能够承受300年一遇的洪水，能够经受5 000吨海轮的撞击，能够使用100年，伟大！

我由衷赞美大桥人。

北汉公路桥1标段过来一辆面包车，我们又乘车向北前行，渐渐看到铁路桥从合建桥下钻出来，两条桥线并行的壮观布局展现在眼前，不时还有满载货物的列车飞快地驶过。我能不由衷地赞美我们的天兴洲大桥吗？

一桥两制，美不胜收。

我积极响应上桥，是为了满足自己的荣誉感，想在最早的过桥人中充当其中之一。给我当向导的年轻人小闵，则另有两项安排，第一是带我看透水沥青试验。正桥北端有一段公路桥面，是武汉市政工程公司的施工标段，路面下层铺的是普通沥青，上层铺的是透水沥青。雨水下到透水沥青路面上，能够自动滤下去，流进桥边的下水管道。汽车行驶在这样的路面上，雨天也不容易打滑。

第二是看桥栏杆上的镂空雕塑图案。武汉长江大桥的铸铁镂花吉祥图案，给国人留下深刻的记忆。如今天兴洲大桥的钢铸镂空雕塑图案，则是荆楚地方特色名片的展示，19帧图案镶嵌在主桥两侧728米的桥栏上。展示楚风汉韵的有：白云黄鹤，东湖日出，高山流水，高峡平湖，神农春晓，武汉市花，武汉市树。展示楚文化精髓的有：楚凤腾飞，楚祥麒麟，端午龙舟，侯乙编钟，虎座凤鼓。展示武汉历史文化的有：盘龙古韵，首义红楼，农讲所图。展示桥都风采的有：长江一桥，晴川大桥，阳逻大桥，二七大桥。这些精美图案文化元素，无疑会让钢筋混凝土的桥身生动起来。

桥外有桥

我写了多天，写来写去，还没有走出正桥。天兴洲大桥在正桥之外，还有更宏大的规模，有多项可圈可点的配套工程。

武汉长江大桥给人的感觉是，整个桥梁朝龟山蛇山两端一搁就成了，公路引线铁路引线就在两个山坡上开道，不费什么事。天兴洲大桥的公路铁路引线让我们看到现代交通的新概念。这里先说公路引线吧。北岸引线起于江岸区平安铺，南岸引线起于中北路延长线，干线全长12.7公里。其间布置汉施公路立交、和平大道立交、武青三干道立交和青化路立交，后三座立交都在南岸。

“立交”是一个过于简略的简称，它的全称是立体交叉桥，与天兴洲大桥配套的四座立交桥，每一项都是不小的工程。和平大道立交工程，直接与正桥衔接，起于青山区建设十路东侧，南跨青山港、和平大道，止于戴家湖，工程主线全长1 426米。所谓“立交”部分，为双喇叭互通立交形式。这个名称太形象了，如果你还觉得不够形象，我可以描写为两把并放在一起的圆号。做这项工程可没有吹圆号那么有趣哟，谁都说这是一块难啃的硬骨头。

戴家湖其实不是天然湖泊。青山热电厂排放的粉煤灰，经过50年的堆积，形成一个人工湖。湖底常年有积水，湖堤顶与和平大道地面，有11米高的落差。在这片软基上施工的难度不言而喻，而这个标段90%的结构施工都在湖里。

站在天兴洲道桥公司门口，可以看到对面坡上扎的牌楼，牌楼两边的对联写着：匠心筑精品，树华夏劲旅丰碑；巧手绘宏图，展中国铁建风采。上坡不远处是中铁十二局的营地。中铁十二局也是一个集团公司，总部设在太原，是铁道兵改制之后的企业，还保留着铁道兵当年的那股子狠劲。项目经理曹国俊，石家庄铁道学院毕业，到中铁十二局之后，没在太原上过一天班。他到处做工程，练就一口普通话，细问原来是湖北宜昌人。

修立交就是修桥。曹国俊介绍说，全标段一共要建244个桥墩，其中有165个桥墩在戴家湖的软基上。标段内共设匝道12条，其中匝道桥有8座。经过他的解说，我算弄明白了，立交桥的桥墩，同正桥2号、3号主塔的桥墩一样，也是先打桩，再建承台，承台上建我们能够看得见的桥墩。陆地施工与水上施工不同，围堰是开挖土方，周边打上钢板桩，形成一个基坑。按照这里的地质条件，桩基要打到

14 ~ 18 米的深度，一个基坑内有 2 根或 4 根基桩。那些周长 40 米左右的基坑，像一个个张开的大口，每一张大口要吞进去 100 万元。曹国俊在这里干两年了，黝黑发亮的脸面，是武汉盛夏的馈赠。冬天大雪纷飞，他们把厚厚的棉被，包裹在桥墩的墩身上，不让混凝土受冻。而他们自己呢？这个 63 人的集体，活动板房就是他们的家，再寒冷的天气，也是挥汗如雨地在工地上劳作。2008 年之初的那场暴风雪，严峻地考验了这个集体。接近年关，农民工纷纷回家过年，而 28 号基坑的积水等着排出。虽然是要过年了，钻机还得要抢工期。于是，在腊月二十七，63 人的队伍倾巢出动，在冰天雪地里挑灯夜战，把 28 号基坑内的积水，一桶一桶地全部提上来。

曹国俊那里，有一整套彩色打印图片，全程记录了桥墩施工进程。图集共 42 页，每页两幅图片。第 35 页的两幅图片，一幅是“2008 年大雪期间墩身混凝土养护”，画面上白雪覆盖大地，墩身裹着棉被；另一幅是“地面上墩柱施工”，画面上有两个一般高的桥墩，整个墩身都在密密麻麻的钢筋架的包围之中。我请求曹国俊帮我复印了这一页，我觉得太有纪念意义了，我甚至觉得这是两幅可以得奖的摄影作品。我从中领悟到，原来修一座立交桥的桥墩这么复杂呀，原来在每座立交桥的桥墩下，掩埋着许多鲜为人知的故事呀。

和平大道立交，是武汉当前最高的立交，最高墩达 45 米。你将会在上和平大道立交时，欣赏到双喇叭立交的美丽曲线，欣赏到板式矩形桥墩和花瓶式桥墩，这些都是中铁十二局曹国俊们留在武汉大地上的作品。戴家湖在工程竣工之后，将会变成一个真正的湖泊，建成一个亲水公园，成为居民休憩的场所。

其他三座立交，也各有特色。武青三干道立交，是武汉当前跨度最大的立交，跨过楠姆庙车站时，最大跨度为 98 米。青化路立交，是武汉当前规模最大的立交，占地面积有 794 亩。长江北岸的汉施立交，与长江南岸的和平大道立交，堪称武汉当前交通功能最多的立交，这两座立交都有五个方向的连接功能，除了贯通城市三环线和既有城市道路之外，还直接与出城高速公路衔接，经过汉施立交可以直接上汉英高速公路，经过青化路立交可以直接上汉鄂（州）高速公路。

天兴洲大桥引线四座立交桥下，以及沿线所有施工地段，受损的地貌都将得到修复，并修建大大小小的绿地、湿地、水景或公园。这些大大小小的人文景观，就像一颗颗珍珠穿在引线上，成为我们城市的一道亮丽的风景线。

武汉的城区交通，因为有了天兴洲大桥，使得三环线形成闭合环路，把武钢工业区、武湖生态农业园、谌家矶工业区、东西湖工业区、沌口经济开发区、东湖高新开发区六大经济带联为一串，为武汉制造业实力的整体提升营造更加优越的环境。

天下第一难事

有没有世界最长的铁路桥引线记录?

天兴洲大桥铁路引线，北岸起于武汉黄陂区滠口，南岸起于武汉江夏区乌龙泉，全长 60 公里有余。我不知道这座大桥铁路引线排列世界第几位。是不是世界第一其实跟老百姓的生活没有任何关系。跟老百姓生活有着直接关系的问题是征地拆迁。

在所有为天兴洲大桥工作的人们中间，有这么一个群体很容易被社会忽略，他们就是大桥工程的先行官，征地拆迁的工作人员。没有这个群体的工作，大桥工程无法如期开工，也无法顺利建设，更遑论提前通车。

天兴洲道桥公司承担了天兴洲大桥工程征地拆迁的组织实施工作。道桥公司接受武汉市政府委托，与大桥工程全线的黄陂区、江岸区、青山区、洪山区、江夏区、东湖风景区、东湖高新开发区七个行政区，建立了密切的合作关系。在这七个行政区内，都建立了拆迁办公室，都有专门的工作班子，每个班子由一位副区长或副主任分管。

总结天兴洲大桥工程的成功经验，从行政角度可以概括为三句话：部省合作，公铁合建，优势互补。铁道部与湖北省的合作，各方都可以扬其所长，又能避其所短。作为这项工程所在地的湖北武汉，众多优势中有一项颇为突出，可以在征地拆迁中发挥作用。

大桥工程属于线性工程，全程 60 多公里土地上，征用土地 9 300 亩，拆迁房屋 120 万平方米，整体拆迁 29 个自然村，整体拆迁 120 家企业。这个范围包括武汉火车站和武汉动车段的用地。其中属于公路部分征地 1 700 亩，拆迁面积只有 32 万平方米，其余的大头都属于铁路线部分。如果让铁道部直接做征地拆迁工作，那个难度就可想而知了。

铁路公路本来都是国家的道路，但从管理隶属层面来看，各方当然有各方的利益。在武汉市方面，有一个非常明确的指导思想，铁道部在湖北武汉兴建工程，无疑就是支持湖北和支持武汉的经济发展，湖北人武汉人就应该“知恩图报”，全力支持铁道部在湖北武汉境内的工程建设。为此，武汉承担了全部征地拆迁工作，并且首先完成铁路线的征地和拆迁，优先保证铁路线按时开工。

征地拆迁工作，越早麻烦越少，越后麻烦越多，补偿标准前后也不一样。公路的征地拆迁一直到2009年6月份才基本完成，后征地拆迁的补偿价格差不多增加三成。武汉市政府不是没有人会算账，而是从大局出发，从长远利益出发，营造一个良好的投资环境，全力保证国家铁路项目在境内顺利实施。

说拆迁工作是天下第一难事，到底难在哪里呢？首先是农民对自己土地的眷恋之情难以割舍。让他们背离世世代代居住的地方，离开自己的老屋，离开自己刚刚建起的楼房，离开自己熟悉的树林、池塘和村落，还要移动祖宗和亲人的坟茔，在感情上就不是一件容易的事情。让城市居民搬家，同样也有这样一些问题。其次是拆迁的企业，有2 000人的国有企业，也有私营小企业，涉及多少个家庭的生计啊。再次，所有拆迁户头，无论私房主或公房，无论国企或私企，都有维护自己利益的权利。因此，如何平衡国家与各个拆迁个体的利益，就是一件政策性非常强的工作。

天兴洲道桥公司提出的拆迁工作原则是：不损民，不扰民，不与民争利。工作目标是：和谐拆迁，友情拆迁，以人为本拆迁。工作程序是：宣传发动在先，资金准备在先，还建地、还建房安置在先，政策规定制定在先。我手头有一本青山区2003年印制的《房屋拆迁宣传手册》，其中有致拆迁居民的公开信，有介绍天兴洲大桥的文章，有拆迁管理实施办法和安置补偿办法，还有拆迁户办事指南和公证事项，以及购房便民措施，金融机构便民措施，最后是拆迁工作人员纪律规定。这本手册就是把拆迁中涉及的方方面面问题，都不厌其详地向拆迁居民告知，真正体现了以人为本的精神。

道桥公司副总经理朱少华，专门分管征地拆迁工作，手下有个10人的工作班子，叫做前期工作部，言下之意就是工作要做在工程前头。跟我谈起天下第一难事，有种悲悯情怀溢于言表。他说做拆迁工作，跟社会最底层打交道多，亲眼目睹老百姓的实际困难。上世纪50年代参与武钢建设的民工，很多人就地建起小平房，一家好几口人住30多个平方米。他们能够获得的拆迁补偿，按照有关政策加上适当优惠，可以拿到10万元。用这笔钱显然买不起房。因此，实施拆迁，既要依法依规，又要友情操作，要在政策与实际两者之间寻找一个平衡点。一部分特别困难户，无论货币补偿，还是产权置换，都不能解决问题，就让他们领取过渡费租房住下来，把经济适用房的房号发到他们手里，让他们安安心心地从棚户中搬出来。

好不容易找到“前期工作部”的部长高翔，他给我讲了一段难上加难的经历。2005年年底，6号桥墩施工在即，现场有户人家不同意搬走。这户人家夫妻俩40岁左右，都下岗吃低保，加上孩子三口人，住30多平方米。所有的好话说尽了，不搬。请孩子的老师上门做工作，不搬。青山区政府出面给夫妻俩安排就业，不搬。可以给的优惠条件都给，不搬。他们提出的条件超越政策范围，直把前期工作部搞得焦头烂额。调查发现这家男主人有个优点，特别听岳父岳母的话，于是高翔带队驱车前往深山老林，把二老请到武汉来。除了高翔和司机之外，其他同行大员名单是：省信访局一位副局长，青山区拆迁办两位副处长，女主人娘家县信访局一位副局长。这个阵容的规格总算可以吧。高翔说，那天早上6点出发，中途过河滩汽车抛锚，折腾到深夜12点才回来。中午在乡政府搭伙吃口饭。二老马到成功，说服了女婿女儿上班，全家搬进稍大的置换房子，总算没有耽误工期。

你说这是不是天下第一难事？

比这个更难的事例就不好意思写啦。

不过也有不难的时候。高翔说像青山区的九头鸟新型材料厂，江岸区的平安铺村委会办公楼，还有一些单位，都是先行搬出，然后再谈补偿。青山热电厂戴家湖灰场更绝，2006年年底就把施工断面提交给施工单位，补偿事宜直到2008年才来谈。

在高翔的办公室坐了一会儿，他那个手机座机的铃声没完没了地响个不停，我在想呀，大桥都快完工了，这个“前期工作部”像是变成“后期工作部”了，还有好多工作等待他们去做呢。

拆迁也给一些村子带来新的发展机遇。平安铺村是江岸区的边缘村，被征用土地850亩，全村整体搬迁出来，还建土地面积为164亩，其中还有部分属于待征地。这个村就以拆迁为发展的契机，在可用的136亩地上，用一半面积为居民建小高层住房，留下一半面积作经营开发用地。现在农民变市民了，成立了股份公司，开办了工厂，在一个新的起点上谋求发展。

天兴洲道桥公司与各区配合协调，平平安安地拿下了全线工程的拆迁征地，既保证大桥工程如期开工、顺利建设、提前通车，又没有给社会稳定造成麻烦，功莫大焉。

在天兴洲大桥大功告成之日，是不是也应该向那些离开自己家园、离开自己社区、离开自己工作场所的所有拆迁人士，深深地表示我们的敬意呢？正是他们的全局观念，舍小家为大家的壮举，使得天兴洲大桥工程把天下第一难事，办得漂漂亮亮圆圆满满，让中央政府和地方政府都放心！

枢纽，枢纽

有识之士认为，天兴洲大桥的建成，在铁路方面的意义，远远大于改善城市交通的意义。

天兴洲道桥公司董事长王新华，也就是在公司内倡导“但求事功，不事张扬”的主儿，经过三番五次联络之后，终于被我逮住了。那天我不管三七二十一，自己跑到道桥公司，守在档案室里，一听说会议结束，我赶紧跑上楼去找他。他的办公室里，有一角摆放着文房四宝，看来此人不乏雅趣。听说他还是业余的红学研究者，对《红楼梦》人物史湘云、薛宝钗颇有研究，出版过一本《湘江水逝楚云飞》，此前还出版过一本《企业之魂》。套起近乎来，我们还是老战友呢。上世纪70年代初师炮团发生过一起惊马事件，一名战士从马背上摔下来，险些碰得脑浆飞溅。我当时是这个野战师政治部的新闻干事，当然记得这件事，没想那个逃过一劫的战士，就是眼前的王新华。

大难不死的王新华有天生的幸运，他与共和国同年同月同日诞生。

王新华的简历可以用他自己的几句话概括：当年若不参军，现在可能是个村长；当年若不离开军营，现在可能是个将军；当年若不离开机关，现在还是一名政府官员。他曾被评为省、市“百名模范转业军官”。这位既经历戎马岁月，也追求书香人生的副局级干部，忽然在50岁上作出一个重大抉择：弃官，下海，干企业。从此他开始为实践“政府主导，企业运作”的思路而奔走。2004年6月，全国等待国家审批的重大项目有130多个，天兴洲大桥排在100多位，正是因为有省市政府与企业的通力合作努力，才使得天兴洲大桥项目得以前移了100位。天兴洲大桥项目拿到手之后，武汉大桥实业集团公司董事长王新华，又同时挑起武汉天兴洲道桥投资公司的重担。

总结天兴洲大桥工程，王新华罗列它的政治意义和经济意义，一口气用了七个排比句：因为天兴洲大桥，武汉铁路分局重新升格为武汉铁路局；因为天兴洲大桥，兴建京武段和武广段客运专线；因为天兴洲大桥，兴建高速铁路武汉站；因为天兴洲大桥，武汉成为全国六大客运中心之一；因为天兴洲大桥，修建了武汉北编组站；

因为有天兴洲大桥，兴建武汉动车段；因为天兴洲大桥及相关配套工程，总投资由110.6亿增加到235亿；因为天兴洲大桥，使得铁道部在武汉的投资超过千亿。

这些“因为天兴洲大桥”结下的硕果，用一句话可以概括：武汉成为全国铁路四大枢纽之一，全国铁路六大客运中心之一，重新坐到九省通衢的交椅上。这些因果关系，前者与后者之间，也许可以倒置过来，或者说是互为因果。

在天兴洲大桥动工不久，2005年3月18日，武汉铁路分局撤销，重新组建武汉铁路局。这不是一次简简单单的机构升格，它有着中国铁路跨越式发展的背景，它是中国铁路布局发生变化的产物，同时显现出湖北作为促进中部地区崛起的战略支点的地位。

王新华跟我说，应该到武汉北编组站看看，非常非常壮观，值得一看。这是亚洲最大的编组站。是武汉成为全国铁路枢纽的重要支撑。这个编组站占地面积7 000亩，铺设112条货运编组道，纵向长度为5公里，排列最宽处1公里。整个编组站正线铺轨58公里，站线铺轨222公里，有媒体计算过，用这些铁轨差不多可以铺设一条从武汉到合肥的铁路。2009年4月18日，武汉北编组站投入运行，每天有万节车皮在这里自动分组，每节货车皮按照自己的身份证，按照不同的去向扎堆组成列车，然后该去哪里去哪里。所有这一切，都在调度大厅的电子屏幕上一目了然，都是在鼠标的指挥下有序进行。

洪山区杨春湖的名字，随着武汉站的兴建，已经在武汉变得家喻户晓。杨春湖抢了这个风头，不是因为它有个好听的名字。王新华说，铁道部最早的武汉站选址，是在青山区落步嘴，这条线路地势高，不用加填土方就可直接铺轨，投资比现在少10亿元。这一路线穿越东湖风景区，对环境将产生负面影响，落步嘴后来落选了。

武汉站整体以“千年鹤归”为造型，彰显有湖北特色的人文精神。建筑物中部高大的屋顶，隐含中部崛起的寓意。九片同心排列的屋檐，则是九省通衢的象征。武汉站为高架车站，首创等候式和通过式的中西合璧的流线模式，旅客可选择由候车室候车进站，也可直接由绿色通道进站。出站口与市区交通零距离对接，不出站就可以换乘地铁和公交车，以及转乘长途客运汽车。定位于华中陆港的武汉站，远期年旅客发送量达3 100万人，高峰小时旅客发送量为9 300人，站房最高聚集6 000人。武汉站将进入中国人性化程度最高的火车站行列。车站设客运专线、普速两个车场，有高速客车到发线15条、站台8座，普速客车到发线5条、站台3座。货运列车不从武汉站内通过。

从此水路“千里江陵一日还”的盛景，将在武汉铁路客运线上得以实现。以武汉为中心1 200公里半径内的城市，近几年才有的“夕发朝至”或“朝发夕至”，又将成为过去时的快捷。到北京、上海、广州和香港，“当日往返”即将成为现实。

武汉站将于2009年年底投入使用，并以其非凡的气势，成为武汉的新地标。杨春湖一带15平方公里范围内，将成为武汉的副城市中心，一股开发热潮正在这里悄然升温。

在铁路上的动车组，每节车厢都自带动力，与用火车头拉的列车不一样。高速行驶的动车跟飞机一样，只有全流程检修完全合格，才能够拿到出行许可证。武汉动车段是全国最大的动车检修基地，于2009年6月投入使用，全国将有四成的动车在这里接受体检。这个动车检修基地占地面积为2 130亩，也是天兴洲大桥给武汉带来的一大产业。

2009年4月30日，历时四天的武汉天兴洲大桥荷载通车试验顺利完成，为大桥正式运行采集了各种技术数据。(图片来源：新华社)

2009 年 5 月 4 日，天兴洲大桥铁路货运两线实现通车，已经大大缓解了武汉长江大桥的压力，每天 80 多对货运列车将由外绕线通过武汉。同年 9 月 28 日，天兴洲大桥实现公路桥通车，向伟大祖国六十华诞献礼。

王新华经常深情回忆一个光荣的日子，2005 年 8 月 22 日，胡锦涛总书记视察天兴洲大桥工程，陪同总书记来到现场的有湖北省省委、省政府，武汉市委、市政府领导人。总书记听取了汇报之后，了解到天兴洲大桥创造四项世界第一，高度赞扬了大桥人的拼搏精神。总书记拉着刘崇梁的手说：“祝你们取得成功！”总书记的嘱托，鼓舞大桥人为建设桥梁强国而努力奋斗，为把天兴洲大桥建设成我国铁路史上新的里程碑工程而努力奋斗。

天兴洲大桥的建成只用了五年工期，西方人建一座同类桥梁需要八年工期。

中国大桥人已经把天兴洲大桥“主跨、荷载、速度、桥宽”四项世界第一，稳稳妥妥地拿到手了。

2009 年 8 月 24 日，虽然已出三伏两天，但秋老虎还盘踞在江城。这天上午我又有一次机会上桥。好多著名大桥人士聚集在 3 号墩下，我终于见到难得一见的胡汉舟，这位大桥局派驻现场的指挥长，好年轻哟，今年才 41 岁。顿时我倚老卖老地想到，中国的桥梁事业后继有人啊。

过了一会儿，中共湖北省委书记罗清泉来到展板前，听取了王新华和胡汉舟的简要汇报。我站在一个避开摄像镜头的地方，但可以清楚地看到他们的表情，听到他们的声音。胡汉舟掷地有声地说：天兴洲大桥，是当前世界最好的桥梁，现在可以放心了。就在这一时刻，我们的罗书记激动了，喊了几位功臣的名字，同他们相拥在一起，握手握手握手。从 1999 年他赴京第一次登铁道部大门，2001 年他赴京再次登铁道部大门，到今天过去了十年八年，此时此刻，他实实在在地站在了这座造福武汉、造福湖北、利国利民的大桥上面。一阵江风徐徐吹来，他同在场的大桥人，都陶醉了。

再过一个月，2009 年 9 月 28 日，一个庄严的日子就要到了。当我们听到宣布天兴洲大桥公路桥通车的一声号令，那就是大桥人向祖国的成功报告！

天兴洲从此不再寂寞。

（选自 2009 年第 20 期《中国作家·纪实》，有删节，作者：刘富道）

中国出版变局

中国出版体制改革，发端于中国加入WTO的2001年，破冰之年始于2003年，攻坚之年始于2009年。2009年5月21日，中央各部门各单位出版社体制改革工作会议召开。会议传出的信息是，明年年底前，中央各部门各单位148家经营性出版社将全部转制为企业，其所属报纸、期刊、音像、电子等经营性出版单位一并转为企业。一个被称作“中国出版业春天”的改革已经启动。

出版转身记

新闻出版总署署长柳斌杰最近特别忙。

2009年4月17日，他出现在央视《新闻联播》。两天过后，他再次出现在央视《对话》栏目。短短时间内，两次在央视露面，谈论的主题都是中国出版体制改革。

最近，他又马不停蹄地到各地的出版集团、出版论坛视察指导，推动出版界要动起来。此前，尽管新闻出版总署一直推进出版体制改革，但大多数国有出版社，因为既得利益，按兵不动。

但这次不一样了。这次改革明确提出了“引导非公有出版工作室健康发展，发展新兴出版生产力”。“非公有出版工作室”，有一个通俗的名字：书商。官方最初对书商的界定是:“非法经营”。

这就意味着，非公有的出版书商，今后将可以以合法身份参与出版行业经营。中国的出版格局将被重构。

破冰

把时间的镜头拉得远一些。

2001年11月10日，世界贸易组织（WTO）第四届部长级会议，审议通过中国加入世界贸易组织的申请。在日后生效的《中国加入WTO议定书》中，中国政府并没有承诺开放出版业，但外国企业可通过打入图书的零售与批发市场、网上出版和电子图书，渗透中国出版业。国际形势促使中国出版业要进行一次大的变革。此时，中国政府就出版体制，开始酝酿布局谋篇。

然而破冰之旅，步履维艰。

金丽红和黎波，分别是长江文艺出版社的副总编辑和副社长，分管出版社设在北京的图书中心。两人在出版界素有黄金搭档之称，业内有人戏称，任何一本书，只要打上金、黎的名字，这本书马上就会出现在盗版书摊上。

金、黎二人相识于偶然。初次见面前，黎波想像中的金丽红，应该是个年轻漂亮的小姑娘，见了面才知道金是个“40岁的小老太太”。两个人谁也没有想到，在之后的岁月里，他俩的命运如此紧密地联系在一起，并且正好赶上了出版体制改革的一个节拍。

在黎波的印象里，2002年柳斌杰进入新闻出版总署之后，就不断地呼吁出版体制改革，“柳署长推动出版体制改革是真心实意”，但大多数出版社还是按兵不动，时至今日，依然如此。

“出版社为什么不想动？因为一到市场，就要靠本事吃饭，没有本事就得死，出版社不动，是想拉着领导为他们注血，拨经费。”黎波快人快语。

这种情况，到了辽宁出版集团副总经理俞晓群那里，陡然换了一种说法。

俞晓群记得过去开会，署里的一些老领导跟他说过这样的话：“你们要好好做，要做大做强，因为没有几年了，将来要开放出版，就没有人保护你们了，你们要利用现在的政策好好发展。”过去的出版社，确实一直处在政策的保护之下，如今，随着出版体制改革步伐的不断加快，出版社享受保护的“好日子”成为明日黄花。

而关于出版体制改革的推进，支持来自中央。此前，中共中央、国务院就文化体制改革问题专门发布了文件，制定了相应的措施，中央领导也多次强调深化文化体制改革和做大做强文化产业的重要性。

最新的一个信号是，中共中央政治局委员、中央书记处书记、中宣部部长刘云山和中共中央政治局委员、国务委员刘延东分别担任了中央各部门各单位出版社体制改革工作领导小组组长和副组长。

据北京出版业内一位资深人士透露，前不久，柳斌杰去山东济南参加中国出版发展论坛，“柳署长是去鼓劲的，他一开始就说：‘出版单位过去实行事业性质、企业化管理，实际上是非事非企的怪胎，结果人往事业靠、钱按企业拿，一些出版单位公司牌子挂上了，但思维定式、管理体制和运行模式并没有根本转变。实践证明，不重构出版格局，中国出版业就难以实现质的突破，早改早受益，晚改就被动，不改没出路。’”

新闻出版总署署长柳斌杰。（李晓果/摄，图片来源：新华社）

“这话说得很厉害。不过也可以看出出版体制改革的破冰之艰。”这位资深人士说。

启动

2003年6月27日，中共中央政治局常委李长春在全国文化体制改革试点工作会议上指出：要“自觉地把思想认识从那些不合时宜的观念、做法和体制的束缚中解放出来，从对马克思主义的错误的和教条式的理解中解放出来，从主观主义和形而上学的桎梏中解放出来”。

紧接着，中央文化体制改革试点工作小组成立，确立了中国出版集团等7个全国出版体制改革试点单位。在翌年的举措中，行政审批制度和政企分开成为破冰之旅的重要动作。圈内人将这一重要动作，简称“改制”，改制为企业后，出版单位进行股份制改造，称为“转制”。在出版社转制之前，出版界的一个大动作，是把各个出版社合并成立出版集团。

辽宁出版集团是出版社集团化潮流中的先行者之一。1999年，辽宁省省委决定对其实行政企分开，成立辽宁出版集团，把辽宁省出版局管理的一部分国有资产划归集团。当时还是辽宁教育出版社社长的俞晓群，经任惠英的推荐，成为集团领导班子成员之一。“那时候我们还是挺高兴的，因为过去长期都是政府管理，现在终于成立集团了。”俞晓群这样描述当时的心情。

实际上，集团成立之初，也并没有发生什么变化，还是事业单位，也没有改制。虽然说要企业化，但是到了挂牌的时候，辽宁出版集团后面加不加“公司”引起了争议，因为政府批的是“辽宁出版集团”，而不是“辽宁出版集团有限公司”。

辽宁出版集团的改变是渐进的过程。但是走出第一步之后，就越走越远了。2007年12月21日，辽宁出版集团传媒股份有限公司就已经在上海证券交易所上市，成为中国出版传媒第一股。因此，在一年多之后，新闻出版总署公布《关于进一步推进新闻出版体制改革的指导意见》(以下简称《指导意见》)，被认为是对“辽宁出版”改革经验的肯定。

“先是转企，然后是改股份制，接着是上市。自从2000年集团搬到这里的大楼，重点一直放在这上面。”刚开始，俞晓群介入的还多一些，后来介入逐渐变少，集团成立上市公司之后，俞晓群甚至没有介入上市公司的工作中去。

《中国周刊》记者在辽宁出版集团大楼见到俞晓群的时候，他首先声明两个问题比较敏感：“一个是上市，一个是和民营合作的问题。这两件事，都是任惠英亲自操作的，而且这个操作并不在集团这边，都在上市公司那边。集团一开始就制定了非常严明的纪律，我们不在上市公司绝对不能谈他们那边的事。尤其是具体的问题。”

“要谈这些问题，最好还是去和任惠英谈。”俞晓群说。

如今的辽宁出版集团传媒股份有限公司，已更名为“北方联合出版传媒（集团）股份有限公司”，董事长任惠英为人低调，至今不用手机。

《中国周刊》记者联系任惠英时，辽宁出版集团宣传人员说：“老板的兴奋点已经不在这上面了。”

阵痛

关于集团化，俞晓群甚至也不愿意谈起，倒不是因为敏感，而是他觉得在集团化过程中兴盛起来的商业化，“想法虽然没有错，但是确实造成了中国文化的一个低谷。让青春小说和外国文学充满了图书市场，好书出不来。也许这是改革中必须经历的阵痛。”

“很痛苦，确实很痛苦，很痛苦。”俞晓群一连用了三个“痛苦”表达他身处变革之中的感觉。

辽宁出版集团先是上市，然后收购三家民营公司，这样的举动，在没有政策支撑的当时，让外界颇多猜疑。

“虽然当时的政策支撑不是很充足，但是每个环节都是通过文件批的，没有文件，谁敢走这一步？因为原来的政策不支撑这种行为，没有保护，就会有风险。”只要不涉及具体问题，不违背纪律，俞晓群就很健谈。

虽然没有参与其中，但是俞晓群有自己的思考。

“辽宁为什么做（指收购民营公司）？真的是辽宁（指国有出版社）没有人才了？为什么不让这些人才去做非要让民营去做？谁出问题了？是机制出问题了还是别的？民营可以找到的作者出版社也能找到，为什么一定要用那么优厚的条件去收购民营？再比如说转制，转制的目的是什么？你会说要改革，那改革的目的又是什么？总不能说因为是领导让我改的，我们要做大做强。那什么叫做大做强？我很茫然。”

俞晓群对《中国周刊》一连串的问号，像极了他曾出版过的那本描述中国书业的书:《一面追风，一面追问》。

“中国加入 WTO 这么多年，放开越早的领域，就越规范，法律建制就越完善，放开越晚的领域法律就越不健全，因为会不断地用行政手段去干预。”俞晓群说。

合拍

破冰之初，众多出版社按兵不动，金丽红和黎波却自己动了起来。

长江文艺出版社北京图书中心成立的 2003 年，正好是出版体制改革的破冰之年。那时，金丽红和黎波已经在华艺出版社一起共事了十几年，积累了不少在市场摸爬滚打的经验，两个人都觉得，今后出版的趋势，“一定是沿着市场化的路子走，就决定自己出来干。”黎波对《中国周刊》记者说。

在此之前，金丽红在华艺出版社的实际操作中，接触的都是一线作家，比如王蒙、刘心武、蒋子龙、叶辛等等，之后北京图书中心的出版方向，在那时已经有了初步的雏形。回忆往事，黎波说:“在和老金合作的过程中，她一下子就把我带到了一个比较高的起点上。那时，就是我们合作的开始。”

两个人离开华艺后，把关系放到了人才中心。“当时想办出版社，但那是不可能的事，国家对于出版社的建立和运营的原则是必须通过很高层级领导的批准才能成立。但是要做民营公司，买任何出版社的书号都没有问题，可跟我们的想法不符合。”黎波说。

在金丽红和黎波的构想中，国有出版社一定有一条产业化的道路。他们找到了长江文艺出版社的社长周百义，提出一个说法，叫“国有资本，民营机制”。

这在当时，是一种全新的机制，黎波告诉《中国周刊》记者:“周百义也不知道我们要怎么干。”两个人一点一点向周百义说明他们的想法。“民营有资本，出版社也有资本，只不过是资本属性不同，但是在机制上完全可以一致。”

以金丽红在出版界的金字招牌，逐渐地，周百义被两个人打动了。

于是有了北京图书中心，不仅用长江文艺出版社的资金，而且有全部的经营权，但图书中心是非法人单位，而且到现在为止，还一直是一个经营性机构。“我们的法人在湖北，这是个变通的方式。当时很多人不知道我们的属性，还都以为我们是工作室。其实不是，我们这里的人都是通过出版局任命的，只不过以合同的方式聘用。”黎波至今还保存着那“两张纸”（合同）。

天下没有白吃的午餐，长江文艺出版社的钱也不是白给。在那两张纸上，清清楚楚地写着北京图书中心在政治上受什么制约，在经济上要达到什么目标。“其实就是职业经理人聘任制度。”黎波一语道破天机。

回忆当年，金丽红坦言：“我们是比别人走得早一些，步子也快一些，但是当时所承受的风险也大一些。”

黎波阐释了金丽红所说的风险：“风险来自两个方面，一是这种体制能否获得认可，二是能不能养活自己。”关键在于后者，赵萌是图书中心成立时的老员工，他告诉《中国周刊》记者：“刚开始的时候，很多员工心里都打着小鼓，不知道公司能够做多久。”

而对于金丽红和黎波来说，风险还有一方面，如果一旦成功，他们如何保障自己的权益。所以在图书中心成立三年之后，他们和长江文艺出版社完成了股份改造，“这叫有恒产者有恒心。”黎波解释说。

作为出版体制改革的获益者，黎波很感谢这场改革，让他“得到了一个职业经理人研究市场、享受市场、获得市场回报的乐趣”。“说起来，改制就是谁早动，谁得益。”他总结说。

杀出来的血路

中国的民营书业，正是在俞晓群所说的“法律不健全”的环境下成长起来的。不过，他们没有金丽红和黎波那样幸运。

民营书业圈内颇为资深的民营书商柯尚宏（化名），经过记者的几番沟通，才接受了《中国周刊》记者的采访。

“这个问题不太好说，我只能给你讲一些大概的情况。”柯尚宏坐在沙发上，点了根烟，烟雾缭绕中，看不清柯尚宏脸上的表情。

中国民营书业，在上个世纪末发端于西安和长沙。因为“非法”，书商做事都很低调，长期以来，这个行业在外人看来有很多神秘色彩。

其实，说起来非常简单，书商们的操作模式，从80年代末一直到现在，从来都没有变过：

书商们策划一个选题，然后去跟出版社谈，出版社如果觉得没有政治问题，就给书商书号，书商交钱，出版社办好各种手续，出版社发新华书社系统，书商的则在二渠道发。所谓二渠道就是全国各地的民营批发商。给出版社的书，因为折扣特别低，书商别想从中获利，另外书商还要给出版社交一份旱涝保收的管理费（即书号费）。这一切完成之后，出书之后的利润，就归书商个人所得。

一旦被查出倒卖书号，书就不能再印，出版社领导也会挨批评甚至丢掉乌纱帽。出版社对于这类书商也会敬而远之。

书商就一直处于这种游击状态。而且这一切，都是偷偷摸摸地进行。订货会则老是被人赶着到处跑。

北京书商的聚集地一开始在大北窑，后来则是在惠侨饭店。到了90年代的时候，就有人在那里常驻，每人一个房子，门开着，书往床上一摆，来看书的人一个房子一个房子挨着转，看上哪个书就现场点钱。

要是忽然有人喊：“公安来了。”“哗——”所有的门都关上了。“那时候我们开订货会就像搞地下工作。”柯尚宏说。

柯尚宏记得特别清楚，有一次民营书商在南京开订货会，开了个宾馆，忽然公安来查，大家一下子作鸟兽散；换个宾馆继续，公安又来了，如此反复了三次。

“常常觉得我们是‘二等公民’。”柯尚宏抱怨说。

没有什么明确的政策宣布民营书业合法化，但是越往后来越宽松，“非法经营”的说法也慢慢不再被提起。

民营书业第一次大张旗鼓地公开活动，是在1997年，湖南省出版局在长沙一本正经地举办了一次二渠道的订货会，当场打出的巨大的条幅上，上面写着“热烈欢迎各地民营图书出版人到湖南参加出版物交流会”，这在今天大家习以为常，但是在当时，柯尚宏的感觉是“湖南人的胆子真是大”。

书商们感动得热泪盈眶：“我们可以光明正大地参加订货会，不用再躲躲藏藏了。”

再往后，2001年在北京又举办过一次专门针对民营的订货会。两次订货会之后，民营出版人心里亮堂了很多。

可是没有政策给民营书商正名，书商们做书还是名不正言不顺。

俞晓群对于民营书业心情比较复杂，对于这次的“出版新政”，他说：“民营书业已经增长得这么快了，总无视它的存在肯定不行。承认它们的存在，就要有一个恰当的评价，这次最大的进步就是承认民营是先进的生产力，是文化建设的重要组成部分。但是要给民营什么政策？这个问题要我个人来说，政策给的还是远远不够，就应该从政策上给民营和国有同样充分的空间，不能国有是‘亲的’，民营是‘后的’。当然反过来也不对。”

对此，柯尚宏更是有切肤之感：“柳署长一直为我们民营书商说话，我们心中都记着呢。《指导意见》对于我们来说，最大的意义就是说民营出版是光明正大的生意了，可以做了。对于个体来说，该怎么做还是怎么做。现在因为肯定了民营出版是先进生产力的代表，鼓励民营与出版社合作，但是对于如何给民营出版平台，指导意见并不明确。”

“民营这条路是一条杀出来的血路。能获得承认，说明社会已经取得了巨大的进步。”柯尚宏有些感慨。

双“百亿”结构

凤凰集团是目前国内唯一一家资产超过百亿、销售超过百亿的出版传媒企业。此次出台的《指导意见》提出的出版业改革的量化指标，就是要在三到五年内，培育出六七家这样的出版集团。

不过，凤凰的“双百亿”在业内颇受质疑。一位不愿透露姓名的资深人士说：“你别看现在有的省搞得红红火火，要是往深处调查，还是靠教材支撑。你要是去采访，别听他们怎么讲，你要看他们的产品结构，不要看他们有什么文库，什么文丛。”

对此，凤凰集团董事长谭跃并不讳言。他告诉《中国周刊》记者，凤凰集团现在的产业结构分六个板块，三个传统板块是出版、发行、印务，还有三个新兴板块：金融、地产和酒店。目前达到的双百亿，出版和发行占87%的比重。

而在占了87%的出版发行上，占比例较高的，还是教育产品。

“但是这个话要说清楚。”谭跃说。

谭跃认为，这种情况反映的不是出版水平低，而是中国整个社会发展水平不高，首先是城市化的程度不够高，因此国民阅读力不高。读书人不多，这种情况反映到出版上，就是读书人的主要群体是学生。这种社会现状，决定了这种出版格局。另外一个情况则是，在国外，无论大众读物再怎么发展，教育出版依然是这个产业最大的一块，比如说美国，教材教辅的出版在大型出版集团中依然占到了 33% 的比例。如果具体到凤凰出版集团，“我们曾经有七八年的时间，主要致力于教育出版。”

对此，业内质疑纷纷，文化的影响力，靠的是拳头产品，而不是靠规模和码洋。

谭跃其实有清醒的认识，“无论规模多么强大的出版集团，将来不会有人记住它的码洋有多少，大家记住的是他们出版的有价值的书。”

就在《中国周刊》记者采访他之前，中央政治局常委李长春和新闻出版总署署长柳斌杰刚刚在凤凰集团考察完，“领导对我们改革的措施很肯定。但是也不要去渲染。”谭跃说。

针对凤凰集团的产业结构，他在向总署的汇报中提出:“从宏观层面上来说，要改变这种结构是对的，因为城市化的程度不一样；从中观的层面讲，从我们集团来讲，就不一定要改变，不是要调小我们的教育出版，而是要做大我们的大众读物，同时教育出版丝毫不能放松；从微观层面来讲，具体到集团的各个出版社，这个方向又对了，不能每个出版社都以教育出版为主。每个出版社都应该在市场中摸索自己的专业方向。”

2008 年，凤凰集团拿出 2 100 万给江苏文艺出版社，不允许文艺社再做教育出版。

游戏新规则

《指导意见》出台前后，一个消息在民营书业圈内流传，很多民营书商要被国有出版集团“收编”，其中包括在业内比较知名的张小波（共和联动）、陈明俊（新经典）等人。

果然，4 月 25 日，张小波执掌的共和联动和凤凰出版传媒集团旗下的江苏人民出版社开始“联姻”，两家共同出资 1 个亿，成立了北京凤凰联动文化传媒公司，凤凰控股 51%，张小波则成为新公司的总经理。

柯尚宏暂时还没有被“收编”的想法，“你拿了钱进去，但是民营和国有还不是一个平等的地位。再说还不知道政策会不会变。”

对于凤凰和共和联动的联手，谭跃这样阐述他们的游戏规则：

“我们之间有一个章程，在经营上，以他为主；在选题开发上，以他为主；在资产的把握上，以我们为主。所谓以我们为主，就是一票否决权，国有资产有风险不行，另外一个，在内容上，有否决权，如果导向不正确，我们可以一票否决，不需要讨论。共和联动对此表示充分理解，而且支持这样的决定，他们也感觉到在出版上内容是生命线。”

“当时我和张小波说，以后我们就是一家人了，你不是凤凰一般的员工，你是带着资金来的。你也是主人。凤凰的钱你可以花，但是要有效益，因为你的利益也包含在里面。”谭跃说话不拖泥带水，喜欢直奔主题。

正是这种一票否决，让柯尚宏觉得不平等，“被出版集团吸收，我们也要拿钱，但是并不能说了算。”柯尚宏坐在沙发上狠狠吸了一口烟，有点无奈地说。

出版行情：利好下的隐忧

2009年4月7日，星期一。延续上周五沪深股市微幅下挫颓势，新一周的A股市场开盘后呈现出“温吞水”式的行情，股指在开盘点位附近窄幅摆荡，大盘走得懒洋洋，令多数投资客面露倦容。

但就在此时，一部分嗅觉敏锐的投资人士，已经在一方“小园地”里展开了激烈的竞逐。出版传媒开盘涨4.65%，短短四分钟，即飙升至8.59%；粤传媒以3.11%的涨幅开盘，一小时又十分钟后飙至7.3%；新华传媒、中体产业等个股，早盘涨幅也均在3%以上。远远超过同期的大盘上涨幅度。

政策利好改善行业预期

资本市场的每一次异动都不是空穴来风。一向表现沉寂的传媒出版股，这次迎来了一则罕见的政策性利好。

新闻出版总署于 4 月 6 日出台《关于进一步推进新闻出版体制改革的指导意见》（下称《指导意见》），明确提出了新闻出版体制改革时间表和路线图，要求推动经营性新闻出版单位转制，重塑市场主体，在完成转制的基础上，推进联合重组。

这种利好有多大？专门从事传媒出版行业业态研究及投资价值分析的银河证券研究员许耀文向《中国周刊》表示，足以改善当前市场对传媒出版行业的不良预期。

据其介绍，原有政企不分的出版发行体制因较难满足群众多样化的阅读需求，已经使得我国人均读书量长期徘徊在较低水平，而网络、手机等新媒体的蓬勃发展，也越来越显示出对传统阅读的部分替代性。与此同时，整个行业赖以生存的主要利润来源——教材教辅，也因为学生规模的逐渐减少、教材招标体制改革的推进、课本循环使用等因素，盈利空间越来越受挤压。整个行业的发展形势堪忧。

“欧美和台湾等市场化机制运行较好的图书市场都已经出现了萎缩迹象，我们这边若不改革，将来的后果可能会更糟。”

在许耀文看来，《指导意见》在此间推出，有助于打破僵化的体制，盘活图书市场的运行，进而有利于人均阅读量的提升。因而对整个产业发展具有十分积极的意义。从单个企业来说，国有出版社和民营出版社的资源整合，不同集团之间的兼并重组，也有利于企业做大做强，提高其核心竞争力。

上市重组仍有重重顾虑

除利好已经上市的出版企业，刺激其股价走高外，《指导意见》也为拟上市的企业送来了春风。相关内容显示，今后政府将积极支持条件成熟的出版传媒企业，特别是跨地区的出版传媒企业上市融资。

这无疑将加速新闻出版业改制上市的步伐。据《中国周刊》了解，目前凤凰集团上市前的筹备工作已基本就绪，预计年底前可将集团中的发行类资产上市。与此同时，湖南出版、长江集团等出版企业进入了上市筹备期。江西、山西、河南等省的出版集团也跃跃欲试。

但任何事情都是双刃剑。如果企业在上市之前做好了项目准备，融到资金后就可以“把蛋糕做大”，获得更大的发展；但事先毫无准备，所融到的资金反而会给企业带来沉重包袱。当年北青传媒在港股上市后筹资 9 亿港元，却最终无处投放，所募款项不得不搁置于银行，令正在筹划上市的出版业高管们至今心有余悸。

凤凰集团董事长谭跃在接受《中国周刊》记者采访时表示，“现在每个省都有一个出版集团，日子都比较好过，不管哪个出版集团想去并购另外一个集团，省里都不会答应。”这种行政壁垒的存在，使得优质出版资源的并购变得难以成行，在这种情况下，即便是企业通过上市融到了一大笔钱，也同样面临没有项目可投的困境。

有着类似想法的长江文艺出版社副社长黎波干脆选择放弃，决定不参与母公司长江集团的上市计划。他向《中国周刊》明确表示现在“不缺钱”，“找不到新的盈利模式，我们就不会上市”。

业内专家分析，由僵化的行政隶属关系直接突变为高度透明的上市公司模式治理，传媒业高管的担忧和顾虑并非毫无道理。改制新规出台后，如何破除市场化道

2009年10月7日，两位小朋友在书市上挑选图书。（姜克红/摄，图片来源：新华社）

路上的各种障碍，不光考验改制企业的承受能力，同时也在一定程度上取决于政府有没有推进改革的魄力。

一个农民与他的《命根》

在王府井书店的纪实文学专柜，在西单图书大厦的纪念改革开放 30 周年图书专柜，人们都可以看到一本名为《命根》的书，书中记录了农村和农民在 1978～2008 年 30 年间的变化。此书作者是一位来自山东省沾化县李果村的青年农民，名叫李冉。

5 月 23 日，李冉告诉《中国周刊》记者，2008 年以前，他想都没想过，有朝一日自己也可以出一本书，也可以把书摆在北京、济南等大城市的书店里，让读者们翻阅、购买、品评。

为生计奔波

李冉打小生长在农村，1995 年考进滨州师范专科学校读中文系。

滨州师专岁月，占据他更多脑细胞的是工作，而不是书。他脑子里想的是，不能再让身在农村的父母养活了。怀着这个念头，他在 1997 年就开始到社会上打工了。1998 年毕业后，他只身南下广东东莞，在一家滨州人开的酒店里，干起清洁工的活。

独在异乡，寂寞时李冉开始写日记。年少的心情思绪，有时也化成一首小诗，发表在所在酒店的内部刊物上。因为是家乡人，又会鼓捣点文字，李冉被老板看中，调入广告部做策划，后到企业文化中心办报纸。此后，李冉从广东回到山东，从酒店到房地产公司，再到一家铜业公司，做的都是广告营销、企业文化方面的事情。天天考虑的是公司的事，看的多是企业管理、市场营销方面的书，与文学距离很远。

事情在而立之年发生了变化。2005 年 7 月，李冉听同事讲了一个农村的故事：一个农村男子南下打工，归来时却发现独守空闺的妻子另有了心上人。这个发生在农村的婚变故事，让李冉感到有一些话如鲠在喉，起了念头要写一篇小说。

为了写小说，他开始读文学。最喜欢读的，是贾平凹的作品，还有陈忠实的《白鹿原》。几个月后，他终于改定了自己的第一篇小说《男人走了》，登在《中国乡村发现》杂志的网站上。

日记编成书稿

可农村的男人们为什么要离开自己的土地？李冉发现自己触到了一个更深层的问题。他觉得，应该写一个更大篇幅的东西，来表达自己对这个问题的想法。他开始翻看自己坚持了几年的日记，从字里行间，他看到了自己一路走来的足迹，还有农村的变化。

他想，要不就把日记改成一本大书？就这样，一个出书的梦想，在2006年的春天，种在李冉的脑子里了。

他没有告诉任何人，一边工作，一边用业余时间改写日记，用电脑整理一章，就打印出一章。当把几十万字的日记改写成17万字的书稿时，李冉找来一本相同篇幅的书，糊上自己的封面，拿在手中看。他想：如果我的这本书出来，大概就是这么厚厚的一本吧。

可——书稿成了，怎么出版呢？李冉一窍不通。他悄悄找到自己认识的几个广告界的朋友打听。朋友的话，当头给他浇了冷水——现在出书难，自己不掏钱出书更难，你又不是什么名家大腕，干脆就自己拿出万把块钱来，自费印个几百本，朋友间送一送，过下瘾得了。

如此出书，有几个读者能读到？书到不了读者面前，出这书又有什么意义呢？再说，自己也拿不出多余的钱来。李冉把出书的梦搁置了，有些心灰。

但他还是不死心，没事就往书店跑，去找同一类的书看，想像着自己这本书成书后的样子。2008年5月的一天，他在书店里拿起一本《六十年代生人成长史》，在封三页看到了此书责任编辑、中国青年出版社编辑林栋的电子邮箱。“要不，咱试一试”，李冉想。回到家，他马上写了一封信，附上书稿的简介，发到了林栋的电子邮箱里。

此后几天，李冉时不时地回顾这个自觉有些冒失的举动。“真是勇气大于信心，根本不抱什么希望的”，李冉回忆说。

李冉想不到，林栋在收到他的邮件后，会很快给他打来电话。四天后，正在公司里上班的李冉，看到手机上显出一个区号010的电话号码。北京！没有亲戚也没有朋友，难道是——编辑老师？李冉摁下接听键，里面传来他渴盼的声音：“李冉吗？我是中国青年出版社林栋，你能把整个书稿发过来我看一下吗？”

李冉感到说不出的兴奋。马上就把书稿通过电子邮箱发过去了，并以最快的速度，通过邮局邮寄一份打印稿到中国青年出版社。两个星期后，6月10日下午，林栋再次打电话来，告诉李冉，已初步决定纳入出版计划，要他进京商量修改事宜。

真是意外的惊喜！那个出书的梦想重新升腾。

翌日一早，李冉乘上长途客车赶到北京。他拿着一张北京地图，看准东四十二条的大体位置，便乘上地铁往中国青年出版社赶。让人着急的是，他提前一站在朝阳门下了车，不得不再打的士。下午2时30分许，他进了中国青年出版社的大门。“这是我第一次踏进一家出版社的大门。”李冉说。

在办公楼五层办公室里，李冉见到了林栋。林栋是中国青年出版社中青人分社总编辑。他告诉李冉，中国青年出版社的副总编辑韩亚君也看过他的书稿了，出版社认为这书的写作视角非常新颖，反映的是最基层的心声。当然，书里不能光写过去的事情，还得再实地采风，写进当下的新变化。

此行，李冉同中国青年出版社达成了出书的初步协议。

梦想成真

北京归来，李冉大张旗鼓地干开了。他干脆辞掉了公司企业文化中心主任的职务，一心一意做书。已是公司老板的同学，为他提供了一台二手笔记本电脑，并赞助他一部数码相机和一支录音笔；另一位任公司高层职务的同学，赞助他5 000元人民币的采风路费。

之后几个月，李冉在林栋的指导下，走访了山东滨州市杨柳雪村、山东寿光市三元朱村、安徽省凤阳县小岗村等典型农村。9月，他重回北京，住进中国青年出版社招待所的地下室，开始最后的冲刺。

成稿、审稿、改稿、再审稿、再改稿，反反复复不下五遍。一个多月，李冉基本上足不出户。

“累、烦，像揉面、像推磨，来回折腾、不分黑白地干”，李冉说，他一边改一边出声地读，每改完一章，便抿一口二锅头，小酒一喝，高兴一阵。在深夜改稿的间歇，李冉会突发奇想，支起三角架，自拍下伏案改稿的形象，记下这“非常难忘的阶段”。

2008年11月底，看到胶片下厂后，李冉回到了老家山东沾化县李果村。12月1日，样书寄到李冉家中。摸着封面上凸起的“命根”两个大字，李冉想:“我终于出了一本自己的书了。”

12月16日，新华网山东频道报道了李冉创作《命根》一书的消息，《大众日报》《齐鲁晚报》等媒体也先后加以报道。李冉，成了一个小有名气的人物。

得知李冉出书的消息后，一位非常要好的朋友，专门买了一只足有十五六斤重的猪后肘，送到李冉家中，说:“好好补补脑子！”

原先并不看好李冉出书的朋友，齐向李冉祝贺:“这是一个奇迹！”

沾化的朋友告诉他，县新华书店给他的书出了一个专柜。济南的朋友告诉他，在泉城路新华书店看到他写的书了。

2008年12月18日，李冉来到北京王府井书店和西单图书大厦。当看到有读者在翻阅《命根》时，一种奇妙的感觉从心里直冲眼眶。李冉说:“那是一种说不出的感觉。”

在林栋看来，李冉的《命根》，正符合了当下的市场需求。林栋说，以前出版社的思路没有更多地考虑市场，主要考虑对青少年进行思想品德教育，做好宣传。从上世纪90年代开始，市场化的取向逐渐明显。发展到现在，只要是符合大政方针、整体利益，而且又符合市场需求的作品，就可以出版。

李冉对《中国周刊》记者说:“我不是专业作家，甚至连一个业余作家都算不上，只不过是一个普通的农村青年，能够在国家级出版社出一本书，正是改革的产物。”

现在，李冉又悄悄回到了中国青年出版社招待所的地下室。在室内挂起一张大海报，是关于他已着手的第二部纪实文学作品《命脉》。

他把那部二手笔记本电脑放在正对着海报的小桌子上，写一会儿看一会儿，时不时想一会儿。他还看到了第三部作品《命运》的影子。

（选自2009年第3期《中国周刊》，作者：陈远、宋合营、綦伟）

新中国，甲子大阅兵

2009年10月1日，必将成为未来岁月里一个醒目的坐标。

这一天，新中国迎来她生命历程中的第一个甲子。这一天，中国在北京天安门广场举行新世纪首次国庆盛大阅兵。

这是新中国的第十四次国庆阅兵。这是迈入新世纪的中国第一次举行盛大国庆阅兵。

国庆60周年阅兵全景实录

黎明，大军开拔

沙河的黎明，总是陪着呼号声、步伐声一起到来。

这个黎明却格外宁静。你只能从灯光下那些闪动的身影里，捕捉到一丝不寻常的气息，如同火箭就要升空，战舰就要起锚。

飞行学员方队教练朱国庆正在检查队员们的服装和枪械。距此不远的另一片营地里，军乐团演奏员苏勇擦拭着银白色的短笛。

就在这个黎明，朱国庆和苏勇分别迎来了自己的49岁和40岁生日。就在这个黎明，他们和自己的战友一起，迎来了共和国的60岁生日。

半年前的那个春天，他们也是在一个个宁静的夜里，陆续进驻阅兵村的。

与国庆50周年阅兵相比，这次阅兵的准备时间缩短了九个月。

然而，一切忙而不乱。

2008年11月4日，阅兵联合指挥部受领任务，三天后即正常运行。

到12月，来自天南海北的官兵组成一个个方队，在北风中开始了训练。

到2009年5月7日，所有参阅部队集中到131天内建成的两个京郊阅兵村。

直至倒计时牌上的数字不再跳动。在历经了冬寒夏暑的磨砺之后，由8 000余名官兵、500余台地面装备和150余架飞机组成的56个方（梯）队，终于走到了接受检阅的这个秋日——2009年10月1日。

晨曦初露，长长的车队载着徒步方队离开沙河。

同一时刻，已于前一天从通州阅兵村装载至北京东站的装备方队，隆隆发动战车。

天安门——两支大军向着这个举世瞩目的地方开进，开进！

9时，西望长安街

雨后初晴。金色的阳光跃出云层，跃过一座座古老和年轻的建筑，投向伫立在长街上的钢铁巨阵。

9时许，由人民解放军、武装警察部队、民兵和预备役部队组成的14个徒步方队和30个装备方队整齐列阵东长安街北侧，静候检阅。

此时，陆、海、空三军航空兵151架战鹰编成的12个空中梯队在华北各地的数个军用机场集结完毕。

这一切，代表着中国以230万军队为主体的武装力量和中国国防与军队现代化建设的新成就。

受阅部队以东，是被称为“CBD”的中央商务区，北京最具经济活力的地区之一。

受阅部队以西，是首都的心脏——天安门。

天安门原名“承天门”。作为皇城的正门，它和它背后的紫禁城共同构成了明清王朝的皇家禁地。

老百姓不能跨入一步的禁区之门，却曾在侵略者的炮声中轰然打开。

1900年，八国联军侵占北京后，竟在紫禁城举行“阅兵”！

那狂笑，至今撕裂着中国人的心。

今天即将受阅的三军将士，又一次把这条记录着屈辱与觉醒的长街，变成了展示中国自信与自强的阅兵场。

履带自行高炮方队通过天安门广场。（郭大岳/摄，图片来源：新华社）

长安街告诉人们，强大的国防，永远是国家的盾牌。

10时09分，检阅车向东驶去

十里长街开满鲜花，与绿色的军阵组合成这个秋季最绚丽的景色。

10时09分，在激昂的阅兵曲中，中共中央总书记、中华人民共和国主席、中央军委主席胡锦涛乘检阅车徐徐向东驶去。

“敬礼——”方队指挥员一声令下，伫立在东长安街的受阅官兵，向胡锦涛主席行注目礼。

“同志们好——”“首长好！”

“同志们辛苦了——”“为人民服务！”

军委主席的亲切问候和受阅官兵的响亮回答，响彻十里长街。

这响亮的回答，穿越人民军队82年的光荣历程，传递着这支军队不变的宗旨。

“红军师”“秋收起义团”“平江起义团”“铁军”“猛虎团”“硬骨头六连”“上甘岭特功八连”……检阅车从一面面鲜红的战旗前徐徐驶过。

从南昌城头一路走来的中国军队，哪一支没有经过战火的洗礼，哪一支不是传承着英雄的基因？

新型坦克、新型火炮、新型导弹……检阅车从一台台迷彩色的装备前徐徐驶过。

从当年的“万国造”到今天全部国产的先进装备，中国军队的武器装备实现了历史跨越。

10 时 37 分，正步通过天安门

敬礼线到了！

32 岁的旗手朱振华双手一收一推，3.3 米长的旗杆从肩上落下，准确地固定在前上方 45 度角的位置。

秋风轻拂，红旗上的五角星和“八一”两个字展现在亿万中国人眼前。

10 时 37 分，迈着铿锵的正步，三军仪仗队护卫军旗通过天安门，拉开了分列式的序幕。

这时，天安门广场上的背景图案赫然出现 12 个大字：听党指挥、服务人民、英勇善战。

这人民军队特有的红色传统，就像那猎猎军旗一样，历经 82 年风雨而不褪色。

14 个徒步方队，受阅时长约 12 分钟。每个方队以每分钟 116 步的速度踢出 128 步正步，走完天安门东西华表间的 96 米。

这是一组像作战时间一样精确的数字。

为了这 96 米，受阅官兵在训练场上走过了数千公里，坚硬的路面被踩出了一行行脚印。

陆军学员方队、步兵方队、特战兵方队，来自陆军部队的三个方队构成第一阵容。

队伍以排山倒海的气势向前移动，似乎没有什么可以阻挡他们的前进。

横、纵、斜，天安门正对面的大屏幕从不同角度显示着方阵的线条。每条线，都像刀切一般笔直。

在 56 岁的徒步方队总教练袁大庆眼里，这是世间最美的造型。

60 年来，中国军队从“骡马化”“摩托化”迈向“机械化”“信息化”，但，徒步仍然是军队接受检阅的基本形式。

“无论武器装备如何发展，战争的胜负最终取决于人。一支没有战斗力的部队，肯定走不出整齐划一的方阵。”袁大庆说。

以“铁脚板”著称的步兵，曾是中国陆军的主体。14 次阅兵中步兵方队的逐年减少，折射出中国军队的巨变——从 1985 年集团军诞生起，中国陆军从以“步兵为主”发展成为炮兵、装甲兵、工程兵、防化兵、通信兵、电子对抗兵、步兵、防空导弹兵、航空兵等诸多兵种合成的现代陆军，成为既能独立遂行作战任务又能与海军、空军实施联合作战的强大军种。

斑斓的迷彩丛中，突然加入了一抹清新的色彩——身着洁白军服和蓝色海洋迷彩服的海军学员方队、水兵方队和海军陆战队方队接受检阅。有力而又轻盈的步伐，仿佛踏浪而来。

最让人难忘的是水兵们写满骄傲的年轻面孔。出生在上个世纪 80 年代和 90 年代的官兵是这次阅兵的主体，而水兵方队的平均年龄只有 18 岁。他们传递出这样一个讯息：富有活力与创造力的年轻一代，正在成为中国军队现代化建设的生力军。

飞行学员方队、空降兵方队、二炮学员方队、三军女兵方队、武警方队、女民兵方队、预备役方队……与十年前的国庆阅兵相比，这次阅兵减少了陆军方队，增加了二炮、特战兵等军兵种方队，女兵方队则首次改为三军合成。增减之间，凸显出中国军队迈向精兵之路的最新进展。

方阵如山，气势如虹。如果不是军服的色彩各不相同，很难分辨不同的方队。

二炮学员棕色与绿色相间的导弹防护服，可曾让你想到为国砺剑的崇山峻岭？

空降兵的丛林迷彩，是否唤醒你汶川大地震救援中高空一跃的珍贵记忆？

武警的橄榄绿，不正是日夜守护人民安宁的熟悉身影？

60 年前的开国大典上，全军还没有统一的服装。今天，受阅官兵身着的是中国军队从 2007 年起换发的 07 式服装。这是解放军历史上最大规模的换装。崭新的军装与军人阔步行进的姿态一起，构成了这个十月天安门前的标志性画面。

10 时 49 分，战车隆隆而来

隆隆的响声中，大地有些颤动。数千名中外记者把镜头对准了声音来处——

10 时 49 分，30 个装备方队向天安门驶来。最前面的 99 式坦克方队以利箭的队

形，展示着这个由 500 多台地面装备组成的铁甲方阵一往无前的气概。

这个数字，创下了新中国成立以来历次阅兵的新纪录。

在这些装备中，近 90% 为第一次公开亮相。

“箭尖”位置上，29 岁的车长王南元和 22 岁的炮长任嗣宁庄严敬礼，34 岁的驾驶员丁辉操纵着坦克自信前行。

“60 年前的战车是从华北各地缴获来的，日式、美式都有，大部分还‘缺胳膊断腿’的，不得不连夜修复。这种临时组装的战车能不能顺利通过天安门，我心里没有底。”开国阅兵时任华北战车团代团长的田申回忆说。

从“小米加步枪”到“铁甲雄师”，从引进到自主研制，60 年间特别是近 10 年来，中国军队的主战装备得到了脱胎换骨式的发展。

王南元所率领的这个方队，就是巨变的亲历者。

这个从平江起义走来的北京军区某“红军团”，曾三次参加国庆阅兵。

国庆 35 周年阅兵，这支部队以摩托化方队的形式出现；15 年后的国庆 50 周年阅兵，他们组成了机械化步兵战车方队；今天，他们驾驶的是中国自行研制生产的、具有较高信息化程度的第三代坦克。

无论是常规导弹、核导弹、巡航导弹这些引人注目的装备，还是各种型号的新型火炮、坦克、战车，接受检阅的陆、海、空军和第二炮兵的武器装备显示，中国军队的装备正在向世界一流水平接近。

这一切，来自国家发展的雄厚基础和改革开放的辉煌成果。

铁流滚滚。在天安门广场巨大的背景文字“忠诚于党，热爱人民，报效国家，献身使命，崇尚荣誉”映衬下，装备方队逐一受阅。

最后一个通过天安门的东 31 甲核导弹方队，它以巨大的体形和凛然的气魄，完成了在世界面前的首次亮相。

10 年前的国庆阅兵，“压轴”的同样是当时中国最新研制的洲际导弹。

10 年后参阅的洲际导弹，性能又有了新的提升。

“我国有许多装备借鉴了发达国家的先进技术和经验研制而成，但在战略核武器建设上，我们走了一条完全独立自主的发展道路。”方队长张光忠此前接受记者采访时说。

作为试训队队长，张光忠和他的战友们在茫茫戈壁完成了这种新型导弹的研制生产、试验发射和武器定型。

同样是在那片戈壁滩里，1964年10月，中国政府在首颗原子弹成功爆炸后即宣布，任何情况下，中国都不会首先使用核武器。

诞生于1966年的第二炮兵是新中国为应对核威胁、打破核垄断、维护国家安全作出的历史性选择，是中国实施战略威慑的核心力量。

1984年的国庆阅兵式上，第二炮兵首次公开受阅。当时的二炮方阵，仅有一个地地战略导弹方队。

今天，中国战略导弹部队以展示5个装备方队、近百枚导弹的透明姿态，向全世界重申自己的和平承诺。

11时11分，战机飞舞长空

就在最后一个地面方队通过天安门广场的同时，战机划过长空呼啸而来。

作为空中第一个梯队的长机，50岁的某特种航空兵师师长顾维峰驾驶空警-2000预警机，第一个飞过天安门广场上空。

随着这一中国空军最新装备的亮相，被称为信息化作战“空中领袖”的预警机，正式步入中国空军作战序列。

空中梯队指挥员赵忠新中将此前接受记者采访时表示，预警机的研制成功，标志着空军基于信息系统的体系作战有了质的飞跃。

参加这次阅兵的15型151架飞机，涵盖了中国空军和陆军、海军现役主战机型，新机型达到95%以上。飞机的数量和种类远远超过此前的历次阅兵，以预警机为代表的新装备更是前所未有地凸显出信息化的特点。

“米秒不差”，是阅兵指挥部对空中梯队提出的要求。大部分飞机间隔为15～20米，受油机距加油机加油锥套只有两米。

体形庞大的轰-6H，标志着“中国制造”迈入第三代的歼-10，以及距离地面仅250米的直升机群……12个空中梯队以楔队队形、“品”字形、三角形等各种队形飞过时，巨大的轰鸣声在天地间回响。

拥有一支强大的空中力量，曾是多少代中国人的梦想。

此刻的观礼台上，海航原政委单大德中将热泪盈眶。77岁的单大德抗日战争期间曾无数次目睹日军飞机在中国的土地上狂轰滥炸。他的母亲和妹妹在重庆大轰炸中遇难。

“从小时候起，我就渴望成为飞行员，驾驶我们自己的飞机保卫祖国，保卫亲人。”多年后，单大德成为海军航空兵飞行员。

再过一个多月，空军将迎来 60 岁生日。

引人注目的是，作战飞机全部挂弹受阅。这是空中梯队在国庆阅兵中第二次挂弹飞行。

新中国成立时，南方还有大片国土没有解放，北平也并不安宁。部分飞机奉命挂实弹，同时执行参加阅兵和战斗值班的任务。

这一次，多型空空、空地导弹随着战机首次公开亮相。

11 时 20 分，由 15 架教-8 组成的教练机梯队最后一个飞过天安门。

“这种教练机驾驶起来非常灵活，做很多特技动作很有如鱼得水的感觉。”22 岁的长机飞行员何晓莉此前接受记者采访时说。

何晓莉和她的梯队成员是六个月前刚从空军第三飞行学院毕业的中国首批战斗机女飞行员，她们的平均飞行时间只有 300 小时。

来自总装备部的消息表明，我国已经开始选拔女性航天员，通过初选的 15 名女性都是运输机飞行员。

近年来，在武器研制专家、歼击机飞行员、反恐特警、两栖侦察兵、作战部队主官、抢险救灾突击队员等解放军历史上往往由男性垄断的角色里，出现了越来越多的女军人。在中国应对多种安全威胁、执行多样化军事任务的历程中，她们正在发挥更大的作用。

即将结束阅兵的时刻，教练机梯队在天安门上空拉出了一道道彩色烟带，宛若彩虹，久久未散。

屏息凝气看阅兵的观礼人群中，突然响起了一片掌声。

今天的整个北京城，都在仰望人民空军的雄姿。

国庆 60 周年首都阅兵，不仅仅属于军队，不仅仅属于北京。

这些日子里，几乎在每一个网络论坛里，都有无数人在猜测阅兵的每一个细节，关注可能参阅的每一支部队。

阅兵是武装力量的检阅与展示。阅兵更是全体中国人的一场心灵盛宴。

11时25分，不是阅兵的阅兵

大军散去。在游行群众的队伍中，出现了18位白发苍苍的老兵。

这些老战士平均年龄80.7岁，绝大多数参加过解放战争，还有的参加过抗日战争。

作为为新中国诞生立下卓著功勋的共和国老战士代表，他们首次应邀参加国庆群众游行。

在一辆名为“浴血奋斗”的彩车上，18人分立两侧。一侧，向着天安门致敬；另一侧，向着人民英雄纪念碑、向着他们在战火中倒下的战友敬礼。

人民英雄纪念碑奠基于新中国诞生前夜，新生的共和国以此来铭记所有为她牺牲的英烈。

他们没能等到新中国的成立，更没能看到新中国的阅兵。

就在这个新中国走过一个甲子的秋季，就在这巍峨的纪念碑上，无数英烈的眼睛凝视着共和国的又一次阅兵。

和平的力量　庄严的检阅

万众屏息，亿万颗心在等待共和国又一个庄严时刻。

“向前，向前，向前，我们的队伍向太阳……”

2009年10月1日10时09分，在激昂的军乐声中，一辆红旗牌检阅车驶出天安门。中共中央总书记、国家主席、中央军委主席胡锦涛，身着中山装，神采奕奕地站立在检阅车中央。

这是新中国60华诞庆典中举世瞩目的一幕——走过82年辉煌征程的人民军队，将在这里集中展示我军听党指挥、服务人民、英勇善战的精神风貌和有效履行新世纪新阶段历史使命的强大力量，集中展示我军捍卫国家安全与发展利益、维护世界和平的坚强决心。

此刻，由人民解放军、武装警察部队和民兵预备役部队8 000余名官兵、500多台装备组成的14个徒步方队、30个装备方队，如挺拔的峰峦、坚固的城垛，沿长安街绵延向东；陆、海、空三军航空兵151架战鹰编成的12个空中梯队从华北地区7个机场起飞编队……

车过金水桥，阅兵总指挥、北京军区司令员房峰辉驱车向前报告：

“主席同志，受阅部队准备完毕，请您检阅！”

“开始！”1 300名军乐队员高奏《检阅进行曲》，胡锦涛主席乘检阅车，在阅兵总指挥的陪同下，徐徐向东驶去……

节日的天安门广场鲜花如海，人如潮涌；装点一新的长安街上，三军列阵，铁甲生辉。

60年前的今天，毛泽东主席在这里亲手升起新中国第一面五星红旗。在开国的礼炮声中，为国家独立和人民解放浴血奋战22年的人民军队，接受了祖国和人民的检阅，从此肩负起保卫祖国、建设祖国的神圣使命。

25年前的今天，邓小平主席在这里检阅三军部队。高扬“和平与发展”的旗帜，人民军队踏上中国特色精兵之路，朝着建设强大的现代化正规化革命军队目标阔步前进。

10年前的今天，江泽民主席在这里检阅面向新世纪的人民军队。紧紧围绕打得赢和不变质两大历史性课题，积极推进中国特色军事变革，努力实现跨越式发展，我国国防和军队建设不断迈上新的台阶……

检阅车驶过东华表，“敬礼！”受阅方队指挥员一声令下，伫立在长安街的受阅官兵向胡锦涛主席行注目礼。

“同志们好！”

“首长好！”

“同志们辛苦了！”

“为人民服务！”

伴着气势磅礴的军乐，胡锦涛主席的亲切问候和受阅官兵的响亮回答，响彻十里长街。

这声音穿越时空，是历史的回响，更是豪情壮志的表达。

进入新世纪新阶段，胡锦涛主席对我军历史使命作出科学概括，军队要为党巩固执政地位提供重要的力量保证，为维护国家发展的重要战略机遇期提供坚强的安全保障，为维护国家利益提供有力的战略支撑，为维护世界和平与促进共同发展发挥重要作用。

我军职能使命有了新拓展，改革发展任务更加艰巨。

回眸历史，凝望未来。党中央、中央军委坚持把科学发展观作为国防和军队建设的重要指导方针，科学谋划着新世纪新阶段的兴军之策、强军之道——

以增强打赢信息化条件下局部战争能力为核心，全面提高应对多种安全威胁、完成多样化军事任务的能力；

按照革命化现代化正规化建设相统一的原则，推动军事、政治、后勤、装备等

坦克第一方队接受检阅。（刘宇/摄，图片来源：新华社）

各个领域工作协调发展、共同进步；

解决好思想政治建设的时代课题，从思想上政治上组织上确保我军始终成为党绝对领导下的人民军队；

按照建设信息化军队、打赢信息化战争目标，依靠科技进步特别是以信息技术为主要标志的高新技术进步生长战斗力；

把以人为本作为重要的建军治军理念，始终坚持人民军队的根本性质和宗旨，尊重官兵的主体地位；

积极探索军民结合、寓军于民的新途径新方法，推进经济、科技、教育、人才等各个领域的军民融合……

这一系列富有鲜明时代特征的治军方略，与毛泽东军事思想、邓小平新时期军队建设思想、江泽民国防和军队建设思想既一脉相承又与时俱进，指引着国防和军队建设进入新的发展时期……

节日的天安门广场鲜花如海，人如潮涌；装点一新的长安街上，军乐声声，战旗猎猎。

“八一”军旗以及“红军师”“秋收起义团”“平江起义团”……检阅车从一面面鲜艳的旗帜前徐徐驶过，激起受阅官兵滚滚心潮。“雄伟的井冈山，八一军旗红，开天辟地第一回，人民有了子弟兵……”82年风雨征程，八一军旗引领着人民军队勇往直前，无往而不胜。

历史不会忘记，在这高高飘扬的旗帜上，闪耀着张思德、董存瑞、邱少云、黄继光等无数英烈血染的风采，镌刻着雷锋、苏宁、李向群、杨业功、丁晓兵、杨利伟、方永刚等一个个闪光的名字。

松枝绿的陆军方阵、蓝白相间的海军方阵、蔚蓝色的空军方阵……检阅车从一支支英雄的队伍前徐徐驶过，身着07式军服的三军官兵精神抖擞，英姿勃发。那橄榄绿方阵，是武警官兵热血铸就的盾牌；那紫红色方阵，展现着首都女民兵的时代风采……

人民不会忘记，从诞生于南昌城头那天起，人民军队就坚定地站在党的旗帜下，为着民族独立和解放，一往无前、冲锋陷阵。社会主义建设和改革开放新时期，人民军队百倍警惕地守卫着祖国的边防海疆，依法履行香港、澳门防务职责，为国家发展繁荣提供了可靠安全的保证。

新型坦克整齐列阵，新型火炮昂首挺胸，新型导弹巍然屹立，无人飞机振翅欲飞……检阅车从一台台先进装备前徐徐驶过，铁流滚滚，气势如虹。经过几代人的不懈奋斗，我军已基本形成以新型主战装备为骨干，电子信息装备和保障装备相协调，具有中国特色的现代化武器装备体系。今天受阅的武器装备全部为我国自主研制，90%为首次亮相。

祖国不会忘记，60年前的开国大典上，我军受阅装备几乎全是战争年代缴获所得；当时，人民空军尚未成立，刚刚诞生不久的人民海军也仅有十几艘缴获的破旧舰艇……

60年风云变幻，60年波澜壮阔。伴随着人民共和国建设、改革的伟大进程，人民军队已由过去单一军种的军队发展成为诸军兵种合成、具有一定现代化水平并开始向信息化迈进的强大军队……

节日的天安门广场鲜花如海，人如潮涌；装点一新的长安街上，一双双眼睛闪着激动的泪花，一张张笑脸透出激扬的神采。

胡锦涛主席乘检阅车从一个个队列前驶过，受阅方阵像山一样挺拔、海一般壮阔。摄像机镜头转动，照相机快门频响，流动的画面凝成永恒的历史。

此时此刻，数千海里之外的亚丁湾、索马里海域，中国海军舰艇正在为过往各国商船护航；在联合国八个维和责任区，近千名中国军人正在巡逻执勤……

2009年4月23日，青岛。面对应邀前来参加人民海军成立60周年庆典活动的29国海军代表团团长，胡锦涛主席郑重宣告——

不论现在还是将来，不论发展到什么程度，中国都永远不称霸，不搞军事扩张和军备竞赛，不会对任何国家构成军事威胁。包括中国人民解放军海军在内的中国军队，永远是维护世界和平、促进共同发展的重要力量。

维护世界和平，促进共同发展。这是中国政府的坚定主张，这是中国军队的神圣使命。

节日的天安门广场鲜花如海，人如潮涌；装点一新的长安街上，受阅方阵气壮山河，和平的阳光洒遍每个角落。

胡锦涛主席的亲切问候和受阅官兵的响亮回答，汇成一曲恢弘雄浑的交响，化作三军将士推进国防和军队建设科学发展的强大动力。

2009 年 10 月 1 日上午，首都各界庆祝中华人民共和国成立 60 周年大会在北京天安门广场隆重举行，20 万军民以盛大的阅兵仪式和群众游行欢庆节日。（费茂华 / 摄，图片来源：新华社）

燃情时刻

一个母亲最大的快乐，莫过于儿女承欢膝下，享受天伦之乐。2009 年 10 月 1 日这一天，13 亿中国人和祖国，就在分享这种快乐。

虽然为了这一刻，聚集在天安门广场的数十万人付出了汗水和辛劳。但是，当五星红旗在旗手的手中展开，伴着国歌冉冉升起至最高点时，每个人都可以从近旁人的眼神中读懂——那被点燃的藏在心底的情感。

那些抗战老英雄最让人动容。相比年轻人的谈笑风生，更多的时候，他们只是凝望，望向天安门城楼，望向人民英雄纪念碑，望向英姿勃发的仪仗队。只在国歌声响起时，挺直腰身，抚平衣角，端正胸前的勋章，和着音乐低声地唱。

没有人去打扰他们，因为这些出生在和平年代的后来人都能猜到，在隆隆的礼炮声中，老战士的思绪已飘回到战火纷飞的年代；透过鲜红的旗帜，他们对战友的思念越发浓烈。

此时此刻，这大红的观礼台本来就属于他们。是他们用鲜血染红了国旗，用生命换来了自由的歌。他们要代逝去的兄弟，观看这壮美的盛典；他们要和无名的战友，分享祖国母亲的怀念……

与老战士们形成鲜明对比的，是那些不时发出欢呼的观礼者。在天安门城楼的两翼，在长安街两侧，从祖国四面八方赶来的观礼者发出的喝彩声形成了经久不息的声浪。他们有的身着节日盛装，有的胸前挂满奖章。不管是简朴的布衫还是簇新的西装，他们都把最佳的精神状态带到了天安门广场。

此时的天安门广场就是他们的舞台。他们是 13 亿中国人中的优秀代表，也是祖国建设的功臣模范。他们中有农民代表，通过他们的世代耕作，占全世界近 22% 的人口依靠占世界不到 10% 的耕地，解决了吃饭问题；他们中有油田工人代表，通过他们的艰苦奋斗，中国不仅甩掉了“贫油”帽子，还能从容应对新世纪的能源挑战；他们中有科技界、教育界代表，通过他们的无私奉献，中国正以创新的成果和人才赢得世界的尊重……

每一辆行进的彩车上，都展示着他们的劳动。那巨大的麦穗，来自他们的双手；那精巧的齿轮，源于他们的智慧；那纵横的公路，洒着他们的汗水……

这是 13 亿中国人的观礼台。如果没有这样一场聚会，每一个中国人可能很难直观地感受到：自己日复一日的劳动究竟为祖国带来了什么，个体的价值对于家乡和祖国又意味着什么。当他们在方阵、彩车中看到自己熟悉的工作场面，找到自己对应的位置，他们就更加懂得自己和祖国的联系，愈发懂得民自强则国强的道理。

1900 年，处于前一个世纪之交的梁启超先生曾在《少年中国说》中，急切呼唤着一个“少年中国”的诞生。那时，有着强国志的中国人，借用日本维新后自我选择的“少年”形象去激励自我的革新。

2009 年，距离新的世纪之交刚刚过去 9 年，中国不再需要模仿或借用他人的概念，而是用既成的事实和独特的发展模式，展现一个诞生 60 年的共和国的希望与活力。

在那些巨大的方阵中，可以读到中华民族延续千年的强国梦想，也可以看到当代中国越拓越宽广的强国之路——“神舟飞天”方阵，再现了翟志刚实现中国人首次空间出舱的瞬间;“北京奥运”方阵，鸟巢造型迸发万丈光芒;“和谐家园”方阵，搭载着美好生活的希望;“众志成城”方阵，凝聚起血脉相连的力量……

这是多么骄傲的时刻。牵挂祖国的海外华侨流泪了，漂泊异乡的心对母亲的依恋，不需要过多的表白；心向祖国的留学生们欢呼了，他们学成回国的抱负，比任何时候都坚定。

关注中国的国际友人也被这样的场面震撼着——在这个代表着 13 亿人的庞大集合体内，他们并没有因种族、肤色的不同而格格不入，而是融入到这个政治有序、文化多元、社会日渐和谐的国家的发展中，并且从中清晰地找到了自己的足迹。

这是多么豪迈的时刻。在 8 万青少年的动作变换中，一轮红日照耀锦绣大地的图景展开在天安门广场。“江山如此多娇”的旷古神韵就在眼前，画定江山的人民就在这里。

这样的历史瞬间，用再先进的镜头或再详实的文字记录，也只能仅得其表。因为那沸腾的气氛和感动的情绪，只有身处其间的人才知道。

以“美好未来”为主题的方阵，在每个人的脑海中投射出了一幅蓝图——到中国共产党成立100年时建成惠及十几亿人口的更高水平的小康社会；到新中国成立100年时基本实现现代化，建成富强、民主、文明、和谐的社会主义现代化国家。

不由联想到烈士方志敏笔下的《可爱的中国》——到处都是活跃的创造，到处都是日新月异的进步……而生育我们的母亲，也会最美丽地装饰起来，与世界上各位母亲平等地携手了……

穿越了时空，这依然是儿女对母亲最好的祝愿。他们会把母亲曾经的苦难留在心中，尽最大的努力换来她欣慰的笑容。

按照中国传统历法，60年为一甲子，代表生命的一个轮回。60年前的今天，中国结束了近代史上的百年屈辱。从那一天起，宏伟壮阔的天安门广场仿佛展开的史册，记录着一个国家的成长历程：开国大典、港澳回归、举办奥运、为汶川地震的死难同胞默哀……

当4 800多个可爱的孩子涌向天安门城楼，他们已经代表所有的中华儿女，扑向母亲的怀抱。依偎在母亲怀抱中的所有的中国人，都能在此刻找到归属，拥有更强烈的希望。

这一刻，天安门广场再次感受着，13亿中国人民的燃情时刻。

（选自新华出版社《新华社国庆60周年报道精品选》，2009年10月出版，
作者：白瑞雪、陈辉、徐壮志、曹智、李宣良、陈辉、吴晶）

异军突起互联网

时下民间流行一种说法:“信法不如信访，信访不如信网。”因为近年来出现在网络的焦点诸如“躲猫猫”、石首事件、瓮安事件、邓玉娇事件等，网民在网上一呼百万应而不是百应，跟帖海量，信息潮涌。网络群体迅速聚集，网络事件愈演愈烈，网络民情山呼海啸，网络舆论势不可挡。“信法不如信访，信访不如信网”的社会根源是什么？面对铺天盖地而来的网络揭秘和焦点曝光，政府部门该如何应对？

第一章　一呼百万应

1. 网上与网下

年过五旬的喻国明教授称得上头发浓密。一件浅绿色的T恤衫使他充满活力，不大且有神的眼睛经一副细边眼镜的装饰更平添一些书卷气——这就是中国人民大学新闻学院副院长、博士生导师、中国人民大学舆论研究所所长喻国明，一个专注网络舆论研究并且成效卓著的学者。

在一般人的眼里，网络是个虚拟世界。

“那是网上说的。”他说，还是在几年以前，说起一些广为流传的奇闻逸事，有不少人会以不屑的口气告诉你，潜台词是：网络上的东西靠不住啊！

喻国明教授经过长时间对网络舆论的研究表明：网络已经不再仅仅局限在虚拟世界，网络上的事情一再被证实，网络举报的贪官被一个一个拉下马，网上披露的消息一条一条被确认，网上网下已经融为一体。

正是因为看到了网络舆情网上网下的互动，看到了生活中的突发事件激发了网民的情绪，网上舆论又助推着网下的事件走向，喻国明敏锐地感觉到新闻学研究的方向应该迅速转移。

“一定要发现网络的力量，善待网民的力量。”喻国明从近些年日益增多的网络突发事件中看到了舆情研究的重要，从 2009 年 1 月开始，每月对社会公共舆情热点进行系统归纳分析，形成《月度舆情报告》发布。通过对舆情热点分析和观察，他们发现，广大民众的政治意识和参与意识显著增强，网络已经由虚拟社会发展成为公共平台，出现了世界上少有的“网络民主”的独特形态。

喻国明告诉笔者，《月度舆情报告》是由中国人民大学舆论研究所、中央电视台“对话”栏目、京报集团《北京晚报》共同举办，舆情分析采用了由人民大学与北大方正开发的“方正智思”采集分析系统，并集中了各大媒体以及各部委的专家学者，以月为单位针对网络上的社会公共舆情以及部门、行业专项事件进行学理性的研究，舆情监测平台对互联网上所有传统大众媒体消息报道以及网民评论进行搜索、跟踪、统计和综合分析。并根据“时间维度、数量维度、显著维度、集中维度、意见维度”五个指标得出某一舆情热点事件的舆情指数，并根据数值进行排序，结合社会学、政治学、传播学等相关学科的理论，结合我国社会转型期的特征，对网络舆情热点研评并形成报告。

喻国明和他的团队如同一群高超的水手，每天在互联网海量的信息海洋中遨游，他们练就了一双睿智的眼睛，捕捉着一条条有价值的猎物。他们对每一月度的舆情热点进行评估排列，从中发现舆情指数在 60 分以上的网络舆情热点事件。

“一个事件之所以能引爆网民的注意力，引起整个网络舆情的聚焦，主要是该事件刺激了网民乃至所有社会公众‘最绷紧的那根神经’，而这根神经的形成具有深刻的社会发展逻辑和社会价值诉求——新的社会阶层和利益团体的重构，人口流动频繁，国外各种思潮不断涌入，社会思想空前活跃。如一些长久积聚起来的社会问题，如政府公信力下降、紧张的警民关系、贫富分化严重等突出的社会问题。特别是涉及‘三公’的事件，几乎成为持续的网络舆情热点。同时广大网民的政治意识和参与意识显著增强，网络已经由虚拟社会发展成为社会公共话语平台，出现了世界上少有的‘网络民主’的独特形态。这也是为什么 2009 年 5 月份热点事件高度集中，呈现数量激增热点交织现象的原因。”

“网络群体性事件”数量不断增多，网民参与群体性事件产生的影响日益扩大，

网易新闻对湖北石首群体性事件做的专题报道。
（图片来源：网络截屏）

喻国明教授的发现给政府发出令人警醒的信号。他说：“近期‘百万级点击率’的‘网络群体性事件’屡见不鲜，尤其5月份达到了历次舆情报告的最高值——31件。我国当前处在群体性事件增多的社会阶段，各种直接利益冲突和非直接利益冲突成为诱发群体性事件的主因。”他认为，两种类型的冲突往往叠加在一起，在同一个群体性事件中聚集了两种利益类型的人群，加上网络高倍的“放大器”、快速的“传播器”等特点，网络内外、线上线下群体性事件有交织放大之势，这个趋势值得高度关注。网络舆论事件频发，一定程度上是政府公信力削弱的表征，陷入舆论漩涡的公共事件基本上是政府公信力事件，只有解决了公信力的信任危机问题，才能避免网络舆论狂潮的啸聚。

网上网下相互呼应彼此推动最为典型的事件当数湖北的“石首事件”—— 一个年轻的厨子结束自己的生命不经意间引发的一场震动中外的群体性事件。

湖北石首市一个看起来极普通的永隆大酒店在2009年6月17日傍晚成为风暴的中心，苍茫的暮色中年轻的厨子从高楼坠落，结束了自己24岁的生命。

第二天，离奇的命案在民间舆论中传播、放大，社会传言石首死者被人割去了生殖器……头部还钉了钉子……活活被暴虐致死……七窍出血。

传言的叠加效应弥漫了全城，不仅越来越多，还越发离谱：那厨子是死了才被从三楼抛下尸体的……

谣言在网上快速传播，网民跟帖、博文情绪激愤，网上跟帖达到 32 594 篇，网民浏览量多达 7 392 963 人次。网上舆论网民的情绪推动了网下事件的走向：

由于在死者的死因及赔偿方面当地政府与死者家属产生分歧，旷日持久的“尸体争夺战”开始了——

6 月 19 日，围观的群众越聚越多，为保护尸体，在该市东岳路和东方大道设置路障，阻碍交通，围观起哄，与警察进行“抢尸”和“护尸”的争夺战，现场秩序出现混乱。20 日凌晨，少数人在酒店内纵火滋事，并煽动群众袭击前来灭火的消防人员，先后有五名干警受伤，消防车也被掀翻砸坏。

6 月 20 日，聚集群众多达上万人，也有说数万人，个别犯罪分子围攻武警、砸坏警车。政府调动上万武警赶赴石首平息骚乱。

6 月 20 日至 21 日，湖北省委书记罗清泉、省长李鸿忠亲赴石首市处置，事态逐渐平息。

网民的力量在这一群体性事件中屡屡显示威力。6 月 21 日，网民“剑剑穿心”在网事论坛发帖称“湖北石首政府网站被黑”，并上传了两张网站被黑后的截图。从网络上的信息可以看到，石首政府门户网站于 2009 年 6 月 21 日零时被黑。在网民所截取的石首政府网站页面上留有一行“真相只有一个！——BY 柯南”的字样，而网页的标题则为“杨叫兽留言板 V1.6”，石首政府网站管理员刚换页面不久，又再次被黑客攻破，并有网民在页面上留下“期待真相！堂堂正正做人”“总会有结果”等言语。

石首街头，武装警察随处可见，群众趋于安静，秩序开始恢复。网络舆论却依旧波涛汹涌。6 月 22 日，又一则消息在网上披露：酒店再挖出两具尸体……

一时间各大网站转发帖文，网民议论纷纷。网上的言论再次发酵，驱动了网下的群众付诸行动。石首附近再次聚集了数百名群众，要求披露真相。

数百名武警和特警现场维持秩序。23 日下午，当地官方辟谣。24 日，在网上传播“永隆大酒店又挖出尸体”的谣言制造者在荆州市某网吧被查获，造谣者为一在外读书的学生，该学生已承认了造假事实并表示悔过。

石首事件网上网下互动如此紧密，是新时期我国社会政治经济矛盾激化的一个标本，它血淋淋地呈现在政府面前，如同从历史的深处投来的一枚石子，敲击在时代的回音壁上，发出了震耳欲聋的回响……

网上舆论能够得到网下民众的响应绝非偶然。尽管死者有遗书存世，尽管死者亲属曾经同意焚尸，石首的群众却不予相信，质疑的群众越来越多。群众中传有当地领导在一些酒店参股、酒店涉毒、贩毒时有发生，此前类似的非正常死亡亦有发生，社会治安恶化，贫富差距拉大，腐败日益猖獗，民众的怨恨并非空穴来风。“石首事件”过后有关部门的调查在不同程度上印证了群众的议论。

喻国明教授在研究网上舆论与网下现实生活的关系时发现，公权力大、公益性强、公众关注度高的“三公部门”和其中的公职人员，极容易成为网络热点和新闻炒作的焦点。

他说，凡涉及以上部门或者其中公职人员的网络事件，无一例外都是网上热点，而且总是呈现为“滚动散发型”，过一段时间总能出现类似的一个帖子引发网民热议。溯其本源其实就是公共部门和公职人员“涉腐”“涉富”“涉权”三类事件。在当前社会处于转型期的背景下，人们对于公权力如何参与社会利益的调整非常敏感，因此才会对这些网络事件如此关注。

网上突发事件的频繁发生警示人们：二元化的网络舆论场域渐趋形成。

喻国明教授告诉笔者，随着网络舆情的日益成熟和发展，在涉及网络舆情热点事件的互联网舆论中，实际存在着两个舆论场：一是各级党委和政府通过权威发布和权威解读等方式，自上而下主动释放信息而形成的“官方网络舆论场”，报纸、电视、广播等传统媒体是信息的主要来源，网络等新媒体只是其传播载体；另一个是依靠网民自下而上的“发帖、灌水、加精、置顶”而形成的“草根网络舆论场”。目前这两个舆论场从关注内容到文章写作形式等方面都存在着明显的差距。实践中，“官方网络舆论场”在涉及国家大政方针等重大题材上占据统治地位，而“草根网络舆论场”在贪污腐败、贫富差距、行业垄断、社会保障、城乡差距等民众关心的话题上，更容易被网民认可。如何处理好两个“网络舆论场”的关系，让党和政府的声音以老百姓更加看得懂、好理解、能接收的方式传播，成为一项重点工作。

2. 网络群体聚集

2009 年值得记住的大事当然首推国庆 60 周年，但是，我们还不能忘记向着现代化艰难迈进的共和国，转型时期遇到的深层次矛盾的聚集、冲突、翻腾，以及由这些矛盾引发的一个又一个网上群体事件。

一呼百应是中国人形容应者云集的热闹场景，互联网时代的最大不同是一呼百万应，网络舆论带来的叠加效应催生了一个新名词：网上群体性事件。

2009年是我国网上群体性事件多发的一年，而发生在年初的“躲猫猫”事件又以其深远影响而风靡全国，成为网络群体事件的经典。

2009年2月的一天，云南边远小县晋宁县看守所像往日一样，当最后一盏灯熄灭，一切都归于沉寂。晋宁似乎在沉沉的寂静中等待着一场暴风雨的降临。

2月13日，有云南媒体最先报道了李荞明在看守所莫名死亡，警方称是玩“躲猫猫”游戏时意外撞墙死亡的消息。

几乎与平面媒体同时，“躲猫猫”引起网民的广泛质疑，绝大多数网民不相信这一说法。

2月19日，云南省委宣传部在网上发布通告，邀请网民和社会各界人士调查“躲猫猫”舆论事件真相，把网民纳入调查团，这一行为被称为中国首次。

2月20日，包括8名网民代表在内的15人组成的调查委员会开始为期一天的调查，但因为种种法律程序障碍，调委会既没见到与死者同监房的在押人员，也没看到监控录像。

2月21日，调委会的调查报告凌晨出炉，这份报告被认为是没有结论的流水账。

2月22日，网民参与调查“躲猫猫”的推手、云南省委宣传部副部长伍皓在网上回应有关质疑，称没必要找托。

2月24日，晋宁县政府门户网站当晚被黑。

2月25日，云南省公安厅新闻发言人表示，此案已移交昆明市人民检察院主办，由云南省人民检察院督办，最高人民检察院亦派员指导。

2月27日，云南省检察机关、公安机关公布了“躲猫猫”事件检察机关调查结论：晋宁县看守所在押人员李荞明系因同监室在押人员殴打、拳击头部后撞击墙面，导致受伤死亡。

质疑之声充斥网络，讨伐批评高潮迭起。一时间“躲猫猫”成为网络流行语，各大网站转发帖文、博客文章连篇累牍，不同观点激烈交锋。短短几天，“躲猫猫”的点击量逾百万。

所谓“躲猫猫”，是指看守所号子里一种犯人之间整人、打人的黑话，根本不是什么游戏。一位在看守所的亲历者网民说，简单地说，就是把你的头蒙起来，一群小弟围过来殴打，你看不见人，被谁打也不知道，报告管教干部也没用，因为他们都趁干部不在的时候下手。

另一位网民说，全国的每一个号子里都有这么回事，只要不出人命就相安无事，当然各地的叫法会有些许不同。其实这些监狱里的很多人是社会渣滓，他们在监狱里耍流氓，靠几个管教干部根本管不过来。所以这个案子是因为狱方不敢说他们管理失职，把犯人之间的人格折磨说成游戏。

就在包括8名网民代表在内的15人组成的调查委员会开始调查时，网上舆论进入高潮。网民对这个调委会的合法性提出质疑，对司法的公正开始怀疑，尤其是因为种种法律程序障碍，无功而返之后，网络舆论人声鼎沸，群情激愤，网上的群体性事件达到高潮。

南方报网：躲猫猫，一场纸包火的危险游戏。检察机关在对该案的调查取证过程中，发现晋宁县看守所存在牢头狱霸殴打、体罚在押人员等监管不到位、管理混乱的问题。这是该所体制性的病灶，但却不是孤例，看守所牢头狱霸殴打致人死亡事件，时有所闻。

南方报网认为“躲猫猫”事件有三重警示意义。当年的孙志刚事件改变了我国《收容法》的有关规定，我们期待着这次的“躲猫猫”事件也能使我国的《监狱法》得到完善和补充。至少，犯罪嫌疑人也好，犯罪分子也好，在被改造的地方，其生命应当是安全的。司法文明不但考量着一个国家的司法制度，同时也是人权保障的基本要求。

《新民晚报》说，不高明的串供为何能干扰侦查。警方之所以得出这样荒唐的结论，原因是“同监室的在押人员进行了串供，使得案件调查、侦查产生了很大的困难”。笔者以为，如此荒唐的结论能够公开发布，至少说明了警方事后侦查的避重就轻和文过饰非。而实际上，检方事后也证实，晋宁县看守所存在牢头狱霸殴打、体罚在押人员等监管不到位、管理混乱的问题，这和警方一开始信誓旦旦的辩白形成了鲜明对比。

和周老虎事件相比，“躲猫猫”事件引起了更多网民更迅速的追问，真相也在当地宣传部门和检方的参与下在短期内大白于天下。这种进步显然令人振奋。网民期待，公众舆论能在我们的法治进程中发挥越来越大的作用，不负责任甚至藏有猫腻的“官方说法”会越来越少。

新华网报道“躲猫猫”背后的危机处理病态。当然，对于某些政府机关来说，危机公关的真正改善，还在于重建自己的公信力，尽可能说真话、说实话，采取实际行动，建立制度保障，切实保证行政行为的透明、公开……政府的危机公关不是躲猫猫的一场游戏，不能自己蒙上眼睛，对自家的病态视而不见。沉下心来，正视自己，治好自己的病，日子才会好过。

“躲猫猫”事件在互联网群体事件发展史上占有重要地位，网民聚集人数、网络舆论对这一事件的推动作用、网民真知灼见的文章等等，都将在我国互联网发展史上留下浓重的一笔。

3. 热点共振效应

“替谁说话？”

河南省郑州市规划局副局长逯军做梦也不会想到，他在不经意间说出的一句话，如同在网络上点燃了一挂无限长的鞭炮，随着媒体发出报道，噼噼啪啪响个不停。鞭炮不仅响遍四方，还震动了高层，在网民们的一片口诛笔伐声讨中，逯军黯然丢官……

2009年4月20日，大河网发出了一篇题为《弄虚作假耕地良田多被占，化公为私集体利益遭侵夺，关于尽快收回“西湖小区”权益的紧急举报》帖文，批评以修建经济适用房名义建设别墅的行为。

6月17日，逯军在接受中央人民广播电台采访时，质问记者“是准备替党说话，还是准备替老百姓说话”？电台的中国之声《新闻纵横》作了报道，立即引发网民一片声讨，逯军也被网友称为“史上最牛副局长”。

热点在升温，舆情在发酵，民意在交汇中共振。

舆论的重点不再纠缠“为谁说话”这种“小儿科”话题，很快从讨伐的亢奋中走出来，矛头指向谁审批了别墅建设，哪些官员从审批中获利，别墅建设之后隐藏着多么严重的官、商、黑勾结问题。

焦点聚集到侵占经适房用房用地的别墅上来。

“替谁说话”的事态在不断升温的舆情中发展：

6月19日，郑州市政府专门就此成立调查组展开调查。

同日，郑州市委组织部一名干部表示，目前部里还没有有关逯军任何处罚及追究责任的信息。不过，他个人认为，逯军此言属于个人言行，只能代表个人。

其后不久，郑州市政府新闻办公室发布消息称：郑州市市委、市政府成立调查组正对经适房建别墅事件进行全面调查，郑州市规划局副局长已被停止工作，接受调查。

在媒体的一片挞伐声中，《人民日报》的声音格外引人注目：在现实生活中，少数党员干部错误地认为，自己手中的权力是上级封的、领导给的，跟群众毫无关系。他们对上级阿谀奉承，拉关系、找靠山，跑官要官，对群众飞扬跋扈，无所顾忌。他们信奉“有权不用，过期作废”，一朝权在手，便把令来行，私欲膨胀，任人唯亲，听不得不同意见。在他们眼里，所谓“执政为民”，只是维护自己手中权力、地位和利益的幌子，一旦遇到考验便露了原形。

其他媒体纷纷跟进。《钱江晚报》这样写道：“逯副局长，你既没有替党说话，也没有替老百姓说话，你是在替开发商说话，替自己说话呢。”

“替谁说话”背后是权力傲慢。”有网民一针见血地指出，“‘替谁说话’这种思维定式就是社会不和谐的潜在危险。如何改变官员的这种思维定式，也是当前摆在各级党政面前迫切需要解决的问题，这个问题没有解决好，干群关系就难以改变，群体事件就难以遏制。”

某资深评论员撰文称，从某种角度来理解，他（逯军）可能说出了一部分官员抗拒舆论监督的心里话——媒体替老百姓说话，就是与自己过不去，就是与政府过不去。他质问这类官员：你是在替谁工作？替党和人民，还是替利益集团？副局长一句下意识冒出来的“名言”，将一些官员严重畸形的权力观展现无余，在这些官员眼中，人民赋予的权力，只是谋取私利的工具罢了。

从“替谁说话”引申，网民的话题逐渐深入，一些诸如“开发商家人为官员”“开发商有政府背景”“有证据表明是官商勾结”等充斥网络。

近两年，伴随着网络事件，一些网络流行语在网民中迅速蔓延。网络热词像一夜蹿红的明星，红遍了祖国大地。

“躲猫猫”：绝大多数网民强烈质疑，评论“俯卧撑、打酱油、躲猫猫是中国武林三大顶尖绝学”。多数网民表示：如果相关部门面对舆论监督老是“躲猫猫”，公众的知情权如何得到满足？

网络流行语在中国迅速蹿红引起了大洋彼岸的注意。美国《洛杉矶时报》网站报道说，当中国西南部的警察在对一个在押期间死亡男子的死因作出解释时说，他的伤是在和狱友玩“躲猫猫”时造成的，网上论坛纷纷对此表示嘲笑。“躲猫猫”也迅速成为一个网络流行语，意思是值得怀疑的、靠不住的事情。

几个月前，当网络审查变得更加严格的时候，网民们对抗性地虚构了一个类似羊驼的动物，叫草泥马，并且战胜了河蟹。这些被创造出来的虚构的东西不断出现在互联网、歌曲、T 恤和玩具上。

几个月前，网友们发现了一名记者采访一位路人对香港明星绯闻的看法的剪辑，路人说：“这关我什么事，我只是来打酱油的。”从此，“打酱油”一词迅速蹿红。

网络热词已经成为人们生活的一部分，一个个鲜活的热词融入了中华民族成长的记忆之中……

第二章　网络冲击波

1. 仇官

在汹涌浩荡的网络舆论大潮中，若隐若现的“仇官”“仇富”“仇警”现象引起我的注意。

“三仇”如汹涌的浊浪，一次又一次拍打着政权堤坝……

如果不是因为网络魔术般神奇的传播力量和排山倒海般巨大的叠加效应，有谁会注意到偏远落后的湖北小县巴东？

村姑邓玉娇一夜之间成为名扬天下的当代烈女，而倒在她乱刀之下的乡镇干部邓贵大，也随着邓玉娇的壮举成为千夫所指的恶棍官痞遗臭万年。

“巴东邓玉娇事件”引爆的仇官情绪，成为近年来网络民意表达最为充分、最值得深刻反思的事件。

野三关、雄风宾馆、梦幻城……或许冥冥之中早有定数，邓贵大注定要成为一个风流鬼，这些充满野性、情色、虚幻的名字成为政府干部邓贵大的葬身之地。2009年5月10日晚8时许，当喝了酒的巴东县野三关镇招商办主任邓贵大与副主任黄德智等人跨进“雄风宾馆梦幻城”玩乐，他们忘记了自己的政府官员身份——尽管他是中国官员中级别最低的股级干部。

酒胆壮着色胆，站在5号包房中的邓贵大，面对面容姣好的村姑邓玉娇，不仅滋生起官老爷的傲慢与威严，还诱发出强烈的占有欲。

巴东县人民检察院的起诉指控认为，官员们要求邓玉娇为其提供异性洗浴服务，遭到拒绝。邓贵大与黄德智一起纠缠、辱骂邓玉娇，还拿出一沓人民币向邓玉娇炫耀并扇击其面部和肩部……

起诉书的寥寥数语，勾画出那个普通的夜晚发生在野三关雄风宾馆梦幻城的惊心动魄的一幕：

满口脏话一脸凶相的邓贵大—— 一沓百元一张的钞票噼噼啪啪砸在邓玉娇倔强而稚嫩的脸上——邓玉娇怒火中烧，狂舞起水果刀……

鲜血顺着左颈、左小臂、右胸、右肩流淌，邓贵大倒在血泊之中。

包括逼良为娼的黄德智等多名证人在法庭上举证，狂妄嚣张的邓贵大举起百元大钞炫耀并扇击邓玉娇的面部和肩部确是事实。

邓玉娇刺死政府官员案经网上转载，网民反响热烈，网上跟帖、博客文章呈几何级数增长。一些网站开办专栏，网民争相讨论，一时间淹没了所有热门话题，“抗暴英雄”邓玉娇名扬天下。在中国人民大学舆论研究所《舆情分析报告》5月份网络舆情热点舆情指数排序中，“女服务员邓玉娇刺死官员”排序第一，舆情指数达89.42，高于同样成为社会热点的“杭州飙车案”。

村姑邓玉娇涉嫌故意杀人被刑事拘留，巴东小县成为国人瞩目的焦点，邓玉娇的命运以及这一事件造成的官民对立乃至仇官情绪在网络上蔓延。

42名女大学生向全国发出的呼吁格外引人注目。中华女子学院的42名女大学生在网上发出公开倡议，呼吁国家有关部门严格按照法律规定，客观公正审理“邓玉娇案”，要依法接受法律监督，主动接受法律监督，国家应该加强对女性权益的立法保护。消除对女性权益的侵害现象，维护女性尊严。

5月24日，北京西客站附近的天莲大厦门前围聚的人群越来越多，一场看似怪异的行为艺术正在进行——

站在中央的是一名女青年，她的全身被白布层层缠裹，女青年奋力挣扎却无法挣脱，一副痛苦的模样……

在这位女青年的前边，摆放着醒目的几个大字："谁都可以成为邓玉娇！"

一位女大学生解释说，"邓玉娇案"启发我们思考这样一个问题，女性受到重重束缚，但我们的自我保护能力却很薄弱，我们呼吁全社会尊重女性保护女性。

北京益仁平中心及北京大学法学院妇女法律研究与服务中心举办研讨会，决定成立"邓玉娇案"关注组及律师援助团。来自民间的各种声援组织纷纷通过网络发表宣言，声讨司法不公，声援邓玉娇英雄壮举。

2009年6月16日，法院宣判：邓玉娇的行为构成故意伤害罪，但属于防卫过

2009年6月16日，湖北省巴东县人民法院一审公开开庭审理了"邓玉娇案"，并作出一审判决。庭审结束后，邓玉娇（左）与母亲走出法庭。（郝同前/摄，图片来源：新华社）

当，且邓玉娇属于限制刑事责任能力，又有自首情节，所以对其免予处罚。消息经各大门户网站转载，网民再掀热议高潮，有些网民对案件的定性提出质疑。有的认为对与邓贵大一起寻求性服务的官员和职工处罚过轻。有人说这是在舆论重压下获得的胜利，并非真正意义上的胜利。一个邓玉娇自由了，今后会不会还有张玉娇、王玉娇？

“邓玉娇案”激发了一些民众严重的官民对立情绪。

一些游行的群众打出“巴东警察，警察的耻辱和灾难”，“还我正义，严惩腐败！”有网民制作一份“贞洁烈女证书”，上面有邓玉娇的头像，盖着全国妇女联合总会的徽章。证书上写道：“邓玉娇同志在平凡的岗位干出不平凡的业绩，且表现突出，以资鼓励，特发此证。”

还有网民在网上为邓玉娇穿上了一副铠甲，手持尖刀，一副英雄状。旁边写道：“扫平乱党，一统天下”，“有许多女英雄也把功劳建”。

在湖北省当阳市，一位姓范的女市长驾驶越野车将10岁小学生当场撞死。宜昌市委很快作出决定，范市长即日起离岗接受组织调查。

一起普通的交通事故如果发生在普通人中，除了事故涉及的亲朋好友，知晓的人不会太多。可是，由于引发事故的是范市长，网民的一个帖子将此事暴露在全社会面前，引发的是骂声一片，点燃了网络“仇官”的导火索。

据报道，女市长有合格驾照，事发后及时报警，第二天就拿出22万元上门道歉，甚至下跪。孩子家长也接受了道歉和赔偿，如果换一般人可能被“大事化小，小事化了”了。但偏偏她是女市长，偏偏又是在事件过去一个月后被网友发帖“曝”出的。

网民们在追问：女市长为什么第二天就赔偿道歉？为什么赔偿道歉后要换得“不予追究”的条件？因为“追究”后不仅要负经济责任，还要负刑事责任，尤其是后一种，无疑等于断送了女市长的仕途。孩子家长为什么选择沉默？是因赔偿款及时到位，还是惧怕女市长的头衔？

不能责怪人们发出这些追问，你既然是“人民公仆”，就要接受人民的监督。有人说，尽管人们怀疑的理由不充分，有些甚至是“合理想象”，但如果事发后当事女市长主动提请交警部门出面按章按法处理，甚至主动“引咎辞职”，当地上级机关马上“高度重视”，介入调查，网友们可能就不会如此“暴力”。

在2009年这个多事之秋，所发生的轰动海内外的一系列事件都引发了严重的官民对立，滋生了一部分人的仇官心理。如“罗彩霞案”“杭州飙车案”“邓玉娇案”等等。中国人一直有同情弱者的心理。那个身中四刀倒在野三关雄风宾馆梦幻娱乐场所的股级干部邓贵大，却没有博得一丝同情，声讨的浪潮由个体蔓延到中国的所有官员，引发了一场对官员腐败的声势浩大的口诛笔伐。

邓玉娇举起自卫的利刃抗击暴力的一瞬，唤起的是人们对近年来愈演愈烈的官员贪污腐败、欺压底层民众的集体记忆。贵州习水官员嫖宿幼女案、四川宜宾国税局长“买处”案、云南奸淫幼女案等等。官员们的这些行径超越了人类的道德底线，使官员的形象在国人面前不断矮化。那些看上去颐指气使、人五人六的官员们，在群众中已经成为丑陋的化身。

一个值得警惕的倾向是：仇官的滋生蔓延导致的官民阶层的对立和分裂。“官员嫖处”和“烈女抗暴”等个案被渲染放大，在一些地方已经导致官与民的分裂和对立，网络舆论称之为“以官员为代表的权势阶层和以底层民众为代表的弱势阶层两个不同阶层的分裂和对立，如果这一二元对立的图景深深扎根于百姓的潜意识之中，且被现实生活中的事件不断印证，后果将不堪设想……”

2. 仇富

2009年5月7日晚8时许，天堂杭州暖风习习，嚣闹的都市渐渐安静下来。突然，文二西路上一辆三菱牌小型跑车疾驰而来，以飞快的车速冲向一名走在斑马线上的过路青年——

25岁的大学生谭卓重重地摔在地上。这拉开了“富人与穷人”激烈争论的大幕。

富二代车手胡斌飙车撞死平民子弟谭卓，消息像长了翅膀，迅即传遍全国，成为互联网舆论的中心。网上舆论同声声讨“富二代”草菅人命，强烈要求司法机关主持公平正义。谭卓所在的浙江大学的大学生含着悲痛，为逝去的同学举行烛光悼念活动。

随着机动车辆的增多，中国每年因交通事故死亡人数在十万人左右，可是，谭卓绝非简单的十万分之一，他的死被涂抹了更多的情绪色彩，被赋予了中国经济社会矛盾集中爆发的时代特征。

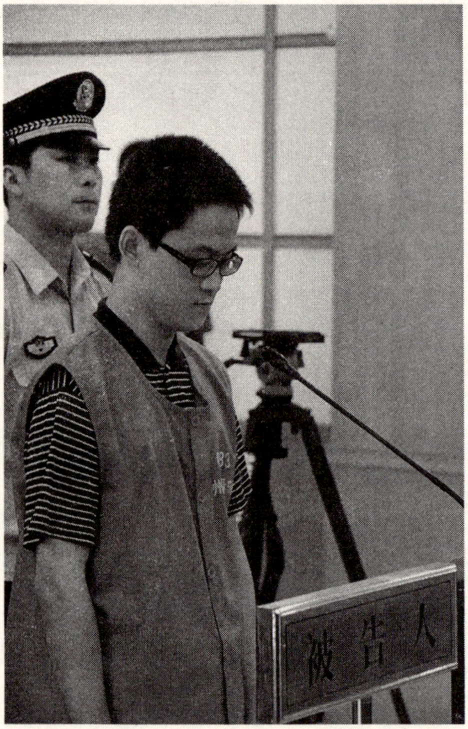

2009年7月20日，杭州市西湖区人民法院对备受公众关注的杭州“5·7”交通肇事案进行一审判决，被告人胡斌一审被判有期徒刑三年。
（方益波/摄，图片来源：新华社）

7月20日，杭州市西湖区人民法院以交通肇事罪判处被告人胡斌有期徒刑三年。消息经新华网、新浪、腾讯、凤凰等网站转载，网民反响热烈。

腾讯网调查表明，在参与调查的2.6万名网民中，75.77%的人认为“杭州飙车案”一审判决结果不公平，15.23%的人对判决结果表示“无话可说”。腾讯网关于网民对判决结果情绪的调查显示，有十多万人对判决结果表示“愤怒”。网民对以交通肇事罪起诉普遍不满，认为应该以危害公共安全罪或以危险方法危害公共安全罪起诉。

仇富心理在网民情绪的宣泄中表露无遗，使一起普通的交通肇事与案件审理公共化和扩大化，人们在对富人的仇恨中开始对司法的公信力产生质疑。有网民说，中国社会的阶层分化日益严重，有些富人对穷人生命的漠视，富人运用金钱的魔力使司法的天平失衡，有法不依、执法不严屡见不鲜。

仇富心理的极端化表现是网络舆论中的“替身门”事件。公开审理公开宣判以后，部分网民认为当日出庭受审的并非胡斌本人。“替身门”之说由此发端并愈演愈烈。人们在对富人发泄仇恨的同时，开始关注在生存重压下苦苦挣扎的“穷二代”。

就在人们围绕“富二代”“穷二代”争论不休时，南方某经济发达省组织“富二代”培训班引起网民热议。有网民略带调侃地说，少数“富二代”骄奢淫逸的恶行不仅引起社会公愤，甚至惊动了党。现在，保增长、扩内需、惠民生的任务那么重，还让党为这帮人操心，拿着纳税人的钱为他们办班进行党性教育，的确过分。但我觉得“富二代”要是这么混世界，其实不需要党太操心，靠市场经济规律就自然淘汰了。所谓自作孽，不可活。

帖文引来网上热议。谁来关心“穷二代”？“穷二代”是哪些人？什么样的人才能称为“穷二代”？

有一位叫“朱述思”的网民发表的《中国“贫二代”的18条标准》被广泛转载。帖文说，为了方便党和政府帮扶以及全社会同情关怀，兄弟不才，试图为一个标准“贫二代”画像，供批判指正。

一、在各种拼爹游戏中失败，尤其是消费和就业方面劣势更加明显。

二、感到当农民工和大学生区别不大，于是勇敢地放弃高考。

三、别人说：家里钱不是问题；你说：问题是家里没钱。

四、寒暑假，经常需要到田里收庄稼或在城里打工挣学费。

五、有当城管的冲动，好罩着天天被驱逐的父母。

六、经常有扼住命运喉咙的冲动，但每次喉咙都被命运扼住。

七、如果读过《红楼梦》，最受触动的应该是晴雯的判词：心比天高，命比纸薄。

八、对“宁当富人三奶，不嫁穷人”的说法强烈认同。

九、从不思考永远有多远这样的蠢问题，却经常为明天发愁。

十、经常看《读者》之类的“心灵鸡汤”，但好多姐妹为生活所迫成了“鸡”。

十一、在城市经常被取笑甚至欺负。熟悉各种人的白眼。

十二、从迷恋个人奋斗到觉得奋斗根本改变不了命运。

十三、最熟悉的交通工具是农用车、火车和长途大巴。

十四、熟悉人民币分币的购买力。

十五、家里往往有没有户口的兄弟姐妹。

十六、有仇富心理，并十分痛恨贪官，觉得他们不仅夺取了你父辈的财富，更夺取了你翻身的机会。

十七、害怕自己尤其是父母生病，特别是慢性病，因为父母双方都没医保没有社会养老。

十八、大体认同这样一种说法：生活就像强奸，无法反抗就要学会享受；工作就像轮奸，你不行就要别人上；社会就像自慰，一切都要靠自己的双手解决。

这篇帖文引发草根阶层的共鸣，许多人从“贫二代”的画像看到了自己的影子，对富人的仇恨有增无减。

经过改革开放30年的演变，贫富差距就像一道深沟，横在中国社会群体中间。由于贫富差距的扩大引发的冲突和矛盾一波接着一波，播下了穷人对富人仇恨的种子。有人说，目前一个中国两个世界，中国的富豪们可以赶英超美，少数的0.4%的人占有70%的财富。媒体上不时传来内蒙古、山西的煤老板到北京买楼的传奇故事，还有温州的商人们到海南投资地产的豪壮之举，富人的生活抹上了神秘色彩。与之相比，穷人真可谓冰火两重天。

社会的另一面常常是灰色的，富人们总是温暖如春，而穷人只能生活在凋零的冬天，在住房、看病、上学新三座大山的重压下艰难度日。大河网有这样一条令人心酸的消息——

“娘，我饿得心慌，天堂有好吃的……”2009年9月27日上午9时许，河南驻马店市中心医院门诊楼8楼骨科二病区718病房里，一位青年男子一边对娘说，一边走向打开的窗户。正在该病房探望其他病人的郑女士发觉不好，冲上去一把抱着企图轻生的年轻人。

这位年轻的病人叫刘亮亮，19岁，上蔡县蔡沟乡大杨村人。这是一个不幸的家庭：1997年亮亮的母亲张琴的丈夫离家出走，留下7岁的亮亮和一个妹妹。2008年3月，张琴在打工时受伤从此不能干重活。2009年8月亮亮遭遇车祸导致大脑受损和手臂骨折。为了给亮亮治病，张琴卖掉了家里所有值钱的东西。据医院护士介绍，亮亮和母亲每顿饭都是吃馍喝白开水，从不买菜吃，这还要靠母亲捡矿泉水瓶卖掉后来维持。

吃不饱饭的亮亮轻生的消息打动了病室的人，有人捐来3 000元解燃眉之急。可是，3 000元花完以后呢？

在自古多慷慨悲歌之士的河北衡水，发生了一起车祸，没有夺去一条生命，却因看不起病夺去两条生命的故事——

2009年9月1日晚，农民刘晓明骑摩托车被一辆大卡车撞倒，肇事者车都没停就逃逸了。刘晓明被送进医院。晓明的大伯、爷爷到处筹款，借不到钱。10月13日，两位老人双双上吊自杀。

刘晓明出生一周多，他的妈妈就离家出走了。从此，爷爷和一直未婚的大伯及爸爸三人来抚养他长大，刘晓明是全家人的命根子，看到他伤势如此之重，老人四处借款，可动手术的三万多元简直就是天文数字。只筹够了一万多元，眼看着孩子病情一天比一天沉重，又无钱医治，老人心急如焚。最后的希望破灭了，只好走上绝路。经公安民警鉴定属自杀，留下的遗书催人泪下……

网上穷人的一段段心酸遭遇，一个个荡气回肠的故事，和富人们挥金如土的生活形成了鲜明对比。在“杭州飙车案”“邓玉娇案”“罗彩霞案”接连发生后，网民的仇富心理急剧升温。

世界上没有无缘无故的爱，也没有无缘无故的恨，毛泽东主席的这句名言至今没有过时。人们之所以“仇富”，是因为富人损害了他们的切身利益。特别是那些投机钻营、官商勾结，甚至欺行霸市的发财路数，在群众中影响极坏。这可能是“仇富”的根本原因。

贫富对立的仇富情结是埋藏在和谐社会中的一枚雷管，遇到引燃物，就可能发生惊天动地的巨响。

第三章　网络事件应对

1. 蝴蝶效应

蝴蝶的翅膀与大西洋的风暴有关系吗?

美国气象学家爱德华·罗伦兹研究发现，在一个动力系统中，初始条件下微小的变化能带动整个系统长期的巨大的连锁反应。这是一种混沌现象。蝴蝶在热带的丛林轻轻扇动一下翅膀，遥远的大洋就可能造成一场飓风。1963 年罗伦兹在一篇提交纽约科学院的论文中分析了这个效应。“一个气象学家提及，如果这个理论被证明正确，一只海鸥扇动翅膀足以永远改变天气变化。”在以后的演讲和论文中他用了更加有诗意的蝴蝶。对于这个效应最常见的阐述是:“一只蝴蝶在巴西轻拍翅膀，可以导致一个月后得克萨斯州的一场龙卷风。”

互联网的问世给蝴蝶效应带来了新解，从社会学界角度分析，网络上热炒的话题，如果不加以及时的引导、调节，会给社会带来非常大的震荡，引发一场社会“龙卷风”；反之，只要正确指引，经过一段时间的努力，网络引发的风暴将会逐渐减弱。

应对网络舆情，是信息时代给各级领导干部提出的一道严峻课题；已经成为摆在中国执政党面前的一道必须逾越的门槛。

2010 年的春天迟迟不肯光临，以往的 3 月已经桃红柳绿春光荡漾，这一年却依旧寒冷，不断地降温让人们倍加渴望春天早些来临。春天迟迟不到，由新闻界一位同行搅起的网上热潮却引起海内外的关注。3 月 17 日《中国经济时报》刊发记者王克勤关于山西疫苗乱象的系列报道《近百患儿致死致残》，如同一枚重磅炸弹，首先在网络上掀起舆论狂潮——

3 月 17 日零时 33 分，东方财富网最早转载《中国经济时报》有关山西疫苗乱象调查的报道。随后，各大门户网站争相转载，网络及《北京晚报》等传统媒体迅速跟进，当日仅新浪微博网民跟帖及评论就达 2 000 余条。

山西省卫生厅动作出奇地神速，当天看到网络的报道就予以回击：17 日当天通过媒体发出“报道基本不实”的回应，报道说这些病例都是两年前的老病例，不存在接种疫苗引发大规模群众不良反应。这一回应显然激化了矛盾，“高效自查”加重了舆论质疑，网民批评言论上万条。

3 月 22 日，山西省人民政府新闻办公室举行新闻发布会，人们从网络视频中看到，只有 10 分钟的新闻发布并没有介绍更多的信息，网络上再掀不满狂潮。

网络“一呼百万应”表现了强大的社会动员和监督功能，突出特点是非利益群体踊跃参与。据中国传媒大学网络舆情（口碑）研究所监测数据显示，3 月 17 日至 4 月 7 日，340 家网络媒体先后对这一事件予以跟踪报道，网络报道总量高达 7 256 篇，1 248 篇博客和 1 358 篇论坛主帖文分别吸引了 43.8 万和 93 万人次的点击率。来自四面八方的网民把目光齐聚山西，表达着一致的关注同情和愤慨。

就是在网络热炒的时刻，我奉派前往山西调查疫苗事件真相。

疫苗事件在网民的如潮质疑和对卫生部专家组的期待中迎来了中国人民的传统节日清明节，就在这一节日到来之际，王克勤在其博客上刊发了长达 5 分多钟的视频《送给去天堂的孩子们——为山西疫苗受害儿童而作的歌》。开篇患儿王小儿抖动的惨状以及家长到卫生部门上访被推倒在地、到法院“击鼓鸣冤”无人理睬等画面，伴以撕心裂肺、凄凉激愤的配乐，这段催人泪下极具震撼力的视频在网上热议如潮，仅酷 6 网播放次数就达 1.1 万余次，被引用 500 余次，网民跟帖及评论量不断刷新。

山西“疫苗事件”的核心人物是举报者陈涛安，这位原山西疾控中心信息科科长，三年多来不断向上级部门举报疫苗质量存在的问题，由于他的举报，促成了

《中国经济时报》的系列报道。

我到达太原的第二天就与陈涛安取得联系，希望听听他对这一事件的最新看法。他表示接受采访。

初春的太原寒风阵阵，街市上看不到春天的气息。我们按照与他约定的时间来到一家电子商场的门前，来来往往的人流不断，就是不见他的踪影。几经联系才见一个40多岁的中年男子疾步走来，他的身后是四五个媒体记者。

“新华社的吗？找个地方一起谈吧！”中年男子果然是陈涛安，他一副沙场老将的姿态，看得出应对媒体记者已经十分娴熟。他告诉我，这两天每天都要接受几十个记者采访，忙得很啊！

山西疫苗事件发生后形成的“两个舆论场”耐人寻味。一个是由传统媒体报道引发的网络舆论场。在“意见领袖”的主导下，多种声音交织形成叠加效应。患儿家长在山西省卫生厅集体跪在门口伸冤引起极大关注，斥责政府有关部门“不作为”的“舆论场”迅速形成。另一个是由地方政府主导的舆论场。山西省政府在3月22日召开一次10分钟新闻发布会后再也没有声音，山西省有关方面专门设立的媒体接待室，鲜有媒体前去采访，而举报人陈涛安和患儿家长每天接受二三十家媒体记者采访，一冷一热形成鲜明对比。

面对突如其来的网络突发事件，仓促应战导致网络舆情急剧恶化，地方政府的应对教训深刻，值得认真反思。

近些年来，应对网络舆论失败的案例接连发生，湖北石首的一个厨子之死导致一场骚乱，重要原因之一是网上应对不利。石首案再次提醒有关政府部门，如何妥善应对当今社会信息传播和意见表达多渠道、互动性的新局面。面对突发事件，政府和主流新闻媒体仅仅发布信息还不够，还必须迅速了解和把握网上各种新型信息载体的脉搏，迅速回应公众疑问，这需要政府尤其是宣传部门具有快捷准确的舆情搜集和研判能力。如果在突发事件和敏感问题上缺席、失语、妄语，甚至想要遏制网上的“众声喧哗”，则既不能缓和事态、化解矛盾，也不符合十七大提出的保障人民知情权、参与权、表达权、监督权的精神。

一位叫“刘洪波”的网民在评论“石首事件”时说，当事件出现时，没有看到当地政府提供消息，网站上只有一些闪烁其词的说法，权威媒体也不见报道。而事后，人们才读到了当地政府平息事态的报道。直到现在，相比于外地，湖北当地媒体对“石首事件”仍然基本处于无声状态。

贵州“瓮安事件”后，贵州省委书记石宗源总结该事件时，其首条经验就是坚持信息透明，第一时间把真实准确的信息全面地让媒体知道。这个经验显然未被石首市当地政府领悟。从17日的厨师坠楼事件发生到19日发生群体事件，中间的数十个小时，是决定事态发展的黄金时间。但是，在当地的政府网站上，都看不到处置该事件所必需的全面信息公布。一个群体事件发生后，一般会形成两个重要的“场地”：当地民众和外界。当地的危机处置至少给外界造成的印象是“封闭”和“信息不透明”，这势必让公众在信息模糊状态下产生更多疑惑，使当地政府在舆论上造成过多被动。因此不难看出，正是石首市当地政府处置危机中的失当与不足，导致小事拖大，成为影响中外的群体事件。

“群体事件”古已有之，《大清律例》就有“激变良民”的罪名：“凡牧民之官，平日失于抚字，非法行事，使之不堪，激变良民，因而聚众反叛，失陷城池者，斩。”即官员平日不作为，致使群体事件爆发，将受到杀头的严惩。而现代宪政逻辑以“民本”为基础构建，官员由人民选举，受人民监督，人民对政府、对官员的意见和批评，原本应以选票、代议机构、媒体舆论、公益诉讼等理性形式表达，所以“激变良民”的罪名在现代民主法治国家里没有存在的合理性。然而如今的群体性事件和古代的“激变良民”在逻辑上也有同构性，即底层百姓缺乏正当、顺畅的诉求表达，而且经常受到公权力的侵害，酿成群体事件。

面对互联网带来的媒体格局的新变化，一些政府官员或者茫然不知，或者不知所措，或者躲躲藏藏，更有甚者，还停留在固有的思维惯性上，封锁消息压制舆论。

郑州市规划局副局长逯军显然属于观念尚未转换的官员一族。他在接受记者采访时质问记者“你是准备替党说话，还是准备替老百姓说话”的话就是例子。

逯军的“雷人”语录一出，网民为之哗然，网上舆情迅速攀升。网上帖文如潮，《替党说话如何，替老百姓说话又如何》《官员怎么都不会说话了》《逯军的话反映了官民对立的本质》《逯副局长是把媒体当朋友了》《逯军的质问点中了媒体的软肋》。

逯副局长给全国数以千万计的干部们上了一课，在公民社会，在互联网时代，领导干部的一言一行都可能被人人手持的麦克风广播出去，从而掀起舆论热潮。

于建嵘是我所敬佩的社会学者，他一直关注中国社会的变革，尤其是网络时代突发群体事件对中国共产党长期执政的影响。于建嵘认为，如何应对网络舆情，是时代向中国共产党人提出的新命题，网络时代需要有更高的执政能力。遗憾的是许多官员还不能适应网络时代的要求。甘肃天水一位网民近日给他来信说，发现当地镇政府向农民收取修梯田款的事情后，在天水在线网市委书记、市长留言板上反映了此事，镇政府作了回复，希望于建嵘看看这种回复是否符合国家政策。

于建嵘认真看后认为，一是回复不及时；二是出面答复的是网民反映的镇政府，而并非网民寄希望的书记、市长，将球又踢回了起点。于建嵘认为这样的政府网络回复是不合格的。它既说明基层政府对法律的掌握还不够，更说明其对国家权力的边界、对官民关系的看法还停留在过去，这与民众权利意识、法律意识日渐高涨的现状显然存在矛盾。

时代的进程向各级党委和政府提出新的要求，必须培养网络舆情的应对能力。

人民网对 2009 年上半年地方应对网络舆情能力情况列了一个排行榜。人民网舆情监测室从 100 多家境内外报刊的新闻报道和评论，8 家门户网站的新闻跟帖，约 30 家论坛 /BBS，约 300 名网络“意见领袖”博客，以及微博客、QQ 群和播客网站中，梳理出了上半年 10 件“舆情热点事件”。并按照“政府响应、信息透明度、政府公信力”三个常规指标，以及“恢复秩序、动态反应、官员问责”三个特殊指标，对 2009 年上半年 10 件“舆情热点事件”的政府应对、处置能力作出了评估。

排行榜采用“德尔菲法”，其中“政府响应、信息透明度、政府公信力”三项为常规指标，分值区域分别为 -10 至 10 分。“恢复秩序、动态反应、官员问责”三项为特殊指标，分值区域分别为 -5 至 5 分、-3 至 3 分、-3 至 3 分。依据以上各项指标对政府表现分别作出评价，政府表现越出色、应对越得体则得分越高，反之则得分越低。最终依据各项表现综合所得总分，得出蓝、黄、橙、红四色警报级别。警报程度相应由低到高，其中总分 20 以上为蓝色警报，表示政府应对总体较为得体；总分 15~19.99 为黄色警报，表示政府应对有待进一步加强；总分 10~14.99 为橙色警报，表示政府应对存在明显问题；总分 10 以下为红色警报，表示政府应对严重失当，存在重大缺陷。

排行榜列出四川成都“6·5”公交车燃烧事件、陕西神木全民免费医疗、上海户籍新政、河南灵宝市王帅案、云南晋宁县“躲猫猫”事件、浙江杭州飙车案、河南郑州副局长“替谁说话”事件、重庆市高考“状元”造假事件、湖北巴东邓玉娇案、湖北石首市骚乱事件。

在这10起突发事件中，湖北不仅占了两起，石首骚乱事件的应对能力亮起了“红灯”，总分为-2.65，为政府应对严重失当，存在重大缺陷，在政府响应、信息透明度、政府公信力、恢复秩序、动态反应、官员问责诸项中，除恢复秩序外得分均为负数。排行榜是应对能力为橙色警报的有三起，分别为河南郑州副局长“替谁说话”事件、重庆市高考“状元”造假事件、湖北巴东邓玉娇案，表示政府应对存在明显问题。上海户籍新政、河南灵宝市王帅案、云南晋宁县“躲猫猫”事件、浙江杭州飙车案4起事件的应对能力为黄色警报，表示政府应对有待进一步加强。列为蓝色警报的两起，四川成都“6·5”公交车燃烧事件、陕西神木全民免费医疗，表示政府应对总体较为得体。

以我对网上热点事件的跟踪和分析研判，这个排行榜基本可信，只是把浙江杭州飙车案列为黄色警报值得商榷，无论从政府响应还是政府的公信力，杭州市政府的处置都是有问题的，从“70码”引发的网上狂潮，到风起云涌的网民质疑，一直到浙江大学学生举着蜡烛悼念死去的校友，都不能不把这一事件列入应对能力存在重大缺陷之列。

2. 公信流失

河南省的杞县即是古杞国，相传开国君主是夏禹的后裔东楼公。自从《列子·天问》“杞国有人，忧天地崩坠，身亡所寄，废寝食者”之后，这个从公元前11世纪就生活在这片土地上的子民就被打上“不必要的或无根据的忧虑”的印迹。

开国君主东楼公绝不会想到，在他故去3 000多年后，杞人忧天现代版热闹登场，并最终演绎成一出令人深思的闹剧。

这还要从一起生产故障说起——

2009年6月，正是农民忙于三夏的大忙时节。7日凌晨2时，一家打着“利民”招牌的杞县利民辐照厂在生产运行中发生了起卡源故障。本是一起普通的故障，但却在14日导致辐照室内的物品升温并自燃。消防和环保部门采取紧急措施，引燃物品得到了有效控制，周边环境也没有受到辐射污染。

日子在一天天地平静流逝。谁也没有留意这家小厂发生的普通事故。

此时，网络上的一则帖文却像幽灵一般在各大网站迅速游荡——“……现在科学家已经没有办法了，许多外国的科学家都过来了，可还只是坐以待毙！都没有……”这则《开封杞县钴60泄漏》的帖子称：“放射源使用后无法放进深层地下冷却水，裸露在空气中，造成钴60泄漏直接辐射。”

网民争相点击、转载。6月17日，一则更加令人恐慌的信息在网上流传，产生了爆炸性的后果：“钴60即将爆炸！”

网上的传言在网下蔓延，手机短信、街头巷尾口口相传，把原始信息放大扭曲直至耸人听闻。

“不得了啊，要爆炸了，快跑啊！”这一天上午，开始有人逃离家园。谣言像瘟疫一样在百姓中间传播。13时左右，杞县大逃亡拉开了序幕。网上转帖的一些图片再现了这一逃亡景象——

人们成群结队，驾着电动三轮车、农用车、摩托车，抱着孩子扶着老子携着妻子，争先恐后涌上街头，公路上车轮滚滚，人声嘈杂，一派千军万马逃离死亡逃离灾难的景象。

大逃亡在15时许进入高峰期，而此时杞县的领导们还坐在会议室里，听取汇报，研究对策。

一直到17时许，县委的会议结束，决定通过电视、网络、手机以及宣传车等渠道公开信息，澄清真相，安定民心。

这则现代版杞人忧天的故事是进入信息化时代，对于那些蔑视新媒体功能固守传统思维的官僚们的一次严厉惩罚。在政府的一再宣传安抚下，惊恐不安的老百姓才陆续返回家园，谣言的始作俑者张某也被公安部门以涉嫌编造、故意传播虚假恐怖信息罪刑事拘留。

然而，人们开始追问：谁更该为“杞人忧钴”负责？

网民“惠铭生”在《政府信息不公开比谣言更可憎》一文中说，杞县之所以上演现代版的“杞人忧天”，根子不在于谣言太逼真，能够迷惑人心；也不在民众不是“智者”偏信粗劣谣言，盲目跟风逃离；而在于政府信息不公开。舆论阵地，包括互联网，政府权威声音缺失，自然会给谣言留下传播空间。

“捂盖子”才是最大的“恐慌源”。钴60卡源故障发生后，当地政府一直在对外封锁信息。某官员还坚称：“政府一直在做内部工作。”大逃亡已经进入高潮，政府不去采取措施，还在那里做“内部”工作，老套的思维与现实的反差多么强烈！

社会舆论尤其是网上舆情对发生在杞县的大逃亡作了广泛报道，尽管适逢周末，媒体关注度热情不减，18 日开始急速上升，一直到周一的 20 日冲上峰值。

大风起于青蘋之末，亚马孙河上一只蝴蝶翅膀的振动，就可能引发大西洋上的一场飓风。那种仅仅依照“政府知道就可以”的官方逻辑去处理公共事件，早已被证明是一种落后的管理方式。

信任是合作的基础，信任是力量的源泉，信任是成功的保证……没有信任，就没有朋友没有交流没有服从没有纪律。中国共产党当年只有几十名党员，却能以星星之火成燎原之势，靠的是信任；小米加步枪能够打败国民党 800 万军队，靠的是信任；中国人能从“文革”劫难的阴影中走上中国特色的社会主义道路，靠的还是信任。

2009 年夏天，《小康》杂志联合新浪网，进行了这样一次耐人寻味的评比。报道称评比“会同有关专家及机构，对我国‘信用小康’进行了调查。结果显示：中国信用小康指数为 61.1，比上年提高 0.7 个百分点；相对企业和个人信用，政府信用更受民众关注；更多网民认同诚意在政府行为和企业行为中的功用；最近 10 年被认为是人际信用最差的时代，并评出最值得信任的五个群体”。

当代最受信任的是哪些群体呢？排在首位的是农民，17%；第二位的是宗教职业者，占 9.7%；第三位的是性工作者，8.9%；军人居第四位，占 8.7%；第五位是学生，占 7.9%。

无从知晓《小康》杂志和深受网民爱戴的新浪网是如何评选出来的，无从知晓他们评比的数据科学性在哪里，令人跌破眼镜的是性工作者不仅位居榜单，还居“最可爱的人”军人之上。

政府公信力的流失，导致民众不信任，最后以自己的生命一搏，从而震撼了舆论界的网络事件当数河南农民工“开胸验肺”了。

与无数青年农民一样，张海超怀揣着梦想走出祖祖辈辈耕作的土地，走进令他一生刻骨难忘的郑州振东耐磨材料有限公司。繁重的劳动、恶劣的工作环境很快就使这个身强力壮的年轻人感到不舒服，周围工友与他一样。直觉告诉他自己患上了尘肺病。

张海超的可贵在于他的执著，而他的一举“成名”则得益于倔强。在两年多的时间里，他到许多家医院看病，这些医院虽然也诊断为疑似或怀疑他患的是尘肺病，但都以达不到职业病病人依法享受国家规定职业病待遇所需要的诊断结论。

尽管漫长的求医之路使张海超错过了最佳治疗期，张海超没有像其他工友那样逆来顺受，独自默默地回家与病痛和贫穷一起打发寂寞的时光。游走在绝望和求生的边缘，理智令他没有像一些人那样选择暴力反抗，更没有选择以极端方式了却自己的生命以寻求解脱，他以另一种更为极端、更为无奈、更为惨烈的方式验证自己的信念——开胸验肺。

2009年6月22日，青年农民张海超来到郑州大学第一附属医院要求自费“开胸验肺”，当他勇敢地走上手术台的一刹那，历史注定将他作为时代的祭品，陈列进中国痛苦变革的历史博物馆，成为我们这个时代的标本。

“开胸验肺”一经报道，各大网站广泛转载，舆论哗然。网民在痛批河南医疗卫生部门冷漠的同时，直指法律法规对人性的漠视。张海超走了那么多医院处处碰壁，最后不得不采取自己要求打开胸膛证明有无心肺病，对生命的漠视已经到了容忍的极限，对弱势群体的制度保障已经成为社会转型时期的首要任务。开胸验肺演绎的是劳动权益保护沉重的一幕，最终以振东耐磨材料有限公司给付张海超61.5万元的赔偿结束。但这一事件表现的对医疗卫生界的信任危机却没有落幕，它极大地刺激了人们对医疗卫生部门的愤怒和不满。

妥善应对网上舆论，不能让失信于民的事件一再重演，已经成为各级政府面临的公共危机。我们欣喜地看到，一些地方政府的领导开始逐渐学会应对网络舆论。

陕西凤翔“血铅事件”披露后，引起各界关注。最新检测结果显示：731名受检儿童中，有615名血铅超标，其中166名属于中度、重度铅中毒。凤翔县政府表示承担儿童血铅检测和住院排铅费用，同时启动“铅威胁区”425户群众的搬迁工程。

网民对凤翔县政府应对这一环境突发事件的表现给予较高评价，当地政府应对之策初显危机应对的要诀：快速反应、不遮不掩、平等座谈、讨论协商。

应对网络突发事件，防止政府公信流失，已经成为越来越多的领导干部的共识。江西省委书记苏荣在一次讲话中认为，研究熟悉网络，善于运用网络，学会用网民接受的语言和方式开展网络交流，是现代领导干部必须掌握的一门学问。

这的确是一门学问，尽管并不高深，但中国的官员们距离及格还差得很远很远……

（选自2010年第9期《北京文学（精彩阅读）》，有删节，作者：徐江善）

“小人物”王鑫

——足坛因我而动荡

可以想象，王鑫要在北京奥运会前落网，为稳定和谐计，该案不会惊起任何波澜；如果王鑫2009年年初没被抓获，2009年的中国足坛，既不备战世界杯，也不筹划奥运会，它注定会是平淡的一年。

王鑫等“沈阳赌帮”的前世今生

1993年11月26日，一架MD82从沈阳飞往乌鲁木齐，在乌鲁木齐附近降落时坠毁，机组4人、旅客8人共12人罹难。在飞机失事后半个小时，废墟里被抬出一个空姐，她神志尚清，只是下半身血肉模糊。她叫宋静，她就是当时沈阳六药足球队队员王鑫的妻子。

这架航班出事时，与宋静背靠背而坐的四名机组人员当场死亡，当时身受重伤的宋静强忍剧痛，冷静地指挥幸存乘客逃生。后来援救人员赶到残存的机舱里，她被紧急送往医院。当时宋静脉搏已停止跳动，全身上下遭受多处复合伤，经四个多小时的抢救才苏醒，随后又昏迷了三天三夜。

王鑫当时在沈阳六药队。沈阳足球的血脉来自何处？1987年，沈阳市体委要成立一支足球队。当时，时任辽宁派丽队（辽足二队）主教练的王洪礼率领董礼强、傅博、程强等一干年轻后生，在全国足球乙级联赛中以骄人的战绩夺得了参加当年甲级联赛的资格，但是由于中国足协规定辽宁不能有两支队伍同时参加甲级联赛，于是这个名额也很自然地送给了刚刚组建的沈阳队。

1992年6月，中国足协在北京西郊红山口召开会议，决定把足球作为体育改革的突破口，确定了中国足球要走职业化发展的道路。到了1993年年底，各家足球俱乐部摩拳擦掌备战第一届中国足球职业联赛。当年的沈阳六药队，尽管没有绝对实力要在职业联赛中独占鳌头，但他们从俄罗斯引进谢尔盖做主教练，成为中国职业联赛中第一个引进外教的俱乐部。

正备战首届甲级职业联赛的王鑫没想到此时遭遇了磨难。妻子宋静住院治疗期间，王鑫不得不停赛照顾妻子。恢复训练后，他也是上午一训练完，甚至来不及吃午饭就赶到医院，天天在球队驻地与医院间来回奔波。

如此境遇，但王鑫还是在1994年沈阳队与大连队的一场重要比赛中，打入致胜一球。当时沈阳六药队主帅谢尔盖曾眼含热泪拥抱王鑫，感叹王鑫“太不容易了”！在王鑫最难的这一年，他还为球队打入十粒进球。

不能否认，王鑫早年的成长经历很顺利，他身上也透出一股天才射手的气质。1982年，王鑫与高旭、程强、吕东等伙伴从大连一起被调入辽宁省体校，随后又被选入辽少队、辽青队。1985年，张志诚教练将王鑫选入国青队，在1986年举行的“TDK”杯国际青年锦标赛上，王鑫在一场比赛中梅开二度，其中第一个进球是一记技惊四座的凌空抽射，引得众行家交口称赞。1986年，王鑫被徐根宝选入国家二队，此后又一度被李应发选入辽宁队……1988年，离开国家青年队的王鑫穿上军装，成为北京部队队的一名职业球员。在为北京部队队效力的两年时间里，他一共打进16个入球，奠定了自己在队内主力射手的位置。

后来，因为妻子宋静在沈阳工作，于是王鑫在1991年离开北京部队队，加盟沈阳队。他并没有想到，自己的命运自从来沈阳之后发生了变化。

如果说妻子遭遇飞机失事是对王鑫的第一次打击，那么在1996年前后，他因编制问题又再次遭受人生的波折。

1995年年底，由于沈阳华晨金杯集团介入，沈阳足球面临改制问题。许多球员产权需要明晰、界定，同时还需以相关政策要求，落实离退役球员待遇问题。但恰恰是在这场改制过程中，王鑫等人成了“牺牲品”。

早在1992年，国家相关政策要求对退役运动员的工作问题予以妥善安置，当时，一批老沈足球员纷纷退役，他们对这个文件的出台并不知情。到了2004年，国家又出台了新政策，规定对尚未解决后顾之忧的退役运动员，在资金上给予一次性补偿，这其中主要涉及的是养老保险与医疗保险两大块。

像王鑫这样没享受到相关待遇的老球员很多。尤可为、丁哲等也在其列。他们退役后发现自己的“编制”却没了。比如尤可为，他的人事档案上写着“全民固定工人编制”，另外还有“可以转干的补充说明”，但尤可为自己一点不知道。直到他和王鑫这批老队员退役，才发现自己既没有编制，也没有养老保险，更没人给安排工作，他们真正是一无所有了。

所以在 2001 年以来，王鑫、尤可为、丁哲等十多名老沈阳队队员多次上访，可得到的却总是推诿、搪塞。这些球员也曾声称要用法律手段维护自身权益，但随着这些人各奔东西，他们始终没有达成合力。

丁哲退役后，先后在沈阳海狮和沈阳金德队做教练，后投奔王珀，在山西陆虎队做教练。

2000 年，尤可为远走云南，任云南红塔队领队兼助教，给戚务生当助手；2005 年到厦门蓝狮队做领队兼助教，辅助主教练高洪波；2007 年，他到成都谢菲联队做领队兼副总经理。丁哲辅助王珀后，2006 年，王鑫也进入山西陆虎俱乐部任副总经理。2007 年，经过丁哲等人的穿针引线，王鑫带领辽宁广原队参加新加坡联赛，他出任球队领队。

但谁也没想到，王鑫、尤可为、丁哲这几个逐渐被人淡忘的前球员，竟然一夜间在足坛掀起巨大波澜。2009 年 11 月初，他们被警方控制的消息已不胫而走，11 月 25 日，公安部第一次正式公布足坛涉赌案情。原文如下：

> 在调查王鑫在新加坡操纵球队打假球的过程中，公安机关发现他还在国内通过商业贿赂等手段操纵个别场次足球比赛。根据掌握的线索，警方顺藤摸瓜，揭开了广州医药队与山西陆虎队踢假球等内幕。因案件涉及其他省市，公安部指定王鑫等人案件由辽宁省公安机关管辖。
>
> 据公安机关调查，2006 年 8 月 19 日，“中甲”联赛第 17 轮，有“冲超”希望的广州医药队主场对阵山西陆虎队。赛前王鑫、王珀等人放出风声，希望广州医药队来买这场球。随后两人在联系丁哲、杨旭等人后，通过贿赂的方式，操纵了比赛结果。最终，广州医药队 5：1 大胜山西陆虎队。而王鑫、王珀等人不仅获得了贿赂款，还利用非法操纵比赛结果这一手段，在比赛当日投注某国际赌博网站，从中牟取暴利。

目前，专案组已查明，王鑫、王珀、丁哲、杨旭等人，自2006年以来就先后利用商业贿赂的方式，对国内"中甲"联赛个别场次比赛结果进行操纵，已触犯刑法第一百六十三条、第一百六十四条等有关规定，涉嫌犯罪。目前该案正在进一步调查之中。

公安部治安管理局有关负责人表示，通过贿赂操纵足球比赛结果的犯罪行为影响恶劣、不得人心。今后，公安机关将依法履行职责，坚决打击犯罪，并会同有关部门共同强化管理，实行综合治理，为我国足球事业的健康发展作出积极贡献。

王珀，1955年生于沈阳。1987年下海，曾任中海直东北（大连）公司经理、大连中海公司总经理。2003年入主陕西国力俱乐部，开始了他的足球生涯。2005年他经营西藏惠通，2006年又执掌山西陆虎，2007年则转战内蒙，树起了呼和浩特足球队大旗，王珀在中国足坛的名声不佳。他在足坛走南闯北，经营每个俱乐部都留下了许多场疑问球。11月25日警方公布的这场假球，正是王珀执掌山西陆虎队时的"杰作"。

2006年8月19日，广州医药要冲中超，他们主场迎战山西陆虎。王珀不想赢球，只想要钱，于是机会来了，经过他精心导演，最终以20万搞定了一场"5 : 1"的比赛。

据办案人员介绍，2006年，王珀是山西陆虎队的总经理，王鑫以赞助人的身份进入球队当副总经理。实际上他并没有投资赞助，只是想用打假球和利用球赛赌博的方式为他和王珀挣钱。

8月19日这场比赛前，王珀和王鑫通过球队助理教练、中间人等与广州医药队方面联系，看他们能不能买这场球。在确认广州医药会买下这场球后，王珀等人开始研究盘口，要做大球盘，所以王珀和王鑫就和球员商量要踢出大比分，最后以1 : 5输掉了这场球。

一切安排妥当，王鑫和王珀就开始疯狂下注。办案人员说，把比赛比分安排好后，王鑫和王珀作为球队的主要领导连比赛现场都没去，就迫不及待地跑到东莞赌球去了。到了东莞后，他们找到一个庄家押球。非常不巧的是，当时最大的赌球网——皇冠网并没有开设这场比赛，他们只好找了一个比较小的赌球网，最后赢了十几万元。

从当年两支球队的实际情况来看，广州医药队实力远远高于山西陆虎。也就是说，广药队主场要战胜山西陆虎队并不困难。可为保险起见，他们最后还是同意了山西陆虎卖球的建议，但只同意出20万元的价格。

杨旭原是广州市足协副主席，当时被委派到广州医药足球俱乐部任副总经理。他是这样回忆这场假球经过的：

> 当时是广东雄鹰足球俱乐部负责人找到我，示意我，山西队问我们买不买这场球。当年联赛客场时我们输了，如果再输这场球，就会对球队“冲超”产生很大影响。为了保险起见，我请示了俱乐部领导同意后，在赛后给了对方20万元。
>
> 做这样的事情出于急功近利。当时广州市从上到下都很关注（冲超）这个事情，当时广州足球和广州市的综合实力不很匹配，大家都很想把广州足球带回到中超。在这样的背景下，加上中国足球一些不好的潜规则，反正感觉就是大家都在做，不做吃亏，有点这种感觉，就是老实人吃亏，所以明知道不对还是抱着侥幸的心理来做了这件事。

在警方公布案情时，王鑫露面了。他穿着看守所的绿色绒衣、绒裤，橘色马甲，趿拉着一双拖鞋。被问到为什么要卖球，他神色木然地说：“一场球十几万二十万就卖掉了有点少，但球队当时状况不好，总是欠工资，球员情绪也不太好，而且客场胜算比较低。”

王鑫胡子没剃，对着镜头显得也很沧桑，他最后说：“足球发展到现在这个局面，也是我自己不愿意看到的。但之所以这么做，也是因为足球界的风气不是很好。这么做对足球发展肯定没有好处。”

新加坡赌球案的来龙去脉

早在2008年年初，王鑫在新加坡参与赌球被通缉的消息就传出来了。只是当时所有热点都集中在北京奥运会前期准备工作上，人们忽视了这条日后引发足坛大地震的小小新闻；更难以预料到，早在新加坡期间，王鑫、王珀、丁哲等就已是多年的“利益共同体”了。

2008年2月14日，新加坡《海峡时报》刊载了这样一条新闻：

> 辽宁广原前锋赵志鹏因在去年的新加坡联赛中接受贿赂并参与打假球，在今天上午的审判中被判入狱七个月。
>
> 在去年11月1日与甘柏联队的比赛前，赵志鹏接受了球队总经理王鑫的贿赂，在广原队以0：5输掉该场比赛后，赵志鹏收到了2 000美元的贿款。
>
> 在审判过程中，新加坡行政法官表示，参与假球是严重的罪行，玷污了足球运动和新加坡足球联赛的声誉。
>
> 赵志鹏在法庭上还恳请法官允许他回到中国完成在本周六进行的婚礼，但遭到了法庭的拒绝。目前，他以25 000新币保释在外，但其护照已被扣留。
>
> 另外，还有六名球员在上周被控受贿，这是新加坡联赛自1996年以来涉及球员人数最多的打假案。26岁的董雷、30岁的李雪柏、20岁的王林等人将在下周一面临审前会议。值得一提的是李雪柏是中国足球名宿李应发之子。主犯王鑫目前弃保潜逃，有消息称他已逃回到中国。

王鑫是2007年带领辽宁广原队去踢新加坡联赛的。此前，新加坡足总曾引进第一支中国球队新麒队踢新加坡联赛，踢了三年后，新加坡足总没再和该队续约。在这个大背景下，辽宁广原队肩负起新麒队的使命，进入新加坡联赛。

王鑫能统率辽宁广原队得益于老队友丁哲。新麒队骨干也都是辽沈籍二线球员，当时丁哲是主教练。新麒队消失后，丁哲转投辽宁广原队，并且辅助他推介来的王鑫，共同经营这支球队。

这里还需提到另一个重要人物，那就是原足协官员范广鸣。

范广鸣出生于沈阳，早年踢球，曾入选过国青队，代表中国队征战亚青赛。退役之后，范广鸣在中国足协工作，初期他负责商务开发工作，中国职业联赛初期的万宝路赞助就有他的一份功劳。

2004年，阎世铎在足协内部开始实行竞聘上岗制度。所有的中层干部必须通过考核之后才能上岗，并且实施末位淘汰制。由于家庭负担过重，范广鸣被淘汰。但由于对足球的喜欢，他不想离开这一行，后来经过与新加坡商人王津辉的接触，他远下南洋，成为了新加坡新麒队的官员，并且兼任领队。

2008年年初，范广鸣从新加坡回国，随后再次回到足协，在联赛部负责业余足球赛事管理工作。2009年11月初，全国业余足球总决赛在武汉拉开帷幕，范广鸣是组委会的重要成员。就在武汉全国业余足球联赛决赛现场，负责组织赛事的范广鸣被陌生人带走，之后足协以及业余足球联赛组委会均无法联系上他。后来即传出范广鸣被警方带走协助调查，他也成为中国足协第一个被要求协助调查的官员。

警方在11月25日第一次公布案情时，只提到范广鸣，但对其涉嫌犯罪事实没有交代。当时许多人曾猜测他与新加坡赌球案有关。后来，随着警方再次公布案情，范广鸣涉嫌犯罪的事实也被披露出来：

> 2006年9月9日“中甲”联赛第19轮，广州医药队主场迎战浙江绿城队。当时联赛进入后期，两队都有“冲超”机会和实力，积分相差只有1分，谁胜就会占据更有利位置。为了加大赢球的把握，广州医药队萌生了让对手“放水”的想法。
>
> 由于这场球对浙江绿城也很关键，想通过俱乐部做工作无望，于是时任广州医药足球俱乐部副总经理的杨旭，便打电话求助于范广鸣。范广鸣便与原青岛中能U19队主教练冷波联系，冷波又与前山东鲁能队队长邢锐联系，再由邢锐找到原浙江绿城队主力队员沈刘曦等人做球。
>
> 通过这条线，各方经过多次沟通，邢锐与沈刘曦达成80万元的打假球协议，邢锐向冷波要价100万元，范广鸣则向杨旭要价150万元。广州医药足球俱乐部的杨旭等人经研究决定，同意拿出150万元。比赛中，司职前腰的沈刘曦等人故意组织进攻不力，结果广州医药队3：2如愿以偿赢了浙江绿城队。特地赶到广州的范广鸣、冷波，在宾馆看完比赛后，即拿到广药俱乐部早已备好的150万元现金，并通知邢锐取走100万元，剩下的范、冷二人平分，各得25万元。

这意味着，尽管中国球队去踢新加坡联赛是范广鸣运作的结果，但他在新加坡那段时间的历史是清白的，甚至当时在得知球员涉嫌打假球后，他还大发脾气，痛斥这种玷污比赛公平的行为。

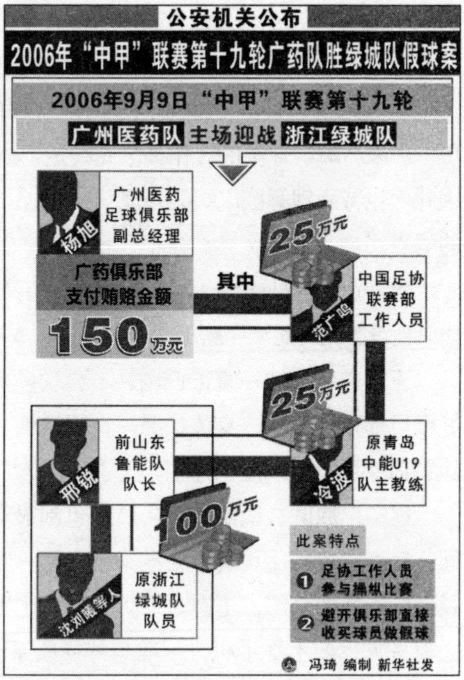

范广鸣在新加坡的合作人叫王津辉，祖籍天津，是新麒公司老板。

王津辉与范广鸣相识很早，而且在他的印象里，“老范”是一个相当厚道的人，“第一次见到老范是在1996年，当时在阿联酋，那时候他可是中国足协的官员。对于我们球迷来说，足协的人都挺神秘的，而老范一点架子也没有，办事儿特别利落。”

2005年年初，一家赞助商决定组队以新麒队的名义继续征战新加坡联赛，而范广鸣几乎是以承包人的身份加盟的，球队的管理也由他负责。但是球队的状况，令所有人都感觉意外，赞助商的赞助款经常不到位，甚至连负责人的电话也经常打不通。球员们为了工资奖金开始闹情绪，“当时给老范累得，人都脱了相了”。

2005年的那支新麒队也许是在新加坡踢球的中国球队中最强大的一支，拥有大批在国内踢球的二线球员，包括罗彤亮、姚立、姜峰等名将。正因为对球队实力有信心，范广鸣与公司签署的合同约定，球队必须进入联赛前六名，但最后由于赞助商拖欠款项以及球员情绪不稳，球队没有完成指标。

王津辉透露，那时候为了给球员发工资，范广鸣把自己一年的收入都搭在里面，自己一分钱都没拿到。2005赛季结束之后，新麒队正式退出，而范广鸣与赞助商的合同本来是两年期限，最后也随之放弃。2006年的新加坡联赛就在缺少一支球队的情况下开战。

范广鸣当时到底为什么那么累，王津辉觉得主要是队伍太难管理。“我可以用一个词来形容，那就是鞠躬尽瘁。我们关系不错，他总是因为球员的事儿发火，因为都不听他的。别看这些球员来之前都说得好好的，但是一旦拖欠工资奖金，他们确实让老范头疼。老范真是付出太多了，平息了很多事儿，也管住了很多事儿，否则那支球队，恐怕在 2005 年就得有人被抓起来。”他说。

球队如何管理，王津辉也是有发言权的，因为他曾经在 2003 年亲自管理过队伍。后来新麒与球队的合作都事先约定，由教练组来管理球队，公司方面不再参与。因此他也特别理解范广鸣的处境，“他这人比较好说话，不爱驳人家面子。这也是他的弱点。”

也许正是这种性格，2007 年，范广鸣又一次来到新加坡，这次他与王鑫、丁哲合作。他没想到的是，在新加坡规规矩矩、本本分分的王鑫竟然背着自己踢起了假球?

王鑫在新加坡一直很低调，不喜欢多交朋友，也不喜欢接受采访。他的妻子宋静经历那场空难后，身体状况一直很糟糕。王鑫把妻子和儿子都接到新加坡。每天除了训练和比赛，剩下的时间就是陪着妻儿。

辽宁广原队成绩中游，队员们也都很本分。队员们住在一个别墅区，共七套房间，每套三室一厅。其中王鑫一家人住一套，丁哲和其他教练住一套，其余的归队员住。王津辉介绍，王鑫对球队的管理比较严格，队员每天出门都要先报告，比赛之前一天，要上交手机，不准与外界联系。王津辉说:“这样一支默默无闻的球队，谁想到会出这么大的事？”

新加坡司法部门在联赛中期就盯上了辽宁广原队，他们用大量时间收集证据，直到 2007 年 11 月 14 日，贪污调查局闯进辽宁广原队的驻地，搜出大量现金，随后带走该队全部队员。

2008 年 1 月，新足总对外宣布，辽宁广原总经理兼领队王鑫因涉嫌操纵比赛，已经被立案侦查，另有七名球员被扣押。

这是新加坡联赛 1996 年开始以来，第一次出现这么大的丑闻。

辽宁广原队没涉案的球员不久就被放了出来。而王鑫被调查期间，一口咬定没有赌球，赌球只是个别球员的个人行为……他态度坚决，并提出保释请求，交了 8 万新币的保释金，然后王鑫出来了，并于当天晚上就潜逃回国。

2008 年 2 月，经过两次庭审，辽宁广原队七名涉案球员分别被判以罚款和监禁。赵志鹏、董雷、李雪柏、李铮、彭志毅、佟迪被判入狱五个月，罚款 4 000 新币。其中年龄最小的王林被判服刑四个月。

王鑫由于庭审时未出现，新加坡方面发出红色通缉令，对他进行全球通缉。

中央高层关注使王鑫涉赌案升级

2009年年初，公安部根据国际刑警组织新加坡国家中心局发出的红色通缉令和有关请求，部署辽宁省公安机关协助调查王鑫（注：因他是辽宁大连人）在新加坡非法操纵足球比赛一案。专案组经过周密部署、精心组织和艰苦细致的工作，于2009年4月在沈阳将王鑫抓获。

据专案组负责人介绍，在调查王鑫在新加坡操纵球队打假球的过程中，公安机关发现他还在国内通过商业贿赂等手段操纵个别场次的足球比赛。警方根据掌握的线索，顺藤摸瓜，揭开了广州医药队与山西陆虎队踢假球等内幕。因案件涉及其他省市，公安部指定王鑫等人案件由辽宁省公安机关管辖。

问题的关键是，涉及王鑫的新加坡赌球案如何成为了席卷全国的足坛打假扫黑行动的导火索？从常理上说，王鑫是2009年4月被抓获的，而足坛大规模抓捕行动却发生在当年10月下旬。此间究竟发生了什么？是哪种力量成为了王鑫案“升级”的推手？

让我们先看看10月12日这天发生了什么。

是日，正在德国进行正式访问的中国国家副主席习近平，在参观德国拜尔集团时，表示自己很喜欢足球，并指出中国有一流的球迷和可观的足球市场，但目前职业足球水平比较低，希望可以迎头赶上。习近平说：“举办完奥运会之后，中国下了一个决心，既然我们其他的运动可以拿到金牌，那么足球也一定要下决心搞上去，但是这个时间会很长。”

14日，中国足球工作座谈会在山东青岛举行。在这样一个看起来业务性颇强的座谈会上，中共中央政治局委员、国务委员刘延东出席并作了讲话，她指出，中共二代领导集体和以胡锦涛同志为总书记的党中央十分关心足球运动的发展。

刘延东强调，足球是最受群众欢迎的运动之一，“我们要以对国家和人民高度负责的态度，深刻总结足球运动发展的经验和教训，找准阻碍我国足球发展的症结，抓紧研究提出符合国情的足球运动改革与发展的思路和措施，不断提高我国足球运动发展水平”。

10月15日《人民日报》在四版要闻版以“刘延东在足球工作座谈会上强调：提高足球运动水平，开创足球工作新局面”为题刊发报道。

舆论认为，刘延东的讲话也明确了这样的信息，那就是中国足球将积极探索“举国体制”与市场机制的结合，建立健全的管理、训练和竞赛体制，加强监管，规范行为。曾几何时，中国足坛赛场上令人困扰已久、被球迷深恶痛绝的假球、黑哨问题，足协和俱乐部都是雷声大雨点小，刀子“高高举起轻轻放下”。而高层最近的连番表态，或许暗示将出台彻底的制度化解决方案，一举消除制约中国足球发展的痼疾。

2008 年北京奥运会后，中国足球颜面尽失。拯救中国足球，就要剔除足球内部假丑恶这个毒瘤。而正在此时王鑫案不失时机地走进了这个历史时刻。可以想象，王鑫要在北京奥运会前落网，为稳定和谐计，该案不会惊起任何波澜；如果王鑫 2009 年年初没被抓获，2009 年的中国足坛，既不备战世界杯，也不筹划奥运会，它注定会是平淡的一年。

王鑫恰到好处地在 2009 年年初落网了。

国家副主席习近平在德国谈足球后的第四天，即 2009 年 10 月 16 日，前广东雄鹰俱乐部总经理钟国健被南下羊城的辽宁警方控制，成为在中国足坛扫赌反黑风暴中落

王鑫的律师在接受媒体采访。(杨青/摄，图片来源：新华社)

马的第一人。10月19日，前广州市足协官员、广药足球俱乐部副总杨旭因涉嫌行贿被警方带走；在接下来的一个月内，范广鸣、王珀、尤可为、许宏涛等人纷纷落网。

11月中旬，国务院下派调研组陆续到沈阳、大连、青岛、武汉、广州、厦门和成都等地实地调查。尽管有舆论称，调研组只是正常调研足球生存发展情况，但在反赌大背景下，人们还是对调研组的工作产生了很多联想。

调研组11月22日抵达上海，据知情者介绍，接受调研组调研的对象共包括三个部分，一是上海市体育局；二是上海三家职业足球俱乐部——申花、东亚和中邦；三是上海市公安局。上海市体育局和上海三家职业足球俱乐部接受调研，这似乎是情理之中的事，然而上海市公安局也成为被调研的对象，就难免让人将调研组此次上海之行与“反赌风暴”联系起来。

上海这三家职业足球俱乐部负责人朱骏、徐根宝和卫平在接受媒体采访时都显得很谨慎，就连一向敢说敢言的朱骏也突然变了口风，只说是向调研组汇报球队的情况，其中包括青少年足球、市场运作、俱乐部经营等内容。至于外界非常关心的“赌球”话题，几位负责人均讳莫如深。

上海市足协官员在接受媒体采访时则称：“在调研组与上海足球圈内人会面时并无公安部门的人。”该官员最后还特别强调，“希望球迷和媒体不要神经太过敏感，不要误认为在这个特殊时期，凡是和足球扯上关系的会议就一定和赌球有关。”

国务院下派的调研组马不停蹄地奔波时，11月下旬，由12部委成立的中国足球综合治理办公室领导小组来到足协，就公安部公布的反赌进展情况与足协沟通。联赛部向该工作组提交了从1994年到2009年总共16年的联赛资料，其中包括每年的详细比赛场次和比分，以及每年联赛排名和升降级情况。

据了解，之所以将16年的联赛情况上交调查，是因为警方的调查目标已经不局限于目前公布的2006赛季“中甲”赛场。随着反赌事件的深入，相关线索已涉及了2008甚至2009赛季。后面涉及的问题，需要大量取证，这也意味着足协提供的材料也涉及中超联赛。

可见，中央高层领导对足球的重视，使中国足球在2009年迎来一次自我拯救的机会。

（选自湖南文艺出版社《中国足球窝案》，2011年3月出版，作者：郝洪军）

数码时代让胶卷走上末路

彼一时此一时。随着数码相机的异军突起，胶片商家也不得不纷纷寻求转型的道路。曾经红极一时的海鸥、富士、柯达等相机与胶卷行业，在如今数码相机、手机走入千家万户的时候，都遭遇着前所未有的困境和危机。

传统胶片的血色黄昏

数码时代让传统胶片遭遇了多大的冲击？或许看看曾经的柯达、富士和乐凯的今昔异同，我们从中就可以感受到诸多变迁的痕迹。

无可否认，在一个数码当道的时代，绝大部分胶片相机已经失去了市场；同样无可否认，在170年的发展历程之中，胶片相机曾经给世界留下了无法抹去的记忆和色彩，即使数码狂潮席卷世界每一个角落，但是胶片相机仍然坚守着最后的一块阵地——首先，在同等条件之下，胶片相机成像的质感和层次，是数码相机无从比拟的，因此一些专业玩家，仍然会选择胶片拍摄；其次，正如在CD流行的时代里，传统的磁带同样拥有着相当一批拥趸一样，胶片相机对很多发烧友来说，仍然是他们无法舍弃的选择。

尽管从上世纪80年代开始，松下、富士、佳能、尼康等已经开始尝试电子相机的研制工作，但数码相机真正发轫时间不过20年，算得上是朝阳产业；而传统的胶片相机则遭遇挤压，走进了一个血色黄昏。上世纪80年代初期，中国尚且是乐凯胶卷、海鸥和凤凰相机的天下——在黑白相间的电影、照片世界里，乐凯曾经记录过新中国数十年的风雨历程，也曾记录从北京到偏远乡村各类人群的人生百态；而到80年代末期，胶片市场上柯达、富士等早已和乐凯一起逐鹿中原，而徕卡、理光、富士相机已经在中国大地流行，等到90年代之后佳能、尼康等相机占据主流位置，海鸥、凤凰似乎进入了弥留状态。

新华社记者钱嗣杰用老式胶片相机采访（摄于上个世纪 70 年代）。（图片来源：新华社）

彼一时此一时。随着数码相机的异军突起，胶片商家也不得不纷纷寻求转型的道路。不得不提的是，尽管 1990 年柯达推出了 DCS100 电子相机，首次在世界上确立了数码相机的一般模式，成为了数码相机研发和推广的先驱，但之后他们并没能领先业界一步，因为他们在传统胶片上的痴情，让他们错过了一骑绝尘的良机；而到了 1998 年之后，低价位、高像素成为数码相机的主打词，百花齐放背后是竞争的加剧，因此当年的大部分厂商如今已退出，物竞天择。

数码相机的蓬勃发展体现于两个方面，一是高端市场佳能、尼康、奥林巴斯、三星、松下等等，都先后推出系列单反产品；一是消费型相机市场的价格纷争让相机走进了千家万户。传统的胶片相机的市场份额不断被挤压，在此过程之中，德国爱克发胶片公司 2005 年申请破产保护；柯达去年关闭了世界上第一个商用彩卷品牌——Kodachrome 彩色胶片生产线；一直积极从事数码发展的富士，同样面临着诸多的磨难。民用胶片基本已退出了市场，曾经的胶片傻瓜机已降至了十元一台的价格……或许有一天，数码相机真的可以完全取代胶片相机，但这绝非是短期就可以实现的，而且胶片机留给我们的记忆，并不会随着数码的发展而消失。

胶卷市场的争夺战

上世纪 90 年代初的中国胶卷市场，是富士的天下。富士牢牢占据着中国 60% 以上的胶片市场份额，绿富士的形象几乎随处可见。富士是成功的，但也是傲慢的。当时广东省省长去日本后希望到富士总部拜访，富士高层也视而不见，这在当时很多人看来“架子十足”。

另一方面，在中国国内，当时中国胶卷业整体走投无路。上世纪 80 年代，各地方政府相继从美国柯达、日本富士和德国爱克发三家企业处，引进了成套的彩色胶卷生产线，在短短的十年内，中国建成了七家胶卷工厂。然而这些盲目的引进并没有带来实质性的效益，随着富士、柯达、爱克发等巨头的进入和冲击，到 90 年代，国内感光企业陷入全行业亏损的边缘。

这让嗅觉灵敏的“行业老二”柯达抓住了机会。彼时的柯达，日子并不好过。这家号称百年不衰的老牌公司在全球受到了日本富士的强力冲击。当新任总裁裴学德上任后，他把宝押在了有着巨大空间的中国市场上。在进入中国后不久，他提出了一个“全面收购中国胶卷企业”的计划。

1998 年年初，柯达与中国政府多个部委联合签订了著名的“全行业合资计划”，即“98 协议”。协议规定，柯达与中国七家感光企业中的六家进行合资合作。“98 协议”中还规定，中国政府承诺在协议签订后三年内，不批准另外一家外资企业进入中国的感光材料行业。

“98 协议”意味着，国内感光材料领域由此对柯达开放，但对富士等其他企业而言，这一协议无疑是致命的打击。富士不能与国内感光企业合资，意味着所有产品必须从国外进口，而这必须缴纳高昂的关税。富士暗地与中国小企业合作建分装厂，但柯达每次都依据与中国官方达成的“98 协议”进行投诉，迫使富士关闭工厂。

富士走投无路下转型

至 2001 年时，富士在中国胶卷市场的占有率从 70% 迅速滑落到 20%。在近乎走投无路的情况下，惨败的富士决定把数字业务作为下一个重点发展的目标，并确立了向数码转型的基本思路。

2000 年 7 月，富士集团第七任社长古森重隆上任。为了表示对中国市场的重视，古森同时还兼任了富士中国的董事长——在富士胶片所有的海外公司中，只有富士中国享有如此地位。

1997 年，富士在苏州的工厂开始生产数码相机，并大量供应中国市场；2000 年年初，在数码对大多数人依旧还是个新鲜概念的时候，富士自行研制的“魔术手”

数码冲印设备开始登陆中国数码冲印市场；也就在这年，富士在北京成立了第一家生产印刷版材的合资公司。

客观地说，对这轮数码冲击究竟会给市场带来什么样的改变，彼时的柯达和富士都是没有太多预料的。而此时对市场最敏感的，是一个名不见经传、在国际上还没有多大分量的韩国企业三星。

“98协议”对于柯达而言无疑是大有好处的。柯达的市场份额，通过这一份几乎具有着垄断性质的协议，得到了实实在在的提升——2001年，柯达在中国的市场份额达到63%，超过富士近一倍。但柯达没想到的是，数码变革也在同一时期袭来。从2000年起，数码相机市场连续高速增长，并呈现出集中爆发的趋势。在这个高速增长期，索尼、佳能、三星、尼康等企业纷纷杀入数码相机领域，其可替代的优势对传统胶片领域构成了强烈的冲击。当年，全球数码成像市场翻了差不多两倍，全球彩色胶卷的需求则走上了一个历史的拐点，此后开始以每年10%的速度急速下滑。

柯达轻视数码的失误

柯达的决策者，此时做出了一个错误的决断，他们的重心，依旧放在传统胶片上。作为一个在传统胶片业占绝对份额的公司，柯达的决策者们并不希望看到数字业务太过迅猛的局面。其间，柯达始终没有合适的产品来满足中国市场的需求，2000年，柯达的数码业务收入基本与1999年度持平，只占营业额的21%。

相比而言，没有太多选择的富士在数字业务转型上则心无旁骛。截至2001年，富士数码相机已经卖出了1 000多万台，并宣布已拿到在中国的内销权，且其中的30%～50%将内销中国市场，富士数码相机在中国实现了本土化生产。

紧接着，富士又广开数码激光冲印店，并命名为“100万创业计划”。富士宣称，将每年投资一亿元，在中国三年内开1 000家具有全新理念的数码激光冲印店。开始抢占新兴市场的制高点。

到了2002年9月，富士宣称，其数码冲扩设备“魔术手”已经在中国销售了300余台，在全球范围内已经销售出了8 000余台。这一时期，柯达一直是被动的。直到2001年3月，柯达才在上海推出了数码冲印业务；2001年6月9日，柯达与上海海鸥照相机有限公司的母公司——上海轻工控股（集团）公司签订合资备忘录。根据双方的协议，柯达将与海鸥公司合作在中国生产面向一般消费者市场的数码相机。

而在2002年，柯达相继推出的是“9.9万元创业计划”“照相机播种计划”以及“柯达照相馆计划”——但这些计划都与数码无缘。以“照相机播种计划”为例，柯达在全国各地投放了市场价格为99元的相机，这种相机无需电池，专门为不懂相机使用的顾客提供方便，还随机附送四盒柯达胶卷，似乎也更迎合柯达百年来“只要你轻轻一按，剩下的事交给我们来做”的核心理念。

到了2002年，一则数据很能说明问题：柯达的数字化率只有25%左右，而富士已达到了60%。就在这年，据调查显示，2 300万的美国家庭拥有了数码相机，比前一年增加了57%。同期富士公司数码相机的销售量比2001年又翻了一倍，占据了日本市场的30%，全球市场的20%。

此时，柯达才意识到，传统胶片的辉煌时代已经一去不复返了。市场是残酷的，2000～2003年柯达利润报告显示，柯达传统影像部门的销售利润从2000年的143亿美元锐减至2003年的41.8亿美元，跌幅达到了71%。也就在这年9月，柯达CEO邓凯达首次公开承认，低估了数码技术的发展速度，之后，柯达宣布实施重大战略转型，“全力进军数码领域”。

弥补错误紧追富士

柯达很快就做出了如下规划：把原来的胶片影像部门、医学影像部门、商业影像部门重组为商业影像、商业冲印、医疗影像、数字及胶片影像系统、显像及零部件五大数字科技部门。新的数码业务包括数码相机、网上服务、数码成像实验室、冲印亭、家庭打印机和相纸等产品和服务。柯达希望利用数码技术的力量将公司业务扩展到一系列商业领域，形成一个多元化的公司业务范围。

为配合重组的进行，柯达进行了大规模的精简与并购。自2003年6月后，柯达关闭了40多个大规模的照片洗印厂，使其在全球的洗印厂数量减少了一半以上。2004年1月，柯达宣布全球裁员1.5万人。除了大规模裁员，柯达还把股息降低了72%，其目的是将节省下来的资金用于发展数码业务。

在宣布转型后的一年时间内，柯达又展开了大规模的并购：从海德堡、赛天使等企业手中收购了 NexPress 和 Versamark，组成了柯达全资的新 NexPress 公司和柯达万印（Kodak Versamark）公司；同时，收购独立企业 ENCAD 公司。在医疗影像领域，柯达收购 PracticeWorks 公司、Algotec 公司。此外，2004 年 8 月，柯达还收购了美国国家半导体公司的成像部门 OREX 公司；2004 年 9 月，柯达宣布与 IBM 合作，生产用于数码相机和照相手机的图像传感器；2005 年 6 月，柯达又完成对数字成像公司克里奥的并购。在新的规划中，柯达给自己新的定位是成为数码时代的新宠，转型后的柯达业务将分为胶片产品集团、消费数码影像集团、图文影像集团三大块。

客观看到，此时柯达的转型决心不可谓不坚决，其动作不可谓不迅速，在数码领域的投入几乎是全方位的。

2005 年，柯达数码业务首次超过公司总收入的一半以上，其数码相机销量升至全球第三位，当时的 CEO 邓凯达乐观地认为，柯达转型已经取得了成效，再过两年，即可进入平稳期。但是，柯达的转型也有“拔萝卜太快来不及洗泥”的味道，2005 年柯达财务报表显示，虽然数字业务的销售额首次超过传统业务，但裁员、并购等造成的大量费用，柯达净亏损 13.71 亿美元。这直接导致了 CEO 邓凯达的“下课”。

这一阶段的富士，则继续巩固已有的数码业务，全力推进在中国的本土化进程，并确立中国为全球最重要的市场。2006 年富士年中财报，富士上半年实现销售收入 117.57 亿美元，营业利润达 8.06 亿美元。

断臂求存下获得生机

自 2005 年之后，柯达陷入了长达八个季度的连续亏损。很快，转型的艰难让柯达的决策者们意识到，业务分散、竞争力不强等诸多问题是阻碍柯达转型成功的原因之一。2006 年，上任不久的柯达 CEO 彭安东宣布，再次对柯达进行大刀阔斧的内部调整。此次调整柯达把未来的工作重点放在三个方面：继续增加数码相机利润收入（数码相机和打印机是柯达数码的两个核心业务）；加强有效管理（转型过程中出现了一定程度的混乱，需要理顺）；在不牺牲服务增长，技术投入的情况下降低成本，其中，继续增加数码相机的利润收入是重中之重（成本过高是导致柯达利润率低，连续亏损的主要原因之一）。

在压缩成本方面，柯达选择一系列的瘦身运动，以获取现金流。2006 年 8 月，柯达宣布，分拆其全部数码相机制造业务给新加坡的伟创力公司。伟创力还将负责某些数码相机的设计和开发工作，并管理柯达数码相机的运营和物流服务。柯达将不再生产数码相机，只掌管其高级别领域的系统设计、产品外形及观感、用户体验、高级研发等工作。

为了让业务更为集中，到了 2007 年年初，柯达又宣布，将原来的四大业务之一的医疗成像部门作价 25.5 亿美元出售给加拿大最大的资产收购公司 Onex，以减少债务集中力量于数字业务。柯达医疗成像部门一度收入达到 25.4 亿美元，占柯达总收入的 19%，一直是柯达规划的几大核心业务之一——业界哗然，认为柯达完全是在“断臂求存”。

2007 年 10 月 13 日，柯达宣布将在 2008 年北京奥运会后，结束与国际奥林匹克委员会长达百年的奥运赞助合同，以节省更多的现金流。经过系列的调整，2007 年间，柯达出现过短暂的“春天”。据当年前两季度财报显示，净利润为 5.92 亿美元，每股收益 2.06 美元。在这张让股东们长出了一口气的成绩单的背后，是这家老公司长达四年的辛酸转型。

而富士，在数码业务得到巩固后，也开始进行一场声势浩大的“二次创业”。

二次重组前途未卜

在短暂的复苏之后，2007 年 12 月，柯达决定实施第二次战略重组。这是一个时间长达 4 年、耗资 34 亿美元的庞大计划。该重组过程中裁员 2.8 万人，裁员幅度高达 50%。

几乎在同期，柯达在厦门宣布投资 9 600 万美元的数码印刷版材厂调机试产成功，并将很快投产。时任北亚区主席兼总裁的叶莺表示，这是柯达公司主业由传统影像产品向数码影像产品转型的标志性事件，柯达也有望从此走出业务调整的低迷期。

然而，柯达的第二次战略重组却显得有些生不逢时。2008 年，金融危机爆发。需求减弱，市场萎缩，靠出售资产、勉强盈利的柯达一下子又被打回原形。2008 年第四季报显示，柯达亏损1.33亿美元，连续第三年出现年度营收下滑。财报发布后，柯达股价狂泻不止，报收于4.99美元，创下35年来最低价，这一业绩大大低于华尔街的预期。

此后的柯达状态低迷。

特别是，2009年9月，资金链吃紧的柯达接受了7亿美元的外部投资，美国知名的私募股权公司KKR投资约4亿美元，并获得了柯达13%～17%的股权。有观察家认为，在柯达的造血功能大大降低的情况下，该公司在未来的继续融资中，会不会被其他的公司所收购已不得而知。

2009年11月6日，“2009中国国际照相器材与数码影像博览会”在杭州浙江世界贸易中心开幕。图为一位模特在博览会上展示摄影器材。

（李忠/摄，图片来源：新华社）

而对于柯达来说，这家拥有着120多年历史的老牌公司，有着诸多阻碍他们自身发展的条条框框，他们如何能够转身成为一个行动迅速的公司，关键在于他们需要废除诸多已经不再合适的规定——而这一点，柯达已经在尝试。只是新柯达的道路注定不会一帆风顺，毕竟他们错过了太多的时机，而在商战之中，任何一个微小的错误都可能致命，柯达能够挺到转身的时刻已经不易，再让他们迅速纠正方向并开足马力，恐怕同样需要时间。

富士已成化妆品制造商

或许是受柯达单一业务过于庞大的启示，在古森重隆看来，没有多样性，富士的持续发展就很危险。2005年年底，在成功带领富士进入数码时代后，他开始推进富士新的结构性重组。古森重隆认为，模仿不能成就富士，得有自己的创新哲学。

要想在技术上引领世界潮流，富士就必须有自己站在前沿的研发力量。

在传统的胶片行业领域，富士早已停止部分感光材料生产线，在全球范围内削减从事该项业务的员工5 000人，大幅减少研发投入，整合冲印车间网点等。对于数码相机，富士则继续强化高感度为核心的产品开发，并削减经费和强化库存管理。其间，富士在全球范围内展开了非消费业务的大范围投资，总的投资金额将近30亿美元。液晶屏材料领域、医疗、印刷等都是富士投资的对象。

到了2007年年底，通过结构性调整，富士的业务领域已扩大到影像、信息、文件处理三大板块，将传统银盐胶片时代的技术优势，延伸到化学、医疗、高性能材料等领域。此时，传统的感光材料方面在富士集团中的销售额比例则由6%下降至3%。

2008年3月，富士斥资约合12亿美元，收购了日本中型制药企业——富山化学工业公司66%的股份，正式进军医药领域，并由此实现了对医疗行业预防、诊断和治疗三大环节的全面覆盖。

中国鲜有人知道，富士现在已然是一家化妆品制造商。其生产的“虾青素”，是一种能够紧致肌肤的成分。富士胶片内部人士介绍说：“护肤品的主要原材料胶原蛋白，在富士生产的胶卷里面也有。胶卷是一层薄薄的片剂，上面还要涂上好几层感光乳剂，这种超薄涂抹的技术，就需要把材料做得非常精细，胶片的涂抹技术可以将一小瓶胶水均匀涂抹覆盖九个足球场，这种技术可以运用到护肤品中。另外还有一项技术就是用来防止胶卷褪色的，是一种防止氧化的技术，这也是在化妆品生产中所不可缺少的一种技术。”

如今富士胶片集团已形成三大事业群，即以摄影胶卷、彩色照相机、数码照相机为产品代表的影像事业；以医疗、印刷、液晶显示屏材料为主要产品的信息事业和以文件处理器、复印机、打印机为主要产品的文件处理事业。“今后的富士既不是胶片企业，也不是数码相机企业，应该把它理解成一家‘综合信息技术公司’。”在不同的场合，古森重隆都这样推介着“新富士”。不过，在传统胶片领域里他们去年同样遭遇亏损，因此他们的新战略中同样充满不确定的因素，而不可否认的是，他们正在与传统胶片越走越远。

（选自2010年3月29日《新商报》，作者：曲宏波）

中国旅游调查

高兴出门，扫兴而归，这是外出旅游者经常性的遭遇。一方面是旅游繁荣，另一方面是繁荣之中的乱象。千万不可轻信那些漫天飞舞的促销宣传，低价团实际上是低质团，导游本质上是商品导购，还有各式各样的转团并团，名目繁多的景区消费，在天花乱坠的表象之下，都是一个个恼人的陷阱。

旅游本是一件令人惬意，舒心的事情，但是，这个还不成熟的市场和行业，常常让人感到的是“铺满鲜花的陷阱”。你若准备或已经乘兴而出，可得当心一个个隐藏着的深坑！

当你被大大小小的旅游广告弄得眼花缭乱，为“超值享受”“赠送礼品”等字眼怦然心动的时候；

当你参加了某家旅行社的“超低价格”旅游，兴高采烈地踏上远行的旅程的时候；

当你在异地他乡某家珠宝店遇到热情慷慨的“老乡”老板，以“成本价”购买纪念品的时候；

当你在某个民俗风情园当上一位漂亮女子的“新郎”，喜饮交杯酒的时候；

当你在寺庙很有“缘分”地遇上“大师”，虔诚地接受“开光”的时候；

……

你即将甚至已经掉进旅游陷阱！

旅游陷阱无处不在，无时不有。掉进去，轻者崴脚，重者断肢。

难怪中国消费者协会联合各省市消协发布2007年第一号消费提示，特别提醒广大消费者“提高防范意识，谨防旅游陷阱”！

2009年的“十一”黄金周，北京八达岭长城上游人如织，众多中外游人来到长城景区游玩，领略长城魅力，感受节日气息。（陈柏材／摄，图片来源：新华社）

一、低价馅饼——“低价团”多为“低质团”

人们常说天底下没有免费的午餐，但旅游行业有！那是挂着宰人“刀”的免费午餐。

旅行社纷纷压低报价，“零团费”纷纷出现，有的旅行社甚至打出“负团费”的招牌，比如港澳游，黑龙江、吉林、北京、天津等地的游客，港澳游四天，四天三夜，港澳本地的接团价是负300元。就是说不管内地的旅行社收游客多少钱，不用付一分钱给香港旅行社，相反香港旅行社倒贴给内地旅行社300元，一些外地游；出国游线路，报价明显低于成本，价格低得离谱。

低团费未必低消费，许多低价团内含“玄机”。诱导购物，降低旅游质量和吃住标准，缩短旅游行程，增加购物时间和次数，途中补充收费，增加自费项目……凡此种种都是可以赚你的招数，而且这些做法逐渐成了一种行“规”。

“儿子”大干“老子”

几十年前，毛泽东为长城写下了一个流传极广的广告：“不到长城非好汉”。我国北部绵延着慕田裕长城，居庸关长城，黄花城长城等历史遗存，它们都是宝贵的遗产。而将其作为风景名胜，用以赚钱最成功的，要数延庆县境内的八达岭长城。

2006年9月，我陪妻子游八达岭长城的事至今记忆犹新，一提起那次旅行，妻子就说“那些人是骗子”。

旅行头一天，我们从自己接到的令人眼花缭乱的广告中，选定了某旅行社组织的一日游（游览八达岭长城、十三陵、百神仙洞等景点）。那张精美的宣传品上宣称：每人收70元后不收其他任何杂费，推销人员——一位中年妇女十分热情，当时就与旅行社电话联系妥当：第二天早上5点来车接，5 : 50先在天安门广场看升国旗。

9月12日清早，我们30多位散客集中于天安门广场，观看了升国旗仪式后，就被一辆大巴车拉到不远处的一家餐馆吃早餐（费用自理）。然后就直奔八达岭长城而去了。

大巴车疾驰着，窗外祖国首都欣欣向荣的景象，不禁令人心生自豪和骄傲，我在几年前就去八达岭长城当过“好汉”——特意在“好汉碑”前照了相，这次自然没有心驰神往的感觉；第一次来北京的妻子则是兴奋不已——花几十元钱就能登上长城呢！

我们高兴得太早了。

大约走了30公里左右，女导游把话锋一转，说：“由于这次行程费用太高，每个游客需要再交80元钱。”

还要交钱？而且“儿子”比“老子”还大？游客们七嘴八舌地嚷起来了：“你们不是说70元之外不收其他任何杂费吗？怎么又要收钱？”

女导游理直气壮地辩解道：“你们起码都具有小学以上文化程度吧？你们也不算算，从天安门到八达岭一百多里路程，70块钱连来往路费都不够，还能看那么多景点？还有钱吃饭？”

稍加思索，也是这么个理儿，我们都默不作声，心里只怪他们的广告太虚假了。

女导游板着脸接着说：“如果你们确实不愿意加钱，那也行，马上下车，自己回去就是了！”说到这里，司机真的把车停了下来。

大家面面相觑，一时无语，这里没有班车，只能打的，而打的费起码也需要几十元，返回去划算吗？都觉得被骗了，却都毫无办法，只得乖乖地掏钱，在这里，人地生疏，两眼一抹黑，人为刀俎，我为鱼肉，一车人，除了导游、司机就是游客，应该说游客人多势众，似乎可以左右决策，驾驭行程，其实不然。导游、司机驾轻就熟，戏法精湛，导游的一句话可以让你走瞎路当冤大头，司机的一举一动可以把你如金的光阴变得一钱不值。如果你敢于维权，全车的人支持你，算你幸运，但效果却很难说。如果你慷慨陈辞，而别人沉默不语，那你就落花流水惨透了。

中午统一就餐。广告上说的是“八菜一汤”，但是菜一端上桌大家就明白了：都是“袖珍型”。别说罕见肉类，就连青菜叶都响应国家“建设节约型社会的号召”，一碗饭还没吃完，桌上的碗碟早已“四大皆空”，估计提意见也是白提，我们只好闭嘴。劣质的饭菜，加上懊恼的心情，感觉就像吃了一颗霉烂的花生米似的不爽。

回到宾馆，我跟一位来自辽宁的赵先生闲聊起此事，谁知他也有过同样的遭遇，他说，他在街上东张西望时，一位女士把“广州市某旅行社”的旅游促销卡片，宣传单硬塞到手上。由于价格“低廉”、服务“周全”，他毫不犹豫地交了208元，报名参加深珠三日游，谁知上车后竟又被逼另交了328元的门票费和住宿费。本以为捡了个大便宜，结果还是没少花钱。

与我们同去八达岭长城的西安南郊的孙女士，也道出了此前她的一次教训，她想去东南亚旅游，在对各大旅行社的报价反复对比后，挑中了价格最低的一家，费用1 000元，然而到该社报名时才发现，原来报价所说的1 000元只是“幌子”，这一价格并不包括机场建设费、来回泰国的机场税等，实际的参团费用超过了2 000元。

调查得知，目前大多数著名旅游城市都存在“超值享受”陷阱，骗术无非是低价诱人、偷梁换柱、上车显形、得手逃遁等。这些“游贩”在车站和外地游客集中的地方，雇用民工散发旅游传单，拉客，上面公然冒打正规旅行社牌子，并且有电话号码，游客打电话过去询问，对方信誓旦旦，你不得不信。

对此现象，有关主管部门曾多次打击，但却收效甚微，有点像马路上的摊贩，整顿一次，卷土重来一次，且“打一枪换一个地方”。

“星级”酒店奥秘

几年前“五一”黄金周期间，我的朋友邢世嘉花了不多的钱乘国际专列去越南旅行，领教了“当地”星级酒店的水准。说起那次旅行时，他无奈地苦笑了:“那个感觉就是：上当受骗，哭笑不得。”他说——

对于住店，我们原本没有寄予什么厚望的，因为在去越南前与旅行社签合同时，对方已在有关住宿的条款里注明了“当地三星级”或“当地二星级”的字样。

这“当地”二字既意味着一种模糊，也意味着一种暗示性的强调，意在提醒每一位签约旅客：我们保证让你们住上二星级或三星级酒店，不过越南的星级酒店标准比中国低，你们要把期望值放低一点。

我们到越南的第一夜，住在河内的一家酒店里，这是合同里注明的“当地三星级”，给人感觉除客房的硬件够得上国内二星酒店的标准外，客房之外的环境和设施只相当于国内的小旅馆，但不管怎样，客房与我们所预期的标准差距不太大，这已经使我们很满足了，尽管在刚入住不久就遭遇停电。

第二天，在没有空调的大巴里煎熬了五六个小时之后，终于到了下龙湾，但司机在下龙湾海岸的山坡马路上绕来绕去，竟然找不到事先预订的酒店，最后地陪导游不知给谁打了一个电话，才在一个荒凉的半山坡上找到了我们的住处，这个住处就是合同上写的，当地二星级。这是一个怎样的“二星级”呢？进入大约20平方米的“大”堂，迎面是一个简易的吧台，吧台之后除了一位负责登记、收钱的小姐之外，什么也没有；吧台之外的设施只有靠墙而置的一个木制沙发和一个长条木制茶几，除此之外也是什么都没有。从“大”堂后面的一侧穿出去便是进入客房的楼梯，住宿楼总共只有三层，电梯自然是没有的，幸好我被安排在一楼的一个房间里，不用爬楼梯，但这种幸运的感觉没有维持两分钟便被另一种感觉所取代。

打开房门就受到一种混合性霉味的袭击，这种袭击是猛烈的，有一种使人窒息的力量，为了使空气对流驱散室内的霉气，赶紧打开后门，而随着这后门的洞开，聚集在阳台上的蟑螂们像是在地狱里发现了天堂，一个劲儿地往室内窜，吓得人心惊肉跳。

好不容易结束了与蟑螂的战争，匆匆冲了凉，关了室内唯一的顶灯，钻进潮湿而臭烘烘的被窝准备入睡时，不知原先隐蔽在何处的蚊子又乘着夜色开始入侵，于是，一场持久的，进攻与防御的战斗又在这间“二星级酒店”展开，战斗的结果当然是两败俱伤，敌方的数十条性命葬送在我的掌下，而我所付出的，除了血的代价，还有一个难眠之夜……

也许有人说：这是去国外旅行么，是偶然碰上的，不是普遍现象吧。是的，我原来也这么认为，可是你一问那些经常远行旅游的人，就会得出结论：这并非个别现象。

旅游团住宿的酒店一般都是由旅行社统一安排，同样标准的酒店，离市区的远近，设备的新旧程度，周围环境的优劣，都会造成价格上不小的差异，旅行社出于经济利益方面的考虑，作出的选择可想而知。

国内的行程上经常出现“准三星级”这几个字，按照行话解释起来，就是按照三星级的标准装修，但还没有评到三星级的酒店，这种模糊不清的概念，常常让游客被导游领回下榻酒店时面临许多困难。

由于价格低廉，旅行社为游客安排的酒店大多在远离市中心的郊外，或者是在深山老林里的度假村。游客在参团时常常不会问及这一点，但当发现所住酒店出行不方便时，许多游客也会因此产生怨言，虽然旅行社所安排酒店的星级标准不会有什么出入，但设备陈旧、服务不周、配套不足，游客的心情会好吗？

别样“故事概要”

关于“低价团”的奥秘，还有许多令人啼笑皆非的故事，下面是几则“故事概要”。

其一:“独家”变成多家，黄女士在参加某旅行社的“南昌、九江、庐山双飞团”时，看见广告中明明写的是“全程独家入住江西最高等级酒店”等，每句广告词都令她心动不已，而旅游团去了庐山，实际入住的只是一家疗养院，那里不仅卫生条件差，而且有其他团队入住。

其二：公园代替景点，亲戚小张在“货比三家”后，决定参加一个价格低了近千元，且享受众多免费景点的旅游团，但是游览了免费景点之后才终于明白：所谓免费景点其实是不用买门票的公园。

其三：游览原是“远眺”，穆先生报名参加西安某旅行社的“海南四飞团”时，旅行社广告上写着“保证游览万泉河、五指山”，然而到了才发现，导游不让游客下车，只让游客在车上“远观”，“游览”其实是“遥望五指山”“远眺万泉河”。

其四:“赠送烟花晚会”。一些旅行社在行程安排上闪烁其辞或言过其实，在旅游项目上乱作文章，唐女士看见某旅行社在广告中承诺旅游中会“赠送烟花晚会”，就报名参加了旅行团，一游才知道被旅行社忽悠了：所谓的“烟花晚会”就是让游客自己掏钱购买烟花燃放，或是看别的游客放烟花。

二、导游导购——商家返点游客挨宰

导游变“导购”愈演愈烈，像瘟疫一样蔓延至全国各地。

2007年，重庆市旅游执法大队派员以普通游客的身份报名赴云南昆明—大理—丽江旅游专线进行随团暗访，结果发现：6天游购物达20次！

而就在同一年年初，国家旅游局和中国消费者协会共同公布的《2006年度全国旅游投诉情况通报》表明:“在被投诉对象中，购物投诉213件，比上年同期增加了199件，同比增长174.56%。”

购物怎么能损害游客呢？因为导游带你所去之处是他能拿回扣的地方，媒体报道的一位香港珠宝大王因涉嫌向旅行社及职工提供非法回扣，被香港廉政公署拘捕的事件，就证实了这个问题。他们提供的回扣高达30%，然后还要付给旅行社人头费等，再加上他们自己所谓合理利润，可以想象他卖给你的东西值多少钱！

地陪导游、全陪导游与司机喜欢带游客到特定购物店，有的旅游团对在景点游玩的时间非常“珍惜”，安排得很“紧凑”，而一到购物场所便“宽松”起来，任由游客逗留，导游变成了“导购”，你如果不愿购买，有的导游就讥讽挖苦：“穷就不要来旅游，出来就要花钱……”总之，软则欺哄，硬则恐吓，手法层出不穷。

珠宝店里“老乡”多

“黄金有价玉无价”，这是旅游购物商场从业人员所共同信奉的一句至理名言。

由于玉石很难定价，所以许多地方都以珠宝玉器作为“发展突破口”。几块钱进货的一个玉戒面，可以标价上万元：1 000元的玉雕屏风，卖出价可以到几万元；一个普通的玉镯，可以卖到十几万，某店一个玉镯开价10万元人民币，结果却是以1 000元成交。报价和成交价多么悬殊！

珠宝店的经营形式是多种多样的：有纯粹的购物店，包括玉器、水晶、珍珠等；有综合性购物商场，几乎包罗万象：也有带参观性质的博物馆；还有明目张胆的“老乡”店，其共同的特点，就是价格虚高，不参与市场竞争，以接待旅游团队为主，封闭式的管理，散客想进都进不去。

我在各地旅游时就屡屡遇到“好心”的“老乡”，俗话说：“老乡见老乡，两眼泪汪汪。”但除了第一次有一点喜出望外的感觉之外，后来只有鄙视、厌恶和憎恨了。

有一首歌曲风靡一时：“请到天涯海角来，这里四季春常在，海南岛上春风暖，好花叫你喜心怀。三月来了花正红，五月来了花正开，八月来了花正香，十月来了花不败……”多么热情、多么美妙，令人神往啊！的确，海南岛是很美丽的，2005年夏，我有幸随团带妻子去了一趟海南岛就留下了美好的印象，尤其是那里的蓝天、白云、沙滩、椰林等自然景观让人流连忘返。但遇到“老乡”的情景也让人难以忘却。

我和同伴们即将离开海南岛时，导游把我们带到了三亚市郊一个规模不大的珠宝店。走进店内，一位年轻的女服务员就热情地招呼我们坐在休息室的沙发上，问：

“你们是从哪儿来的？”

“陕西省安康市。”我们答道。

“哎呀，那太巧了！我们的老板祖籍也是安康的！”女服务员夸张地挤出一脸惊喜，“我去请老板来见见老乡！”

“不必了，没有必要打扰你们老板。”我说。

“我们老板是个很实在的人，挺好客的。他的父亲在泰国等地做生意发了大财，他继承了父亲的遗产，把珠宝店开到了海南。哦，我这就去请他来。”

我将信将疑，正思忖间，老板健步走来，用夹杂着浓重南方口音的普通话与我们打招呼：“欢迎各位光临！”我便仔细打量了一番这位老板：此人大约四十多岁，中等个头，很是富态，身着花格短袖衬衣，足蹬白色凉皮鞋，面部略显几分敦厚与和善。

“听说你们是来自陕西安康的，我感到非常亲切，我的祖父是安康市汉滨区大道河人，流浪出来的，后来走运发了点财。我家是从爷爷那一代出来的，所以我现在不会说家乡话了，我现在是泰国国籍，父亲已经去世了，他有四个老婆，我有五个老婆，比他多一个，哈哈！有个老婆在西安，我给她500万元，买了一套房子。今天下午我就要去西安，过几天去安康，市长也要接待我。”这样介绍一番后，老板又指出安康市委书记是谁，原来是什么职务，等等。令人觉得他确实“根在安康”，初次旅游遇到“老乡”的一位同伴，不禁为“他乡遇故知”而激动，窃窃私语道：“是真的呀，不然，怎么知道得那么清楚呢？”

老板吩咐服务员给我们每个人倒了一杯茶水后，又亲切地说：“珠宝店的东西不要随便买，实话给你们说吧，我这里的货价钱也有些虚，我经营的珠宝商品有好几倍利润，你们别买。”听了老板的这番真诚的话语，我真有一丝惊喜了，莫非真的遇上乡土情结浓重的老乡了？

老板环顾了一下四周，“豪爽之气”溢于言表：“老乡们这么远来一趟也不容易。这样吧，你们随便看看，挑一点自己喜欢的：带回去作个纪念，我收一点成本费就行了。”我心想：喔，露出狐狸尾巴了，还是动员我们买东西！狗屁真“老乡”！

为了加深信任，老板特意给我赠了一张名片（因同伴们谎称我是市领导），还问了我的手机号码，用他的手机给我拨了进来，还说到安康后市长款待他时请我作陪，最后，他给手下人交代一下就告辞了。

店里一位男青年一边不厌其烦地给我们讲解珠宝知识，一边引导我们观看柜台里陈列的项链、耳环、手镯、戒指等商品。

一个同伴冒了一句：“不讲了吧，我们没时间了。”大家也都表现出不愿购买的神情。

那位男青年顿时态度大变，黑着脸，大声粗气地说：“没时间了，那你们就走！”并对柜台里的售货员说，“把电灯关了，他们没时间，还开着干什么！”

“刷——”电灯灭了。我们也几乎是被扫地出门了。

在返回宾馆的路途上，我们七嘴八舌地议论着“老乡”的真诚和营业员的诚实，有的人还为没有买老乡的珠宝而遗憾。旅行结束回到单位，同事跟我开玩笑:“海南岛的老乡给你打电话请你吃饭没有？”我随口答道:“你等着吧，要来的！”

一年后，我从媒体上看到了旅游行业的“大侠”邬敬民揭发海南“老乡店”内幕的文章，便一切都明白了。

据邬敬民说，珠宝“老乡”店是一个有组织的诈骗集团，地方旅游局纵容，政府相关人士默认，其配合是很默契的：

（1）旅行社和这些珠宝“老乡”店都有秘密签约，只要你把人带过来，每人给20~30元人头费不等，另外购物按30%提成。

（2）旅行社告诉珠宝“老乡”店，此团来自哪个省，多少人，导游和司机的手机号码。

（3）旅游开始到第二天或第三天，珠宝“老乡”店的业务员打电话给司机或导游，让他们搞清客人的出生地、工作地、单位、年龄，司机和导游一般不会直接问客人，而是借酒店登记身份或航空部门确认机座的机会记下客人的身份、地址，接下来将其告诉给“老乡”店，联系好最后一天几点进店，司机的车牌号码是多少，便开始研究相关问题。

（4）最后一天，司机和导游带客人进店。保安人员看到车牌号码后用对讲机向“杀手”们通报。导游、司机就坐到茶室准备数钱了。

（5）迎宾人员把客人带进包厢，故意问客人来自哪里，接着说:“真巧，我们老总也是你们家乡的……”老总（杀手）闪亮登场，一番花言巧语，客人感动得纷纷掏钱。

“幸遇”秦俑发现人

1974年发掘的两千多年前的秦俑，以其一个个规模巨大的俑坑、气势森严的军阵，以及表现出的中国古人杰出的艺术才能，而被称为“世界第八奇迹”，被列为世界文化遗产，令人叹为观止。

2006年9月上旬，我带着家人游览秦始皇兵马俑博物馆。

在景区内，我们与一位女导游谈妥，以 30 元费用请她服务。

导游热情地对我们说："你们很幸运，今天有外国元首来，所以，世界第八大奇迹——秦始皇兵马俑的发现人杨 ×× 要来，他当时是农民，现在是发现秦始皇兵马俑的唯一的幸存者，70 多岁了，平时是不来的，但是今天可以见到他，还有，新近出版的中央领导 ××× 题写书名的《梦幻的军团》非常珍贵，可以买一本请那个老先生签名，签了名的书收藏价值自然是很高的了……"

起初我还信以为真，此前，我已来这里游览过两次，都没有遇着外国元首来，也见不到秦始皇兵马俑的发现人呢！今天，妻子和女儿真是幸运，第一次来就可以看到这样稀罕的名人！

可是游着游着，越发觉得不是那么一回事，跟着人流涌进去买的那本书，定价四五十元比较合适，它却标价 120 元；我本来不愿买，只因不想让第一次来西安的女儿扫兴，就按女儿的意见买了一本；翻了翻，觉得并没有什么特别之处，不明白"非常珍贵"在何处：注意观察了一下，那个老先生似乎也是个冒牌货，像个高深莫测的算命先生，给川流不息的游客买的书画着"符号"，千篇一律，我瞅他稍微空闲的时候，恭敬地问他今年多大年纪了，他也不回答，好像没有听见我的问话一样，令人十分纳闷。

就算他是冒牌货吧，既然花 120 元买了书，也应该让他签个名。我将书递进柜台，老先生流利地签了名，我接过来一看，除了那个"杨"字能认出之外，后边的字根本就无法辨认，我悄悄嘀咕：这一本书，导游起码提成 30 元。

看着其他导游带的游客也涌到这里买这本书，妻子和女儿也如梦方醒：原来如此！我们被导游宰了！

购物遭遇"桃代李"

我出境旅行一般不爱购物，却也遭遇了一次"普洱茶变成苦丁茶"的骗局。

茶叶的特点是品种繁多，级别也各有不同，茶叶的定价也跟珠宝一样，甚至是没有什么标准的。许多人分辨不清不同产地、不同质量、不同级别的茶叶到底有什么区别。因此，不少定点旅游市场就出现了专门的茶叶店，有的是卖当地特产名茶，有的地方并没有当地的名茶，结果就从全国各地弄来一些茶叶，冒充当地的特产，变着法儿把普通的茶叶卖成“天价”。

我几年前在云南普洱市一家茶叶店里，花 70 元买了一桶（半斤）“普洱生态茶”，被人骗了一把。

当时，导游把我们领到这家茶叶店里观看茶艺表演。茶艺小姐一边演示泡茶、品茶，一边介绍普洱茶的保健功能，说这种茶是暖性子的，养胃，冬天喝最好，茶艺小姐给我们敬的那琥珀色茶汤，与我所喝的绿茶的颜色和味道显然不同，味道不错，就买了一桶。

一天，家里来了客人，我想现现“宝”，让客人分享外省名茶。不料撕掉标签打开盒盖，发现里面装的是黑黝黝的粗老的苦丁茶，泡了两颗，味道苦得难以入口！

这时我才明白，我被导游和茶艺小姐骗了！

香港购物也碰“鬼”

陕西省安康市骆先生国庆节期间参加了某著名旅行社的港澳 5 日游，感触良多。“尤其是在谢瑞麟厂买珠宝的事太让人长见识了！”

“这天早晨，我们先去了一家珠宝城，导游说是参观谢瑞麟厂，并以出厂价销售。”他说，“400 平米的销售大厅，首饰的款式不过数十种，而且没有该厂的标志。仔细一问，说是代理的某意大利品牌。再仔细看首饰本身，发现款式陈旧，做工粗糙，价格也不菲。所以坚决不买，无奈销售厅的大门已关，还有人把守，出不去。我们给导游说想出去。导游花言巧语让我们买东西，还挑拨我们夫妻关系，说什么‘老公不给老婆买说不过去’等等。有几对中年夫妇禁不住挑唆就买了。我坚持没买。后来通过货比三家，证明那里就是卖得很贵。”

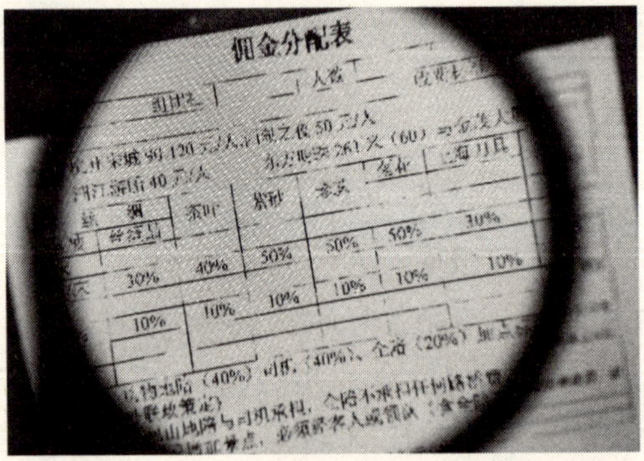

一张盖有浙江新世界国际旅游有限公司公章的导游《佣金分配表》在网络上被曝光，引导游客购物导游最高抽成可达 50%。（鞠焕宗 / 摄，图片来源：新华社）

当时骆先生就认为其中有“鬼”。

果然，2008年5月9日，一个个的“鬼”完全现身：香港“珠宝大王”谢瑞麟父子事谋诈骗案在香港区域法院开庭判决。谢瑞麟珠宝有限公司前主席谢瑞麟及其子，现任主席谢达峰等五名高层，串谋向旅行社职员提供非法回佣共1.7亿港元、盗窃公司资金及诈骗税务局。法院判决72岁的谢瑞麟入狱三年三个月，其40岁的儿子谢达峰被判入狱五年，法院认定，谢瑞麟及儿子谢达峰与三名公司高层涉嫌向代理人提供利益、伪造账目及偷窃等八项罪名成立，谢瑞麟等五名被告在1996年至2005年期间，通过在海外注册的空壳公司，以向导游提供回扣的方式，利诱导游带旅客前往谢瑞麟珠宝店购物，同时还采用伪造会计账目、谎称向数家公司支付推广费的手段，欺瞒税务局。

媒体上报道了这件事，骆先生十分得意，拿着一张报纸给我看：“小曾，你看看，两年前我就跟你说过，我凭直觉认为在香港那种购物不正常，是导游与商店合谋事游客，现在不是现了形吗！”

其实，类似这样的诈骗案在内地旅游市场是很多的，只是未曾发现媒体予以报道——根本就没有查处过，哪有新闻！

三、景区消费——花招百出防不胜防

到了景区景点，即使导游不直接诱导你购物，游客也会由于好奇，或缺乏理性，或经验不足，或少个心眼，而陷入重重消费陷阱，如烧香、进“洞房”、请人照相、免费品尝等等，花招百出，手段高超，令人防不胜防。

寺庙里的烧香、捐善款

现在，每当在寺庙里旅游看到别人被骗被宰时，我就感到好笑，对圈钱者很是鄙夷不屑。

其实自己也很无奈，譬如，在西南某著名道观，我被一个年轻道士以“诱敌深入”之计带到一个神殿，解签罢，我满怀感激，准备捐20元钱后告退，而此时道长麻利地拿出一个账本递给我，轻描淡写地说：随意捐点香火钱，我翻开那个本子，发现上面赫然写着捐者的姓名和钱款，捐款数目没有少于800元的。不捐？道长不高兴，自己也没面子。捐吧，捐多少？一番踌躇，我还是坚持了我的吝啬，将20元纸币塞进功德箱，嘴里敷衍着：“对不起，我没有带那么多钱……”

但是，仍然有不少人不知不觉地钻圈套。

我的一位信佛的朋友杨女士很早就想去峨眉山一趟——那可是驰名中外的佛教名山啊！夏末，终于有了一个机会，被人邀请到四川旅游，如愿以偿了。

还在去峨眉山的路上，她和其他游客就被导游上了一堂课：“在座的各位都是有缘人，正好赶上峨眉山‘开光’大典，这可是很难得的，各位有缘人可以去开平安光，不收钱，是随喜功德。这可真是有缘啊！”动不动就讲缘分的这位朋友真是觉得自己有缘了——免费“开光”，机遇多好啊！

到了主景区，呵，那真是人山人海，热闹非凡！但是，她的心房总被“开光”的事撞击着，没有多少心思观赏景色。

她不由得问导游：“用什么‘开光’啊？”

“那得请佛和观音坠子。”导游平静地答道。

她瞪大眼睛扫视摆放着佛像和观音坠子的地方，哎呀，最便宜的也要80元一尊，还没有小拇指盖大。

到了寺里，想“开光”的先请一炷香，“平安香”60元一炷，“全家福香”190元一炷。旁边有人端着相机要帮你照请香照，15元一张，90元一套，那煽情的话语让你不得不花钱“留个纪念”。

开光了，她进到前殿看到几个人，才开口说了句“大师”，就有人说一人50元，交了钱，大师说到里面跪着等。进去一看，大堂里全跪成一排一排的。跪得腿都麻木了，才有个和尚进来，端了个杯子，口中念念有词，念毕，在每个人请的佛像上洒了两滴水。然后，大师说开光完毕。

朋友出来后仔细一算，这免费的“开光”，不知不觉开去了七八百元！原来是掉进了导游设置的陷阱，大师也不善啊！

游客在寺庙里花钱烧香，导游自然也有回扣，而且回扣的比例很高，因为有的宗教圣地儒释道多家并存，所以竞争机制被引了进来，也不管是不是“四大皆空”了。

香再怎么烧也烧不了多少钱，于是有人别出心裁，打起了捐善款的主意。

在这方面，国内游客上当的不算多，最多的是海外华人华侨，他们千里迢迢来到中国的宗教名山，专程前往一些著名的宗教圣地烧香还愿，殊不知那里早已张网以待。导游拿出一些小报和地方杂志，向游客展示好心有好报的事例，说某某人因做善事、捐善款、立塑像、修金身而发财或消灾保平安之类，报纸上都登了，不由得你不信，如果没怎么做善事的话，捐善款也可以达到同样的效果，于是有虔诚的信徒捐出成千上万的款项，而这些人多是老人，他们一辈子省吃俭用，却怎么也想不到，所捐的善款，一半都落在了导游的口袋里。

进寺庙买门票不算什么，一个愿打一个愿挨，也就罢了。但导游跟寺庙里的和尚、尼姑、道士们串通一气，利用游客的宗教信仰进行欺骗，就得提防了。

业内人士称，目前在国内，利用宗教信仰来欺骗游客的情况，犹如星星之火，四处燎原，愈演愈烈。

宗教场所成为一些地方赚钱的手段，是典型的“中国特色”。

餐饮中的偷梁换柱、笑里藏刀、趁火打劫

“桂林山水甲天下，阳朔山水甲桂林。”这是我几年前游览阳朔后写下的一首诗中的前两句。广西阳朔是“驴子”的天堂，但有不少“驴子”就“栽”在天堂的“花架”下。阳朔的娱乐城不少，对寻求艳遇的游客具有很大的吸引力，但不少娱乐城暗藏杀机，其手法通常是，联合一些社会上的“黑导”和出租车司机，以廉价消费为诱饵，拉游客来娱乐场所消费，然后由陪侍小姐索要“特饮”。结账的时候，游客才发现，娱乐城使用的是两份标价不同的“鸳鸯”价目表，结账的价目表中所谓的“饮”价格高得惊人。“特饮”其实就是雪碧和可乐等饮料互相调在一起的液体，一杯成本几毛钱，卖给客人就是一两百元，这就是“偷梁换柱”。

一次，我到内蒙古赤峰旅游，在红山公园附近，听路边一饮食摊主大声叫卖他的面条，并再三吆喝：只要买了面条就可以免费食用桌上的凉拌菜，走近一看，面条很差劲，3.5 元一碗，只在表层浇了点酱油卤：但桌上摆的几样凉拌菜却很诱人，黄瓜、柿子椒、圆白菜等都是时令菜，新鲜水灵，切得整齐。出门多日，很少能吃到这样的新鲜蔬菜，便二话没说买了碗面条，谁知刚坐下来吃了一块拌圆白菜，就不由得倒吸一口冷气：好咸啊！赶紧大口咀嚼面条，将这咸味儿一齐裹挟下去。接着，又斗胆吃了一块黄瓜——更咸！转瞬间一碗面条已经见底，却仍觉喉咙发紧，

舌头发麻，向摊主索要开水或面汤，摊主笑答：“现在没有。您要觉得咸，再来碗面条怎么样？“这‘白吃’的凉拌菜的确不是好吃的！”笑里藏刀啊！

三年前在西安华清池附近就餐的事至今难以释怀。时间已到中午12点多，我们决定在景区附近吃了中餐才回西安市区，于是走进了路边的“八一餐馆”，一家三口看了菜谱，虽然也觉得价格太高，但考虑到不能让司机（西安亲戚派的车）挨饿，还是留了下来，司机大概是为了体谅我们，说自己想吃水饺（若吃米饭和炒菜，随便也是两三百元），结账时果真价格不菲：一碗面条（约一两粮）7元，4两水饺（明显分量不足）18元，一碗扬州米饭（号称4两，实则不到3两）15元！真比特区还特区！连当地的司机也气愤地直说：“太贵了！真不该在这里吃这顿饭！”但导游费还是得如数付给。导游也跟着吃了一顿价格不菲的“便饭”——我即使再“吝啬”，也不能吃饭时把导游晾在一边啊！离去时，我想把餐馆里两块匾牌上的内容记下来，谁知刚掏出纸笔写了几个字，一个彪形大汉就气势汹汹地质问：“你要干什么？”我只好怯生生地回答“记个名字”，赶快收起纸笔，三步并作两步逃出大门，这店真有点“趁火打劫”的味道！

玩乐中的洞房、彩礼

几年前我在广西桂林参加了一个游览民俗风情园活动，至今记忆犹新。

走进大门，就觉得那是一处典型的壮族风格的建筑，在这里旅游的人有好几十。

我跟着人流登上那座古朴的壮族木楼，一伙男女青年热情地接待我们，其中不乏俊男靓女。“各位游客，欢迎大家来到××民俗风情园……这么多漂亮女孩，先生挑选一个女子当媳妇吧，体验一下在我们壮族当新郎的快乐！”一个小伙子热情地对我说。我就随便指了一个比较漂亮的女子，说就是她吧，那女子显出很高兴的样子，说：“好啊，先生，那我们先喝一杯交杯酒吧。”接着就要给认亲的彩礼，按“规矩”最少得给20元，我是个“小气”主人，按最低“标准”给了20元，好在没有遭到那些女人对我“小气”“吝啬”的奚落和嘲讽，跟我们一块儿进去的其他人，一般也是给二三十元，最多给了50元，有一位大约60来岁的先生给了10元钱也勉强脱身了，还可以选择进“洞房”游戏，我心里没底，谢绝了这个项目。

而与我同行的一位领导同志根本就不进去参加这个游戏项目，因为他有经验，知道内情——那都是圈钱的把戏，当大巴车把我们带到风情园大门口时，他先下了车，对我说:“我就不进去了，想在附近街上逛一逛。”我说:“既然来了，还是进去看看吧。”他就提醒我:“那是煽你钱的，不信，你进去看看就知道了。”

果然，这一进去，我才知道此言不虚。

如今这类陷阱太多了。此后我去云南、海南、贵州等地区旅游，经常看到类似的现象，只是我再也不会轻易地给彩礼、入“洞房”，而是做一个冷静的旁观者。我曾看到这样一幕：

西双版纳有一个民俗风情村，游客进入村寨以后，打扮得花枝招展的少女将你热情地迎进二层竹楼，参观其民居。一名女子稍作介绍，一摆手，进来好几位女孩，不由分说地把一个小葫芦样的幸运符戴到男士的脖子上，然后让你一起参加所谓的抢亲游戏，“婚礼”的一个重头戏，是入洞房。不要以为真有入洞房那等好事，可怜、无辜的新郎都在那儿乖乖地交钱呢。

主婚人会说，姑娘给你戴幸运符的时候，如果你接受了，那就表示同意这门亲事了，如果反悔，就要把你在村口的大树上倒挂三天，还要给他们干三年苦力。游客稀里糊涂就被拉入洞房，不把钱给够甭想走出洞房。

我是“吝啬的唐明皇”

华清池是西安市的一个著名景区，因唐玄宗与杨贵妃的传说而声名远播。大凡到了西安的游客，都要慕名到此一游。

2006年9月上旬，我们一家三口在秦始皇兵马俑博物馆返回途中游览华清池。与前两次相同的是，都要留影；不同的是，前两次我是主客，而这次是陪客——陪妻子和女儿来逛逛而已。

我们自费请了个导游——模样不美也不丑的少妇，一只眼睛有明显的斜视。我们在秦始皇兵马俑博物馆就已请了这位导游。导游的职业道德似乎很不错，她主动申明：游完以后，满意了才给钱。于是双方商定：捆绑服务，游毕付款。

在西安华清池景区，包括“西安事变”发生地——九间厅在内的各个景点，我们都走马观花地看了看，导游也还算负责任，领着我们一路讲解，起码妻子和女儿听着会感到新奇。

转了一圈出来，在一个亭子跟前，有人出租“贵妃服”，供游客摄影留念。穿一次5元钱，请人照一张相20元。导游一个劲地称赞妻子像杨贵妃，动员妻子照一张相，我也可以跟着合影，当一次“唐明皇”。导游的话不无道理:“不容易来一次呀，这是过去皇帝玩的地方，很有纪念意义的！”妻子也很有兴致，把色彩艳丽的长裙套在了像杨贵妃一样富态和白皙的身躯上。但我却不愿花那20元冤枉钱。自己带有照相机，想照几张就照几张，大不了花几块钱，何必要用比这多出几倍的开支拍一张照片呢？咱又不是不会摄影！我没理会导游的“好心”，自当摄影师，让妻子摆出不同的姿势，从不同的角度给她“喀嚓”了四张。

妻子尽了兴。可导游那红唇里吐出了不紧不慢的冷嘲热讽:“好吝啬的唐明皇啊，连相也舍不得请人照一张！”

“哈哈，我这个唐明皇是有点吝啬。如果大方一点，请人拍一张照片，你不是也可以提成个十块八块的！”我不恼不怒，却也不冷不热地回敬了一句。

女导游当然也不好怎么反击。我们就嘻嘻哈哈一番作罢。

四、转团并团——卖你甩你没商量

“拼团”是旅行社业务中经常出现的情况，旅行社因成团人员不足，可以将团员转给有业务关系的符合资质的其他社，但旅行社应将拼团的事实及接团旅行社的服务情况如实告知消费者，并不得降低接待服务水平。一些违规旅行社利用这一“行业惯例”，收客后将团员转卖给其他旅行社。据资料显示，有的旅游团被多次转卖（多至三次），最终接待地旅行社不能按出发地收客旅行社当初答应的条件办团，违反对消费者的承诺。

一些游客报名参加境外游线路，明明是冲着一些大旅行社的招牌而去，不料临到出发前，旅行社方面却会忽然变卦，称原有的线路报名不满额，所以不得不和另一家旅行社合团出发，而后者的资质往往不如原来的这家大社。游客不知情，便也只能接受。其实这里面就经常有旅行社的“小九九”——有时候并不是该社没有线路，而是它将游客“卖”给另一家小旅行社，以便牟取更大的利润。

一位资深旅游从业人士告诉我，中小旅行社的主要业务就是“揽客”和“卖团”。由于自身能力不足和资金匮乏等原因，一些中小旅行社并没有开展国际甚至国内旅游线路的能力，只是收客后将其转卖给其他旅行社，这种做法被称为“卖团”。据调查，一般来说，卖一个国际团的利润可达600元人民币，组团社的利润也不过如此，而官方允许的互为代理制度下的转团利润只有100元左右，所以目前旅游市场上买团卖团现象屡禁不止。

游印度莫名被甩

“十一”黄金周到了，30多位来自不同旅行社的团员，带着期盼的心情，准备利用难得的长假，体验印度探秘之旅。此时，他们并不知道，从此开始的6天行程中，他们所体验到的，并不是印度的博大精深和神秘魅力，而是由黑心旅行社带给他们的欺骗和闹心之旅。

这30多位团员，分别来自国内几家具有专业水准的大旅行社。

在出团之前，所有的团员并不了解拼团的情况，尤其国旅、中旅等大的旅行社，始终强调是自己的旅行社组团，于是，团员们出于对大的旅行社的信任，纷纷缴纳了7 000～8 000元不等的团费，参加了印度探秘之旅，而正是由于拼团，引发了整个旅程中许多的问题，让本来充满期待的旅行，变成“苦难之旅”。

几家旅行社都没有在出发前按照国际旅行团的惯例召开说明会，他们对将要前往的印度的了解，基本上都是自己在网络或者杂志上了解到的，出团通知，也是在出发前一天才以传真等形式发到团员手中的。并且，在出发前不到六个小时才通知团员行程改变，并且未作出任何说明。

各旅行社都没有派出自己旅行社的专业的领队在集合地点（北京首都机场）接团，甚至出团通知上载明的行程领队李某也根本没有出现在首都机场，团员在完全没有组织的情况下自己办理完各种通关手续后，在惶恐中登上开往印度新德里的飞机。

而这个领队在众多团员的电话寻找中，才在上海转机时出现在飞机上。经追问，此人未能在北京接团的真正原因，是其根本就不在北京，而是一直在上海，并且也是在上海登机出发的！在到达新德里机场后，此领队也并没有履行他的领队职能，完全任由团员自己办理出境通关手续，并且对团员们的投诉置若罔闻。

领队对于一个国际旅行团而言，是至关重要的角色，而这个领队在印度境内仅4天的旅程中“蒸发”了两天，把团员直接丢给当地地陪和一个并不是导游的小姑娘，并且对自己的“失踪”不作任何解释，因为他的不负责任，旅程中出现的问题根本无法得到解决。

当团员们对旅程及“享受”到的服务极为不满的时候，李某却推卸责任，完全不承认自己是整个行程的领队，所以没有责任对团员们的旅程负责！最终在团员们以不离开印度不上飞机的抗议行为下，才承认自己是此次90多人（上海60人）的旅行团的负责人，隶属于一个管理咨询有限公司，而此公司在北京仅仅有个办事处而已。此时，团员们才知道，他们是被各大旅行团卖给了这个根本不知道有没有旅游从业资格的公司！

泰国苦旅

张先生夫妇在北京一家国际旅行社报名参加了一个去泰国的旅游团，同时交纳了每个人4 730元的团费和每人1 000元的自费项目费用，旅行社则承诺，出境后除给导游的小费外，不必再交任何费用。

但是旅行社由于一些原因未能组团，就将张先生等人转包给了另一家旅行社，令张先生夫妇意外的是，出国后，第二家旅行社的导游又向自己索要每人2 000元的自费项目费用，不交就不能随团活动，甚至不能住预订好的酒店，不能坐旅游团的车。张先生认为自己已经在前一家旅行社交纳了团费和自费项目费用，并得到其“到境外不必再交纳除小费外的任何费用”的承诺，自己不应该再交钱，而导游则称张先生在那家旅行社交纳的自费费用只是白天活动的费用，不包括夜间活动的费用，双方为此争执了好几天，一些旅游景点也因此没有去成，原来所设想的一趟“快乐之旅”成了“郁闷之旅”。

更让张先生料想不到的是，回国后，他和夫人在首都国际机场出关处被这家旅行社导游等人纠众暴打受伤！

于是，气愤的张先生不得不将两家国际旅行社以及出具旅游发票的第三家旅行社告上法庭。

点击“旅游卖团”

国家和地方消费者协会时常提醒游客谨防“卖团”陷阱，但这类陷阱似乎并没有因此而减少。

在“百度”上搜索“旅游卖团”信息，居然达1 400多条，可见这类闹心事不乏其例。

——天津的刘先生本来报名随本市某旅行社到美国旅游，结果该旅行社将刘先生转卖给了北京某旅行社。北京这家旅行社不守信誉，导致刘先生到美国后无人接待，又因语言不通，处处碰壁，吃尽了苦头。

——江苏漆女士等五位游客参加了某旅游公司组织的攀枝花—泸沽湖—丽江七日游，在完全不知情的情况下被转卖给了另一家 旅行社，旅行社之间扯皮，全体游客长时间滞留在攀枝花火车站，途中，由于改变了行程，找不到住处和安排住宿不合理，造成游客之间为争床铺发生打架事件。

——上海离休老干部张先生和老伴回到阔别40年的四川老家，在朋友的建议下到九寨沟旅游。签订合同的是西南某旅行社，合同中并没有说会转团或联合发团，但第二天出发时，来宾馆接他们的人却是成都另一家旅行社的人员。接着几天的旅游，接连发生不愉快的事情——汽车晚点、景点“缩水”、购物上当，回成都后向签约旅行社讨说法时才知道，真正发团的是第三家旅行社，其间老人被“卖”了两次。

旅行社非法卖团危害很大。其一，严重侵犯消费者的知情权和选择权。其二，常常造成旅行社之间责任不清，互相“踢皮球”。其三，导致有些旅行社只顾自身利益，不顾游客利益和安全。

五、格式合同——文字游戏埋隐患

旅游合同，绝大多数是旅行社为重复使用而预先拟订好的格式合同，旅游者往往只能表示接受或不接受。这些格式化合同中常常出现一些损害旅游者利益的不公平条款，其目的主要是免除或部分免除自身责任，排除旅客的主要权利，旅行社如果不能尽到告知说明的义务，就会给合同的履行埋下隐患。

旅游投诉不断出现，其中许多与格式合同或不规范的合同有关。

留意旅游合同，不难发现这样的条款：“在不减少景点的前提下，旅行社保留对行程的调整权”；“由于旅行社组团人数不够而不能成行的，旅行社可变更出团日期，旅游者要依据变更后的团费标准付费。旅游者也可以选择退团，但仍需承担所发生的相关费用，并依情况支付20%～80%的赔偿金”。

这些“文字游戏”，约定不清，责任不明，一旦出了事情，旅行社可以金蝉脱壳，推脱责任，除非你具有法律工作者的专业知识和孙悟空的火眼金睛，否则是不容易识破的。格式合同“约定”的“霸王条款”，更使“上帝”遭遇“霸王”时英雄气短。

“霸王条款”的“脸谱”具体表现形式为以下几种：

（1）在格式条款中免除旅行社因故意或者重大过失造成游客损失的责任。

一家旅行社在北京双飞五天团合同中规定：“如遇旅行社不可控制因素（如塌方、塞车、天气、航班延误、车辆故障等原因）造成行程延误或不能完成景点游览，旅行社不承担责任。”

然而，根据《合同法》第一百一十七条规定，可以免责的不可抗力因素仅限于不能预见，不能避免并不能克服的客观情况，而上述塞车，天气，车辆故障等不属于不可抗力范畴，不能成为旅行社免责的理由。

（2）在格式条款中免除或减轻因旅行社自身违约依法应当承担的违约责任。

有的旅行社在北京双飞五天团游合同中规定：“此线路如不成团，我社将提前两天（含出发当天）通知改期，改线或全额退回团款，不作任何赔偿。”

根据《合同法》的规定，合同生效后，如需变更或解除，除法律法规规定的特殊情况外，均应经当事人协商一致。若单方面变更或解除合同，就构成了合同违约。根据《合同法》第一百零七条规定“当事人一方不履行合同义务或者履行合同义务不符合约定，应当承担继续履行、采取补救措施或者赔偿损失等违约责任”。

（3）在格式条款中排除消费者知情权和依法变更或者解除合同的权利。

一些旅行社在欧洲游合同中规定：“具体行程安排以出团前座谈会所发行程为准，若遇不可抗拒情况（如旅游途中某些城市遇到节假日或展览会），本公司保留变更行程、酒店或住宿地点之权利。”

根据这一条规定，游客在签订旅游合同时，是无法得知确定的行程安排的，在收到明确的行程安排后，由于已签订了旅游合同，即使游客对旅行社安排的行程不满，也不能提出变更或解除合同，这一条款违反了《消费者权益保护法》关于消费者知情权的规定和《合同法》关于合同变更和解除的规定。

消费者在签订这些旅游合同格式条款时，由于不是法律专家，大多不在意或不能看破其中的玄机，而如果一旦发生消费纠纷，这些格式条款又会为消费者设下“隐形陷阱”，正当权益难以得到保障。

许多景区，游客都是第一次去，对旅游区路线不熟悉，只是盲目听从导游引导，旅行社将部分旅游内容省去，减少开支，消费者并不清楚；还有的旅行社模糊化报景点，如 ××× 一线，消费者听上去感觉景点不少，但是，实际旅游中很多景点只是路过而已，根本没有停留下来让游客仔细游览的时间。本应游览一个小时的景点可能只游览半个小时：有的景区在游客报名时只含大门票，而里面的一个个小景点却要花费不少的钱，进了大景区，小景点就一个套一个，你不得不花钱进去。

（4）在合同条款中玩“送保险”花招诱人上钩。

许多旅行社在行程上打出“送 10 万元保险”，让你怦然心动。实际上，旅行社送的是旅行社强制责任险，是旅行社必须买的，只有当事故发生是由于旅行社的过错，导致游客人身伤害或者财产损害的时候，才可以索赔，由保险公司代旅行社来承担赔偿责任，赔偿额仅在 10 万元以内，如果意外发生，不是旅行社责任造成的，那么索赔是无效的。

刘先生跟随一个团到桂林，因为天雨路滑，在游玩时不小心摔伤，住进了医院。刘先生想，旅行合同上说要送保险的，就向保险公司索赔。保险公司告诉他，旅行社购买的是责任险，只有是旅行社责任才会赔偿，而如果是自己发生意外，并不在赔偿范围之内，游客只能自认倒霉。能够索赔的意外险一般情况是要求游客自己购买的，许多旅行社都不会赠送，“送保险”为了“鱼儿上钩”。

旅行社的口头承诺比文字游戏更需提防，口说无凭，在旅行过程中，他们经常擅改合同，承诺的服务不予兑现。因此你得较真，一旦日后发生纠纷，旅游合同是你的“维权法宝”，旅行过程中，发现旅行社存在违约行为，要保留权益受到损害的有力证据，以便日后依法进行投诉。

尾声

专家统计，旅游有180多个“绰号”:“旅游是和平的使者”，“旅游是通向全球的护照”，“旅游是推动经济发展的润滑剂”，“旅游是传播人类文明的一座流动的桥梁”。这种现象恐怕是任何产业所没有的。

当人类迈入21世纪门槛时，旅游的浪潮已冲撞着地球的每一个角落。旅游业作为21世纪最大的产业，越来越受到世界各国和地区的重视，几乎各国都在打旅游牌。旅游早已冲破时空局限，不再是有权者、有钱者、有闲者的专利，不再是“智者乐水，仁者乐山”的高雅话题。它从“民间外交”变成“创汇产业”“无烟工业”“无形贸易”，变成“先导产业”“强势产业”“支柱产业”，近来有了“环保产业”“文化产业”的雅号。

在2008年11月26日日内瓦“2008年欧中合作论坛”上，国际旅游联合会主席杜吕克说，虽然国际旅游发展迅速，但仍处于起步阶段。世界各国旅游业者仅占人口的3.5%，市场发展潜力巨大。

在中国，旅游业被誉为“朝阳产业”。这是一个多么美好的名字！它使人联想到“旭日东升”、“如日中天”、“方兴未艾”……2008年北京奥运会的举办，以“绿色奥运，人文奥运，科技奥运”的理念和实绩，向世界展现了开放的中国风采，吸引了众多国外游客好奇的目光。

我们欣喜地从国家旅游局发布的《2008年全国旅游投诉情况通报》中得知：2008年全国各级旅游质监所接到投诉下降19.08%，入境游、国内游、出境游三大市场投诉总数都呈现同比下降趋势。

在偌大的世界已因文明成果的共享而变成“地球村”的今天，在许多国人旅游成为现实的今天，我们热切地希望——

旅游业由乱到治的速度是“千米快跑”，而不是“马拉松”！

游客的旅程多一些坦途和彩霞，少一些陷阱和阴霾！

让我们这个文明古国以美丽，诚信，安全，负责任的形象展现在世界人民面前！

（选自2009年第11期《北京文学（精彩阅读）》，有删节，作者：曾德强）

后记

上世纪末，文汇出版社曾出版了18卷本的《20世纪中国纪实文学文库》，在读者中产生了广泛而深远的影响。现在推出的《21世纪中国纪实文学大系》正是上世纪“文库”的延续，是对21世纪中国客观、真实的记录。由于某些原因，我们在这套丛书的编辑思路及框架设计上作了如下调整：

一、为了使记录更加及时、更为精准，决定以“一年一部”的节奏，每年出版一部记录上一年重要事件及相关人物的“年编”，力求内容齐全，文字准确真实。

二、考虑到《20世纪中国纪实文学文库》收尾在1999年，本套丛书特将2000年一并收入，以弥补上世纪“文库”之不足，体现内容的完整性。

三、为了凸显文学价值，每一部年编都对当年中国纪实文学的新特征作了梳理和评析，并力图作出前瞻性的研究。这样，每一部年编在“一书一述”的基础上，又增加了“一书一评”的内容，其兼具“史料”和“文学”双重价值便成为可能。

在本套丛书的选编过程中，著名文学理论家钱谷融教授不顾九十多岁的高龄，欣然应允担当本丛书的顾问；著名文学评论家杨扬教授，则为本套丛书的编辑、出版提出了诸多建设性意见，并花费了大量时间阅读文本，带领他的团队撰写了一篇又一篇有关纪实文学的评论文章；上海市新闻出版局的阚宁辉副局长和许乃青处长对本套丛书的编辑、出版作了许多重要指导，并给予了很大的鼓励；新华社上海分社副社长叶国标、图片中心副主任金丽莉为本套丛书的图片提供给予了巨大的支持；文汇新民联合报业集团信息中心的姚高东主任和图片中心的高峰主任，则为本套丛书图片的选择提供了有益的建议……在此，对于每一位对本套丛书的编辑、出版予以帮助的前辈、领导和朋友，我们谨表示深深的谢意！

今后，我们每年都会编辑、出版一部《21世纪中国纪实文学大系》的年编，我们将加倍努力，及时推出能够让读者朋友喜爱的读本，为中国的出版事业贡献出我们的绵薄之力。

（编　者）

致作者

编选者在编选本书时，已经获得部分作者授权，谨在此表示衷心的感谢。

同时，因时间仓促，作品来源辗转，故仍有部分作者未能取得联系。在此，我们深表歉意。请未取得联系的作者及时与我社联系，我们将按照国家有关规定支付稿酬，并奉上样书。

文汇出版社

2012 年 8 月 18 日

联系地址：上海市威海路 755 号 18 楼

邮　　编：200041

联系电话：021-52921234 转总编办

图书在版编目（CIP）数据

21世纪中国纪实文学大系. 2009卷：学生"村官"／桂国强主编. —上海：文汇出版社，2012.9
ISBN 978-7-5496-0611-5

Ⅰ.①2… Ⅱ.①桂… Ⅲ.①纪实文学—作品集—中国—当代 Ⅳ.①I25

中国版本图书馆CIP数据核字（2012）第178972号

21世纪中国纪实文学大系（2009卷：学生"村官"）

丛书主编／桂国强
责任编辑／张 涛 曹 立
特约编辑／成 蓓
装帧设计／周夏萍

出版发行／文汇出版社
上海市威海路755号（邮政编码200041）
经　　销／全国新华书店
照　　排／南京展望文化发展有限公司
印刷装订／上海宝山译文印刷厂
版　　次／2012年9月第1版
印　　次／2012年9月第1次印刷
开　　本／720×960 1/16
字　　数／250千
印　　张／19

ISBN 978-7-5496-0611-5
定　　价／32.00元